音乐作品中“英雄”形象的文化价值研究

陈　锐　著

东北大学出版社

·沈　阳·

图书在版编目（CIP）数据

音乐作品中“英雄”形象的文化价值研究 / 陈锐著
. — 沈阳 : 东北大学出版社，2022. 1
ISBN 978-7-5517-2941-3

Ⅰ. ①音… Ⅱ. ①陈… Ⅲ. ①音乐作品—文化—价值研究—中国 Ⅳ. ①J605. 2

中国国家版本图书馆 CIP 数据核字（2022）第 022918 号

出 版 者：东北大学出版社
地址：沈阳市和平区文化路三号巷11号
邮编：110819
电话：024-83683655（总编室）
024-83687331（营销部）
网址：http://press.neu.edu.cn
印 刷 者：辽宁一诺广告印务有限公司
发 行 者：东北大学出版社
幅面尺寸：170 mm×240 mm
印　　张：18
字　　数：304千字
出版时间：2022年1月第1版
印刷时间：2022年1月第1次印刷
策划编辑：周文婷
责任编辑：杨　坤
责任校对：王兆元
封面设计：潘正一
责任出版：初　茗

ISBN 978-7-5517-2941-3　　定　价：60. 00元

作者简介

陈锐，男，中国共产党党员，副教授，现任教于江苏省宿迁学院音乐系。主要研究领域为作曲与作曲技术理论、钢琴表演与教学研究。担任全国社会艺术水平考级钢琴考官，江苏省音乐家协会会员。公开发表学术论文40余篇，其中被A&HCI、CSSCI及中文核心收录共10篇；出版学术专著1部。主持江苏省社会科学基金项目研究成果：中华优秀传统文化语境下以“英雄”形象塑造为核心的音乐创作题材选择研究（项目编号：17YSD013）项目，主持或参与江苏省社科基金等项目15项。曾获中国音乐家协会“成才之路”作曲三等奖，被评为江苏省“青蓝工程”优秀青年骨干教师培养对象、宿迁市“千名拔尖人才培养工程”第三层次培养对象、宿迁学院“优秀青年骨干教师”、宿迁学院“优秀教师”等荣誉称号。

序　言
PREFACE

“英雄”一词最早出现在我国东汉时期，在当时，“英雄”是具备超乎常人的能力者，如在遇到困难时或不畏艰险，或无私奉献，或在其他方面令人敬佩，又或具有高尚品格的人，这一评价标准也一直被沿用下来。在中华民族文化的传承过程中，也诞生了无数的英雄豪杰，他们都在不同的历史阶段为中华民族的发展做出了巨大的贡献。正是因为这些英雄的出现，中华民族才能在每一次的危急关头转危为安。人们最初多以口口相传的方式对英雄的事迹进行描述，他们的形象塑造也多是通过这些事迹展开的。随着艺术的发展，诗歌与音乐也成为人们赞颂英雄的重要方式。最开始赞颂英雄的诗歌与歌唱作品的创作形式较为简单，但随着音乐艺术的不断发展，以音乐创作赞颂英雄的作品在结构上也更为严谨，作品也从声乐领域开始逐渐扩展到器乐及其他艺术领域中。

以“英雄”形象作为音乐作品创作的题材，不仅是对文化历史的记录，也体现着不同历史时期人们对于“英雄”的评判标准。但不管哪一时期的英雄，我们都可以从他们的身上感受到坚强的意志与真挚的情感。除了历史上真实存在的英雄人物，人们内心也有对“英雄”形象的刻画，它是一种时代精神、社会精神的集中体现，更是民族文化的象征。音乐作品都来源于生活，只是在创作中进行了艺术化的加工与升华。从不同的作品中可以了解到不同题材对其音乐风格产生的影响，不同风格作品中所体现的审美价值，对听众的审美体验也会产生不同的影响。“英雄”题材的作品创作是不同个体之间的通感，创作者以仰望的视角对“英雄”这一群体进行艺术化的还原，结合创作者对“英雄”形象的理解，通过作品内容的呈现，赋予其高大伟岸的悲壮美或沁人心脾的隽永美。作品中的这些“英雄”也在不断地影响着大众，在艺术创作中形成一种思维惯性，使其成为艺术创作的文化母体。

英国人卡莱尔亦曾这样说过：“在任何时代，他们都不可能从活着的人心目中完全清除掉对伟人的某种特殊的崇敬感，是怀有真正的尊敬、忠诚和崇拜，不管这崇拜多么模糊不清和违反常情。只要人存在，英雄崇拜就永远存在。”①从精神层面来讲，英雄都具有异于常人的精神或能力，但正是因为如此，他们才能具备催人奋进的力量，让人们产生崇敬之情。这种意识也沉淀在民族文化之中，并对人们的价值取向产生潜移默化的影响，从而推动社会更好地向前发展。当英雄这一形象开始从个体行为衍化为群体意识时，便开始广泛出现在文学作品与艺术创作之中。

我国从先秦时期就已经出现以“英雄”形象为题材进行创作的例子，很多作品中塑造的“英雄”，也一直随着文化的传承与传播被更多人知道。先秦时期的《葛天氏之乐》《伊耆氏之乐》是当时宗教性的乐舞，这些原始部族会通过歌、舞、乐三位一体的综合形式，表达他们对部落首领或者当时的英雄的崇拜之意；六代乐舞中后三部作品带有鲜明的英雄主义崇拜色彩，《大夏》是歌颂夏禹治水功绩的，《大濩》是赞颂商汤伐桀的，《大武》则是反映武王伐纣的，虽然作品具体内容表达不同，但都是通过作品赞颂统治者的文德武功，带有一定的讴歌意义。一直到秦汉时期，俗乐得到发展，尤其是在民间音乐的创作中，“英雄”形象频繁出现。这也反映在很多的戏剧作品中，如西汉时期有一部非常著名的角抵戏《东海黄公》，作品讲述了力大无比的东海人，名叫黄公，英勇且擅长法术，能够降龙伏虎，人们对他非常崇拜，这也是当时社会中建立在“力量”基础上的一种英雄崇拜，这与宗教式的崇拜相比，更贴近当时人们的现实生活。

秦汉之后，社会变动频繁，在抵御外族侵略的社会变动中，涌现了很多“英雄”，这也让当时的文人在创作中对题材的选择更加宽泛。针对这一时期“英雄”题材的作品主要涉及以下三个方面：一是通过音乐创作对

① 卡莱尔．英雄与英雄崇拜［M］．何欣，译．沈阳：辽宁教育出版社，1998．

史实进行还原、改编等，如项羽、岳飞等英雄形象经常出现在这一类作品中；二是以史实为依据，在此基础上加入了创作者的想象而塑造出来的“英雄”形象，如当时的传奇、志异等文学作品，还有很多现实中并不存在的“英雄”，也在音乐创作中被纳入到了创作者创作的范畴；三是除去个人英雄主义，以“集体英雄”形象展开创作的，如围绕《水浒传》《三国演义》等展开创作的音乐作品。从不同类型的作品创作可以了解“英雄”题材作品的创作与文学作品之间存在着密切的关联性。

至宋元时期，我国的戏曲音乐开始发展，并一直延续到近代。戏曲音乐的繁荣发展在很多方面都有体现，这也为“英雄”类艺术作品的创作提供了更多样化的舞台。自宋代出现杂剧开始，戏曲的音乐表演与文本创作就分属两个不同的群体，有专门的行会组织，负责职业表演艺人的表演作品的脚本创作，尤其是大量文人的参与，提升了艺术作品创作的文学性，而民间艺人在创作中也有专业的演出团体，不同职业艺人的加入也使得当时的艺术表演形式朝着更为多元化的方向发展。很多作品除表现才子佳人的内容外，也有很多表现英雄的。在宋代南戏中就有体现“英雄”主题的作品，南戏广泛的受众群体给予了这一类主题作品很大的推广作用，如《冤报冤赵氏孤儿》等，在之后历代的发展中又对此进行了创新性的发展。在宋代之前，很多艺术形式中都会存在以“英雄”为主题创作的作品，如民歌、曲艺、说唱等，但这些形式在叙事空间上存在一定的局限性，对于“英雄”角色的塑造也较为单一，缺乏一定的传播力度。之后因为行会组织中文人的参与，大大提升了这些作品脚本的文学性，从而使“英雄”形象的艺术呈现得到了提升，在舞台的呈现中也更加饱满、清晰。

音乐作品中出现的“英雄”形象并非大众或专业创作者刻意为之，更重要的是“英雄”本身能够向世人展示的历史使命感与社会感召力。也正是人们对“英雄”的爱，使创作出的以“英雄”为题材的音乐作品中涵盖的文化价值已经远远超过了这一文化符号本身。

从文化传承的角度而言，音乐作品是文化的一种承载体，它相较于文学和绘画作品，对历史的记录方式更为生动。在音乐创作中，对于“英雄”题材的选择是基于历史上或已被大家熟知的英雄事迹，将“英雄”的形象与精神以音乐的形式表达出来，让世人铭记他们为时代的进步与人类的发展所做出的贡献。这样才能让更多的人了解英雄精神，更好地将这种精神传承下去，以此推动社会向前发展。虽然不同时代的音乐创作者对“英雄”形象的具体呈现方式不同，但他们对于这一群体化的选择足以说明“英雄”在精神层面所产生的效应具有共通性。因此，音乐创作者选择“英雄”题材进行创作是对历史的回溯，作品中表达的主题也会起到警示自我、警醒世人的作用。另外，“英雄”形象为音乐创作提供了很多素材与视角，更是一种精神符号的象征。在中国传统文化中，英雄即正义的化身，很多人也在他们形象力量的感召下勇往直前，并在现实生活中不断追随他们的脚步。这也被更多的音乐创作者关注，虽然，在中西方文化中，对于英雄有着不同的解读，但其本质精神是相通的。通过音乐作品创作的过程，将英雄缔造为不同的艺术形象，这些形象其实也承载着创作者的人生观、历史观、社会观等，作品中深刻的主题表达也会引起人们的思考。

与其他题材的音乐创作不同，人们在对“英雄”形象进行刻画时，多以现成的文学作品作为依托，加上民间故事和神话传说等素材，更加丰富了这一类作品中“英雄”形象的塑造，可以让观众从作品中获得不一样的审美体验，这样就可以在音乐实践中最大限度地体现创作者的人文关怀。此外，创作者在创作“英雄”题材音乐作品时，需要结合大的时代背景，体现时代的特点，并积极探求多元文化背景下音乐作品更丰富的艺术内涵，这样才能将英雄的文化价值更好地传承下去。

著　者

2021年8月

目 录
CONTENTS

第一章

“英雄”形象在音乐创作中的文化蕴含

历史上每一位英雄都有着鲜明的时代性，在不同的历史时期，帮助中华民族克服了重重苦难，与此同时，英雄文化的传承也丰富了中国的传统文化，让世界上更多的人了解了带有中国特色的民族文化。音乐是文化重要的组成部分，其创作与发展受到诸多因素的影响，而英雄本身与他们的事迹也是民族文化的组成部分。因此，以音乐作品的形式记录英雄事迹，本身就体现了作品鲜明的民族性，这种方式也使民族文化得以更好地传承与发展。同时，随着时代的发展，以“英雄”形象为题材创作的音乐作品也在不断随着大众的审美变化吐故纳新，使传统文化中的优秀根基与精华可以在历史的发展中得以更好传承。因此，音乐作品的创作与传播对传统文化传承本身就有着重要意义，作品的传播同样需要依靠优秀的文化基因。因此，对于“英雄”形象与音乐作品间的关联性问题的探讨，可以帮助我们更全面了解这一类音乐作品中所传达的文化价值。

第一节　传统文化语境下的“英雄”形象

中国历史发展中出现的英雄都在不同历史时期为我国民族事业的发展做出了伟大贡献，他们的事迹也被记录在音乐作品中被世代传颂，这些故事在流传过程中被人们熟知，并逐渐成为传统文化的重要组成部分，具有非常重要的传承价值。在中外音乐交流日益频繁的当下，以“英雄”形象为题材的音乐创作也具备了很高的艺术价值，不仅可以丰富我国音乐作品创作的类型，丰富民族音乐文化的表达，还能增强我国传统文化在国外的传播力度，增强国际影响力。

首先，我们要厘清传统文化语境下“英雄”形象与音乐创作之间的关联性，对于英雄事迹的记载和歌颂是中国几千年历史发展中继承下来的传统，不仅表达了人们对英雄的纪念、缅怀，更是内心力量的象征，能够对人起到鼓舞的作用，对于英雄的记载方式也会随着文化的发展产生不同的变化。先秦时期，我国对于英雄人物及其事迹的表述多以故事形式存在，多以口口相传的方式流传，如上古传说中存在的女娲、黄帝等；至春秋战国时期，各诸侯国纷纷崛起，不同诸侯国之间也存在文化的碰撞，对当时的文化发展也产生了重要的影响。文化的地域性差异，也为文化的发展提供了更多元化的选择，在这一时期，英雄形象在文化中的呈现方式也更为多样。例如，在唐代，象棋中开始出现楚汉两国，将楚汉时期两位枭雄以这样的方式记录下来。其实，对于英雄事迹的记载，更多的依然还是出现在诗歌作品中。唐代很多音乐作品中都有英雄人物，《秦王破阵乐》就是其中的典型代表，是综合歌唱、器乐、舞蹈的大型歌舞音乐，规模宏大，是唐太宗李世民为了彰显自己的文德武功，依据《破阵乐》改编而成的。事实上，很多音乐在当时的宫廷中仅作为贵族享乐的工具，真正在全国范围内得以普及是在戏曲音乐发展的阶段，很多戏曲作品中都塑造了大众熟知的英雄故事。

综上所述，通过音乐作品的创作来记载英雄事迹、塑造英雄形象的案例长期存在于我国的艺术发展中，并已成为我国传统文化非常重要的组成部分。在战争年代，以英雄为主题的作品也发挥了其独特优势，给予民族大众内心的力量与鼓舞。发展至和平年代，对于英雄的赞颂依然存在，而且随着时代的发展在原有题材的基础上又加入了新的内容，新时代英雄的出现丰富了创作素材，也使得这一形式更好地传承下去。因此，音乐作品与“英雄”形象之间的关系是辩证统一的，正是得益于音乐作品的创作与传播，英雄形象才能更加深入人心，广为传颂，英雄题材作品的创作也极大地丰富了音乐的表达。

其次，音乐创作中对“英雄”形象塑造的文化价值体现也尤为重要，文化价值的体现需要综合音乐作品的实际价值和潜在价值，我们在分析音乐作品中的文化价值时，需要先分析其潜在价值，这与作品艺术内涵的表达有很强的关联性，同时具备了广泛的影响力，如可以在欣赏的过程中起到教化心灵的作用，给听众以美的享受等，都是作品具备潜在价值的体现。音乐作品中的音乐形象可以在人们认识世界的过程中给予其正确的引导。首先，作为艺术的具体表现形式，需要给人以美的享受，“英雄”题材作品在呈现中被赋予了积极的能量，通过歌曲、舞曲等作品，将英雄人物的实际进行最大限度还原，给大众以积极的引导作用，能够促使人进步。而且，音乐具有教化功能的说法自先秦起就已出现，《晋书·乐志》说：是以闻其宫声，使人温良而宽大；闻其商声，使人方廉而好义；闻其角声，使人倾隐而仁爱；闻其徵声，使人乐养而好使；闻其羽声，使人恭俭而好礼。说明“五音”能够对人的行为与性格产生影响，此外，这一类题材的作品在社会中也有一定的影响。英雄题材的作品能够很好地激发人在情感上的共鸣，从而营造更好的音乐环境，有助于爱国主义教育的加强。其次，传播正能量也可以有效推动音乐的传播。正是因为音乐存在的普遍性，它会存在于人们生活的各个方面，也可以让大众在了解时更为直观。因此，音乐的发展与人类历史的发展是紧密联系的，音乐在发展的同时，在见证也在推动着历史的进步。因此，“英雄”形象在音乐创作中就显得至关重要。

通过对“英雄”形象的塑造，可以记录历史，很多人认为音乐作品对于历史的记载相较于传统文字形式的记载会存在一定的偏差，其实不然，通过音乐作品的形式，人们对于作品传播率的关注要高于追求其史实的准确性，而且文字形式的记载在经过一段时间的发展后都会被收录在图书馆或博物馆中，有的甚至都不会被长久地保存下来，除了从事某一领域历史研究的专业学者，很少有人去翻阅相应的历史书籍。音乐作品的创作正好弥补了这一方面，大众通过音乐作品能够了解时代留下的印记，朗朗上口的曲调也方便了作品的广泛传播。因此，单就音乐的表达形式来说，非常适合“英雄”形象的呈现，两者在创作中可以做到相辅相成。同时，音乐也具备文字对于史实的记述功能，创作中可以通过歌词的表达，结合旋律音调的发展、节奏的强弱规律等将事件最大限度还原。例如，在《黄河钢琴协奏曲》中，虽没有歌词，但作曲家通过慷慨激昂的旋律走向，融入当时社会背景下的英雄主题，很好地还原了那一代人为祖国的革命事业所做出的努力。除此之外，《歌唱二小放牛郎》《嘎达梅林》等作品也都是通过口口相传的方式被保存至今。因此，音乐作品在文化发展中的传播力度更为广泛，其传承文化、记录历史的价值也体现得更为鲜明。

音乐作品中对于“英雄”形象塑造的艺术价值主要体现在创作、学术和欣赏三个方面，从音乐作品的本体创作出发，在作品类型与风格表达上具备了多样性，与生活密切相关，因此，“英雄”形象的塑造对于音乐作品的创作来说也是非常重要的元素。我国传统音乐的发展有着悠久的历史，甚至在战争时期也从未间断，虽然经历过发展的高峰期与低潮期，尤其是在改革开放的影响下，西方音乐创作理念开始不断涌入国内，传统文化的发展在一定程度上受到了冲击，进入停滞阶段。其中非常重要的一个原因是作品的风格与形式没有及时跟进，依然是以原来的创作模式为主，创作模式缺乏新意，也会影响传统音乐的进一步发展。随着近年来对传统文化重视程度的增加，民族音乐“回温”，作曲家也开始总结经验，转换创作思路，从作品的风格与形式方面跟进，认为以“英雄”形象为题材展开创作可以丰富作品的类型，完善音乐创作体系。新时期，我国“英雄”题材作品的创作涉及多种艺术形式，在结合时代发展的基础上融合创新元素创作，以更好地丰富我国的音乐文化发展。

在物质财富迅速发展的当下，文化的发展至关重要，每个民族都有属于自己的文化，在交流中不断获得发展的动力，音乐也在民族文化的交流与发展中担任着非常重要的角色。前文提到，我国音乐从近代开始了与世界其他国家之间的广泛交流，不同音乐团体及中外高校之间不断以交流演出的形式开展交流，这也让我国的传统音乐走出国门。在文化外交中，音乐也是非常重要的手段之一，在宣传中国文化、中国精神方面起到重要的作用。很多国家的人都是通过不同形式的音乐作品来了解中国的文化与历史的。不同的时代造就了不同的英雄，这些英雄也都带有鲜明的时代特征，我们可以通过这些作品窥探某一阶段的历史，了解某一阶段的精神文明，通过欣赏这些作品中的人，也可以间接获取到有关这一时期的历史知识，这种交流带有双向性的特点，相互之间有着积极的影响。

通过对中西方"英雄"类题材的作品进行对比，可以发现两者在作品风格上存在明显的差异，中国反映"英雄"主题的作品在创作中会侧重于对抒情性和故事性的描述，非常注重音乐表达的流畅性，通过一首作品也能呈现完整的故事线索；而国外很多"英雄"题材的作品更侧重于对"英雄"的赞美，相关事迹多一带而过，作品更多篇幅都是赞颂"英雄"的伟大。因此，我们在欣赏很多西方作品时，了解到很多作曲家会关注作品中音乐场面的塑造。中西方文化的不同直接导致了这种差异，这也为中外音乐交流提供了更多的可能性。不可否认，我国民族音乐在发展前期对国外音乐有所借鉴，但也正是在不断交流与反思中，我国的民族音乐在不断发展、进步、融合，同时让其他国家的人民可以更多了解中国的民族音乐。

音乐作品中的艺术价值最突出的就是欣赏价值，能够给予听众美的享受。人们在工作闲暇欣赏音乐是非常惬意的事情，这也是人们情感表达的直接表现，高兴时听到非常欢快的音乐会忍不住随着音乐手舞足蹈；伤心时听到舒缓的音乐，内心的烦闷之情也能得到一定的缓解。但音乐欣赏者之间也会存在个体差异，性格不同决定了喜好的不同，同一首作品的受众也会存在群体性的差异。同时，欣赏者的心情及当下所处的环境对于音乐的感受也会有所差别，在心情好的时候希望听到欢快的音乐，心情不好的时候倾向于听伤感的音乐，这样可以更好地获得情感上的共鸣。以"英雄"形象为核心的创作没有明确的情感与风格指向性，作曲家有很多选择。通过塑造"英雄"形象，可以更好地激励奋发向上的人，增强他们的斗志，也可以鼓舞士气低落的人，提升他们的感受力，这也是"英雄"类题材音乐作品所具备的教育功能。

在中国特色社会主义文化建设的新时期，音乐作品的创作越来越多地具有文化价值功能，音乐教育担负着传承优秀音乐文化成果与传承人文精神的重要使命。通过艺术创作将中华民族的优秀文化成果、人文精神，以及价值观念传承下去、发扬下去，注重音乐作品本身的教育功用，将外在的作品形式转化为内在的艺术修养，通过先进的艺术理念与专业知识搭建民族文化向外传播的桥梁，这对世界文化发展来说也有重要意义。这与音乐本身的教育属性密切相关，因此更需要明确，音乐教育并非仅局限于音乐知识层面的传授，更是对传统文化的传承与发展。对一个民族来说，音乐可以带给人们独有的文化认同感与归属感，作品中显示的价值取向也代表了某一阶段社会所呈现的精神面貌。

我国民歌《茉莉花》曾多次出现在重大外交场合中，并在全世界范围内被广泛传颂，因为它已经可以作为中国文化元素的代表。《黄河大合唱》传唱至今经久不衰，因为作品中表现了中国人民顽强抗争的意志及伟大的民族精神，激励、鼓舞了当时抗战时期的人们。包括民族舞剧《丝路花雨》，从创作至今跨越两个世纪，其旺盛的艺术生命力印证了我国传统文化的魅力。这些作品在记录艺术发展的同时，将中国的传统文化传播到世界各地，在文化交流中起到了至关重要的作用。

第二节　对“英雄”主题的把握

在音乐创作中，作曲家需要准确理解英雄精神的内涵，在塑造“英雄”形象时更需要准确理解并全面把握作品的主题，使作品的主题表达可以在群众中产生积极的影响，因为选择“英雄”这一题材创作的最终目的，并不是为了单纯地记录英雄人物的事迹，而是通过艺术化的创作方式，扩大作品的影响力。因此，作曲家在创作中塑造“英雄”形象时，需要结合作品的具体表达在内容上作出相对取舍，通过现象看本质，这样才能更好地发挥音乐作品在传播中的文化价值。

创作之前，创作者需要明确自己想要在作品中呈现的“英雄”形象的本质，在大众眼中，“英雄”多出在乱世或艰苦的革命时期，这带有一定的片面性。当今社会的发展同样离不开“英雄”精神，尤其是在社会主义现代化建设新时期，能够为我国建设、为人民幸福做出贡献的，都属于时代的“英雄”。我们创作“英雄”题材的作品也正是想要传达这样的理念。我们熟知的多数“英雄”人物都有着坚实的群众基础，他们在奋斗的过程中，也需要群众的力量，将自己的潜力与模范带头作用进一步挖掘出来，这也是音乐作品价值的一部分，因此，英雄的诞生同样离不开集体。

战斗英雄邱少云，为了不被敌人发现目标，以惊人的毅力忍受着烈火烧身的痛苦，也正是因为他的坚韧，我军的队伍才没被敌军发现。虽然他并没有正面击杀敌人，但他将集体的利益放在了自己的生命之前，因为他知道，只有依靠集体，战争才能获胜，这也是“英雄”精神内核的重要体现，需要对集体有明确的认知，并在集体中发光、发热。以这一类“英雄”作为音乐作品创作的对象，在表达上不仅仅是个人事迹的呈现，而应该是群体的共同努力。如果没有革命战争，没有党对群众的引领与教育，在这一过程中也就不会出现那么多的民族英雄，他们高贵的品质和先进思想成为引领群众前进的旗帜，通过音乐作品对他们的事迹进行表彰，也表达了群众的心声。

音乐创作者在实践中需要保证作品的质量，需要在符合真实性的基础上做典型化处理，或对英雄事迹的核心进行提炼与概括，使英雄故事在作品中的呈现更为典型。这就需要结合英雄事迹的典型案例，创作时抓住表达重点，将笔墨着重放在可以体现人物优秀品质的事迹上，这样创作出的作品在表达上才能更加深刻。如果想要“一把抓”，什么都想呈现在作品中，那将会影响作品最终呈现的清晰度和深刻性。因此，对于“英雄”形象的选择要典型，对于“英雄”事迹的列举也要具备典型性，结合饱满、凝练的情绪表达，综合呈现人物形象，这样才能将作品的主题思想最大化地呈现出来。因此，音乐作品中“英雄”形象的塑造不能仅局限于对形象概念的传达，还要通过情节性的描绘展现人物的风采。只有结合真实事迹的描绘才能激发观众的情感，在有限的篇幅中，我们无法在创作中呈现更多英雄所经历的事，这样也不利于作品主题的突出，影响艺术效果的最终呈现。因此，创作者在创作过程中对于切入点的选择尤为重要，找准切入点后抓主要事迹进行颂扬，更有利于作品完整度的呈现，内容的表达也会更加具有深刻性。

作品创作的真实性也非常重要，虽然音乐作品在创作过程中会进行艺术化的处理，但这是从创作手法的角度来说的，内容的表达还是要在真实性的基础上展开。因为“英雄”类作品会具有一定的影响力，如果缺乏真实性，会极大地影响作品的教育意义，能够经得住大众检验的作品才是优秀的作品。

第三节 "英雄"主题的群众基础分析

以往歌颂"英雄"形象的音乐作品，除了同类作品具备的教育功能外，这些作品在内容与表达方面还具备了群众性的特点，这样才能更有利于作品的传播。因此，对于作品的具体表现形式与音乐语言的运用需要做充分的考量。

首先是音乐语言。很多人认为音乐作品的语言指的是歌词，这种认识带有一定的片面性，音乐语言在作品中的艺术价值与内涵需要根据作品的表达整体分析，不能仅通过它与日常语言间的关系来看。音乐作品是为了更好地体现生活，而并非现实语言。但从另一层面分析，如果创作者在选择音乐语言时，无法与听众的审美相同，甚至不被理解，那对于作品，观众就会带着排斥的情绪，最终也无法达到教育目的。因此，在创作时，需要从细节处入手，关注大众喜闻乐见的表达形式。随着时代的发展，语言艺术的表达越来越丰富，需要深入了解大众的现实生活与情感表达，这样才能使音乐语言的创作更加贴近大众。如果创作者无法把握语言的"根"，在创作过程中就很难将作品的主题表达与音乐语言契合在一起，也会影响到作品艺术效果的整体呈现。好比一首歌颂戍边战士的歌曲，创作者需要对边疆战士的日常生活有一定了解，这样才能通过组织音乐语言，更好地进行情感表达，也为创作积蓄更多的灵感。

此外，对于传统音乐的表达方式，创作者也需要有所了解，因为民间艺术本身来源于群众，可以使作品的语言表达与群众生活结合得更为密切。当然，这并不是要求创作者必须以民间音乐为创作模板，通过了解民间艺术，感受作品在风格呈现、表达方式，以及音乐语言运用等方面的特点，作为音乐创作的参考，这样可以确保创作的作品不会脱离大众的情感表达诉求。只有贴近大众，才能更好地发挥这些作品的教育功能。

其次是作品的表现形式。音乐作品表现形式的完整度与观众对作品的接受程度之间也存在直接的关系。为了确保更多的人可以理解作品，作品结构通常比较简洁，但与此同时要保证作品的完整度就会使创作难度有所增加。如果在作品内容上表达不完整、思想不集中，同样无法让大众喜欢。很多创作者认为作品的表现形式不重要，因此创作时忽略了作品结构，这就容易造成作品结构散乱，无法做到完整地表达，更不要说音乐主题的表达了。

如果作品的结构完整，但与音乐之间找不到完美的契合点，很难给人留下记忆点，大众找不到认同感，依然会缺乏群众基础。音乐作品的表达依然要求突出主题，并使主题的表达合乎作品的结构与逻辑。并不是短小的作品结构就一定可以获得广泛的群众基础，篇幅较长的作品就不能，这种观点也会带有一定的片面性。因此，需要综合分析作品的内容表达与形式呈现。不能简单地将音乐作品的群众性与通俗性画等号，我们需要在保有通俗化的基础上创新，寻求创作中的多样化表达，这样才能不断地充实音乐创作本身。群众基础是我国艺术传承的根本，如何更好地传承我国的传统文化，也是当代音乐创作者的文化使命。

一个有希望的国家不能没有“英雄”，自古以来，中华民族就涌现出很多英雄人物，他们通过自己的壮举，共同铸就了我国悠久的英雄文化。我国发展进入新的历史时期，随着社会的发展，为了更好地实现中华民族伟大复兴的目标，我们需要“英雄”，更需要英雄精神。在全民抗击新冠病毒感染疫情的斗争中，出现了很多“先行者”，这就是新时代英雄文化的具体体现，也彰显了英雄文化的巨大力量。正是因为在“英雄”文化的熏陶下，中华民族逐渐形成了不畏艰难的民族气质、深厚宽广的爱国情怀、舍生取义的牺牲精神，以及英勇无畏的英雄气概，共同铸造了我们的民族之魂。对于弘扬和培育新时期的英雄文化，需要充分吸取我国优秀传统文化中的英雄精神，更好地实现中华民族的伟大复兴。随着群众对英雄文化的深入了解，英雄文化的价值与内涵也在发展中被不断丰富。

此外，上述所有观点还需要建立在创作者对“英雄”形象的准确理解与把握上，只有这样，才能在创作中把握好情感的歌颂方向。无论是处在我国任何一个历史时期的英雄，都需要对他们的精神进行肯定和颂扬。作品情感的把握要全面，不能掺杂任何负面情绪。虽然有些作品中会使用带有悲伤情绪色彩的音调，但这是故事本身的情感色彩，而不是作品情感表达的重点。时至今日，在音乐创作中塑造“英雄”形象依然具有很强的必要性，虽然现在不是战争年代，很多人不会为了国家、民族大义奉献自己的生命，但“英雄”会以一种新时期的方式为社会、为人民做贡献，如我国驻守边防的战士，坚守在自己岗位上的战士，同样是当下的时代英雄。其实各行各业都有这样的“英雄”存在，因此，我们依然需要弘扬英雄主义精神，正是因为有了他们的存在，我们才能过上安定的生活。

正确地理解“英雄”形象的表达，才能更好地在音乐创作中颂扬英雄精神，进而创作出能够感染大众的作品，增强这些作品的教育功能。因为英雄精神需要继续传承，这不仅是一种文化的传承，也是一种信念、一种精神的传承，借助音乐这一大众喜闻乐见的艺术形式，塑造更多大众可以理解的作品，对我国传统文化的发展也有很好的促进作用，展现“英雄文化”本身的魅力。如何更好借助群众的力量让更多的人了解“英雄”文化的精神内核，让传统文化在今后的发展中可以历久弥新，是当前文化发展面临的重要课题。

第四节　“英雄”形象音乐作品的研究价值与意义

“英雄”形象象征着民族精神，人们对于英雄的崇拜也源自集体无意识，既能够展现时代的风貌特征，与此同时，也体现了不同时代的审美价值，研究音乐作品中的“英雄”形象，可以更好地帮助我们了解“英雄”形象的价值体现。

在人类文明发展的长河中，从不缺乏英雄与英雄故事，对于“英雄”的崇拜是人类普遍存在的文化意识，这也影响了民族形象的民族性与时代性的体现。“英雄”形象是民族精神的重要载体，具备了一定的文化生命力与感召力。在东西方的历史发展中就出现了很多英雄，这些英雄伴随着历史的发展，代代相传，保存在各自的民族意识形象中。

在我国的先秦时期，“英”“雄”是单独使用的，直到西汉时期，“英雄”一词才开始在文学作品中出现，之后，这一词被定义为有智有勇的代表，是兼具聪明才智与勇气的代表。随着社会的不断发展，这一概念的应用也更为宽泛，有人将其定义为“伟大人格”“永恒价值的代表”“真善美”等，尤其是在中国古代的神话故事中，很多英雄人物往往都是自然界中“天人合一”的杰出代表，这种存在于传统文化中的崇拜意识与英雄观念，也体现了文化底蕴的深厚。在西方文化体系中，英国的《简明不列颠百科全书》中曾对“英雄”做出了定义，即在《伊利亚特》与《奥德赛》中出现的早期的自由人，特别是杰出的人物，以及在战争中体现出勇敢等美德的代表人物。在这些神话故事或者带有传说色彩的史诗传记中，很多英雄人物本身就是“神”的后代，在记叙的过程中，这些英雄人物也兼具了人与神的特征。随着社会民主化的发展，越来越多的英雄形象开始逐渐朝着生活化、世俗化的方向转变，之后在很多文化创作中，对于英雄形象的塑造也开始由神话传说转向叙事。

通过对人类发展进程的了解，人类发展的历史是不断与未知元素斗争的过程，每一次的进步都离不开斗争中牺牲的英雄。“英雄”形象也多以“灾难”“救世”两类主题呈示，尤其是在中国古代的神话故事中，每次灾难事件发声都会有英雄的出现。而且，这些灾难也是人类发展进程中客观存在的，如自然灾害及人为的灾难事件等，在人类与不同的灾难抗争的过程中，就出现了很多的“英雄”形象。其实，远古时期的人们面对困难时，更多的是束手无策，但他们会希望通过自己的努力，使当时的现状得到缓解甚至解决，因此，将这种希望寄托在了文学作品中。在一些灾难性的事件中，具备了战胜灾难的力量与解决问题的能力，创造出了很多英雄形象。这些英雄形象也为后世音乐作品的创作提供了灵感与素材。

音乐作品中出现的“英雄”形象主要有以下几种类型。

（1）人定胜天型。

这些英雄在灾难面前往往具备很强的领导能力，他们可以帮助甚至带领多数人战胜灾难，这种英雄也是作品创作的主要类型，他们能够凭借自身超越普通人的能力或者智慧战胜灾难，如我国的“后羿”“大禹”等，都是凭借不同常人的力量战胜灾难，从而树立起的“英雄”形象。

（2）虽败犹荣型。

这些英雄通过自己的不懈斗争，有的甚至付出了生命的代价换来了斗争的相对胜利，但在斗争的过程中，通过斗争精神与英雄气概，在精神方面同样具备很强的精神感召力。神话故事中的精卫、夸父等，虽然并没有获得最终的胜利，但他们表现出了不屈不挠的意志与坚韧不拔的精神，这也是英雄气概的体现。

（3）无力回天型。

这些英雄面对灾难，不管如何斗争都以失败告终，以西方的俄狄浦斯王及中国古代神话中的刑天为代表，他们的“英雄”形象本身就带有浓烈的悲剧色彩。但不管最终结局如何，英雄性格中都有敢于同苦难抗争的精神，不管成功与否，他们所体现的品质都值得让人敬佩与赞赏。

心理学家曾对人类集体无意识进行研究，在分析后得出结论，认为“集体无意识”是人类精神的一部分，这与个体无意识不同，因为这无法依照个体经验进行相关的数据总结。在人的精神层面，“集体无意识”处在意识的最深层次，会通过进化或继承的方式逐步发展而来，依照心理学的相关解释，“英雄”会以某种原型的方式存在于人类集体意识中，这种原型会在发展中不断地出现，就像人的基因一样，世代相传却很难意识，也就是文化的基因存在。他们会出现在不同历史阶段的文艺作品中，虽然这些英雄的时代已经过去，但英雄的影响力依然存在，因此，这些“英雄”形象也在以不同的方式再次进入大众视野，对于英雄形象的塑造从本质上来说就是集体无意识的表现，它可以很好地激发人们内在的情感表达。

一、“英雄”形象具备的时代性

“英雄是时代的楷模，文艺是时代的声音。”文艺工作者通过创作来塑造“英雄”形象，通过作品的表达来展现时代精神。不同的时期有不同的“英雄”涌现出来，他们都代表着当时的时代精神，英雄的时代性也决定了他们的不可替代性。我们通过对“英雄”形象的分析，就可以大致了解到“英雄”所处的时代。文艺工作者也将这些“英雄”赋予新的生命，将他们置于音乐作品中，世代传承下去。因为不管在任何一个历史时期，我们都需要这样的文艺作品，通过作品塑造“英雄”形象，作为大众的榜样、时代的楷模，以更好地激励大众树立正确的价值观。

“英雄”形象的塑造与其所处的历史时期存在一致性，不同时期的英雄人物具有鲜明的时代特征，如在中国的远古时期，由于受到生产力等客观条件的制约，人们为了生存需要与当时恶劣的自然环境作斗争，因此，为了克服生存的困难，古代的文学叙事与神话作品中塑造了很多具有反抗精神的代表，即被神化的"英雄"，如大禹等。到了近代，中国人为了获得民族解放，在争取民族独立的过程中也塑造出了很多革命英雄，他们同样兼具智慧与勇气。在英国著名作家托马斯·卡莱尔的笔下，英雄也有不同种类的划分。从叙事类的文艺作品看，结合英雄的生平经历，在表达模式上带有时代化、类型化的特征，这些英雄也在成长与经历的过程中不断积累，丰富自身，并展现出自己独有的人格魅力与智慧才能。存在于此类作品中的"英雄"形象主要有以下几类。

民族英雄主要有文天祥、岳飞等，他们精忠报国、不畏艰险、不屈不挠的精神影响着后世，是民族发展过程中的重要精神力量，对于民族力量的凝聚也有非常重要的作用。

红色英雄主要有杨子荣、江姐、刘胡兰等，这些英雄的性格、经历虽然存在差异，但他们拥有高度一致的革命追求，为了人民的希望与民族的利益，敢于牺牲自己，尤其是在很多以革命为主题的作品中，为了更明确地凸显作品的教育功能，会突出英雄高洁的品质与无畏的革命精神，这也是主流文艺作品所弘扬的。

此外，在新时期还涌现出很多时代英雄，他们更多的是彰显时代特色与精神的平民形象，如为改革开放新时期的建设做出贡献的改革英雄；积极响应国家号召投入创业大军并带动国内就业的创业英雄；走进农村，帮扶贫困的扶贫英雄；受新冠病毒感染疫情影响，排除万难，走向抗疫最前线的抗疫英雄等。他们都是新时期能够体现英雄精神的普通民众，但他们又是生活在我们身边的普通人，因此，对于这一类"英雄"形象的塑造，会更加贴近生活，也更符合新时期社会大众对"英雄"的精神意识需求。西方社会中也存在新时期的英雄，如美国的"超级英雄"。但我国的英雄与之不同，他们都根植于中国的传统文化，会带有鲜明的民族特征，也会在呈现上带有传统文化的特征。在古往今来的各个领域中，我们都不缺少"英雄"的存在，透过不同时期的文艺作品，我们也能够看到传统文化中所反映出来的英雄情结。

在社会发展的新时期，我们需要英雄，也能够出现英雄。和平时期的英雄不需要慷慨就义，也不需要舍生忘死，而是以自己的方式努力推进社会主义现代化的建设，做出突出贡献的就是英雄。很多科学家，一生都致力于为我国的科学事业奉献，他们既是国家的英雄，也是民族的英雄。

二、“英雄”形象的当代审美价值

在中华民族的历史上，每次面对民族存亡的重要时刻，就会造就很多的民族英雄，英雄主义根植于中华民族的传统文化。在我国历史发展中，对于“英雄”形象的塑造也是处在不断变化之中的，随着时代的发展，人们的价值观也在不断变化，结合不同的时代语境，“英雄”形象在文艺作品中的塑造也在不断变化。

处在我国社会快速转型的关键时期，音乐作品中的“英雄”形象都带有每个时代独有的审美特征。在20世纪80年代以前，很多“英雄”形象都带有“高大全”的特征，主要受当时主流审美的影响，90年代之后的一段时期，一些文艺作品为了争取更高的发行量、话题热度等，会更多地迎合大众的审美需求，塑造“英雄”形象会带有一些个性特点。但很多弘扬主旋律的作品中，依然还是以官方的主流文化需求为主，不管是革命历史题材的作品还是其他类型的音乐作品，都通过不同的手段塑造不同的“英雄”形象。

在民族文化发展中，塑造的很多“英雄”形象都继承了传统“英雄”的相关特征，这些“英雄”形象的塑造与传播也都在传承中得到了延续，民族精神也得到了凝聚。音乐作品中的“英雄”形象可以很好地激发大众内心的英雄情怀，受文化的影响，“英雄”形象本身所具有的号召力与感染力，可以让作品被更大程度地认同，反过来，这也会影响“英雄”形象在音乐作品中的再塑造。这些“英雄”形象也体现了民族对集体意识的追求。

不同时代的“英雄”形象体现了特定的民族心理与民族命运，通过了解一个民族英雄的生平，就可以窥见一个民族的过往、当下，并对其未来的发展做出积极的判断。英雄故事的本身，也彰显了本民族人民对这一命运共同体的归属感，可以丰富英雄精神的内涵，增强民族自豪感。因此，从“英雄”形象的塑造到音乐作品的创作，最重要的是要向大众传递积极的能量，创造出更有感染力与民族性的“英雄”形象，这些作品也有利于增强民族向心力与民族文化的认同感。

音乐作品中的“英雄”形象的塑造不仅与音乐创作有关，与音乐审美也有很大的关联性，但更多的还是新时期大众理想道德与价值追求的体现。“英雄”与大众共同认同的价值观念与事件、条件等因素一起，共同构成了一个独特的民族文化宝库，尤其是面对新时期的青年，接受到的文化越来越多元化，我们更应该努力地塑造符合他们内心的“英雄”形象与精神偶像，这对新时期英雄主义的发展具有非常重要的意义。

社会的健康发展需要一种积极的精神力量作为支撑，所有民族的发展亦然，需要有群众称颂的英雄。在艺术领域，“英雄”形象也占据了非常重要的地位，不同时期每个时代的作品中都有不同的歌颂对象，尤其是美学出现之后，也出现了崇尚“英雄性”的相关理论。随着历史的不断发展，当无产阶级作为政治力量开始登上历史舞台之后，恩格斯就提出了“歌颂革命无产者”的任务，这一观点是在20世纪40年代提出的，之后恩格斯又对其做了进一步的阐释。

我们通常所说的“英雄”形象是广义的概念，它所涵盖的内容相对广泛，既包含了大义凛然的革命烈士、上阵杀敌的勇士，还包括有杰出领导能力的人，还有和平时期为社会建设无私奉献的人，他们都是“美”“善”的化身。因为，在人类最初的认知中，“美”与“善”是一体的，只是随着时代的发展，它们之间都有更细化的评判标准，才逐渐被区分开来，但往往这两者依然是统一于一体的，无法完全将其割裂开来。音乐作品中塑造的“英雄”形象也要符合“善”的表达，因为人类进行社会实践的根本目的就是为了满足一定社会群体、阶级的利益，美在其中就是一种合乎人对素养、气质、才能等方面的肯定，往往这些在英雄身上也都有体现。

“英雄”形象是崇高的化身，这里的“崇高”，并不是像西方古罗马时期的“壮美”“高度”之类，而是指高洁的品行、英勇的英雄行为，以及全心全意贡献社会的精神。社会主义的音乐作品传播的就是这类表现英雄性、体现崇高的作品，这样的作品通过对“英雄”形象的刻画，表达一种

高尚、健康的情感，通过作品帮助观众了解历史发展的规律，并通过“英雄”形象的塑造，影响人们品质的培养，丰富对价值观的认知，也在这一过程中获得美的享受。

新中国成立之后创作的音乐作品中不乏“英雄”形象，这些形象也影响、感染过很多人，在新中国成立早期，文艺思潮受到影响，很多音乐家在创作实践中塑造的“英雄”形象开始出现错位，将英雄过于偶像化、超人化甚至神化了，这其实就已经脱离了人们创作的初衷。

发展到新时期，“英雄”再次回归到常人。我们的时代需要英雄，大众也在呼唤英雄的回归，很多作曲家也通过音乐作品发出了他们对社会的呐喊。优秀的音乐作品往往会给人留下深刻的感受，观众可以通过作品获得正向思考。我们自然也需要正视社会转型阶段出现的不符合社会健康发展的价值观念。但随着社会主义的稳步发展，新的社会观念与价值体系也正在发展，并影响着人们的社会生活。

我们在了解音乐作品中“英雄”形象的创作时，需要分析创作发展中的相关问题，厘清“英雄”形象的特点，这样才能更全面地把握“英雄”在音乐作品中的呈现。首先，英雄的形象毋庸置疑是崇高的，但他们也是社会中的普通人，以此为创作的出发点，塑造的形象才能更好地说服听众。以往也有出现刻画“英雄”形象时，为了体现人物的崇高而编造一些不合乎实际的表达。只有让听众产生代入感，才能让他们更深刻地理解这些“英雄”，如在话剧《赤道战鼓》中就出现过这种情况，剧中一位革命者被反动警察追捕，当反动警察以讥讽的口吻问道：“真理在哪儿？”革命者敞开衣衫，胸前别着一枚毛主席的像章，并回答：“真理就在这儿！”很多人认为这样的场景刻画非常振奋人心，但仔细斟酌，我们无法将这样的举动称为美，如果是“别”在肉上，会感到血肉模糊，这样的场景其实是会影响“英雄”形象的总体呈现的，也是创作者主观赋予的。

英雄同样是血肉之躯，在死亡、苦难面前，他们为什么可以具备坚定的信念与顽强的毅力，作为一个现实生活中的普通人，处在复杂的环境中，面对苦难、凶险，他们也会有普通人的情绪，会害怕，也会愤怒，但他们或许会采取其他的方式转移或宣泄这种情绪。情绪得到宣泄之后，内心的情感才能趋于平衡，如“大声痛哭”“欣喜若狂”“痛不欲生”等词汇都是情感爆发出来的状态，这种宣泄通常也有两种情况，一种是自发的、本能的活动，另一种是在情感表达的过程中存在主观意志的表达。比如，在观看一场悲剧性的音乐剧作品时，会唤起观众痛苦的情感记忆，在这一过程中，内心积累的情绪得到宣泄，内心的情感也变得更为平和，因此，观众在这一过程中也获得了享受。就像弗洛伊德说的，宣泄也是人情感的一种替代性满足。

随着近年来音乐创作的发展，很多作品中都有着对“英雄”形象的塑造与刻画，他们不再被神化。在很多的音乐场景中，他们也会有不同情绪的表达与宣泄，也会随着戏剧情节的发展而发生变化，或者会采用乐曲、歌曲，以及音响效果烘托的方式间接地表达出来。很多作品中的“英雄”形象在面临生死考验时也会害怕，甚至会以“吼”的方式输出情绪，但这正是情感的一种宣泄方式，让我们看到这些“英雄”身上表达出的正常的、真实的人类情感，而不是理想中的“人”，因此，有时候情感的表达也会让形象的呈现更加真实、立体。

英雄也需要成长，没有任何一位英雄是在一夜之间蜕变成的，需要在一定的条件下逐渐发声变化，由量变引起质变。因为每一个人的成长经历不同，他们内心的价值观念也存在差异。因此，在观念的转变上也会需要前提条件。在民族矛盾和阶级矛盾激化的前提下，受历史环境的影响，有的人可能在意识层面就会发生转变，从普通人甚至不怎么讨喜的小人物转变为英雄。尤其在抗日战争时期，这种例子不胜枚举，很多国人都目睹了日寇的侵华恶行，当他们亲眼看到国人被残杀、蹂躏时，内心的悲愤是毋庸置疑的，直接激发了大众的抗战情绪，纷纷加入战争中。但那些有着崇高的品质，在生死关头优先考虑国家与民族利益的英雄，绝不是突然转变的，英雄也有自己的成长过程，很多音乐作品的创作为我们提供了宝贵经验，音乐家也从其他艺术形式的创作中获取了丰富的创作素材。

近年来，在创作表现社会发展新阶段的“英雄”形象时，会遇到一些新的问题。比如，如何在音乐作品的创作中通过音乐戏剧冲突升华主题，怎样中和作品中的对立面，其实就是对作品结构的安排。尤其是话剧、歌剧类的作品中，戏剧冲突是创作作品情节的基础，很多角色的性格也是在这一过程中呈现的，因此，其重要性显而易见。在很多塑造“英雄”形象

的歌剧作品中，都通过剧情的铺垫，帮助观众了解角色的背景，再通过情节的设置，让观众见证“英雄”的成长，让他们可以对整个人物有更直观、更全面的了解。

很多音乐家认为，戏剧呈现的往往是生活中冲突最尖锐、人物情感最浓烈的部分，再结合故事情节的表达，从不同的层次入手，将内容铺陈开来。通常这一类的作品会讲述一个事件，事件中有一个情节线索贯穿始终，在故事的发展中，正面角色与反面角色会存在正面冲突，反面角色的存在也是为了凸显“英雄”形象的崇高，它可以是敌对阵营中的人物，也可以由人民内部矛盾的转化发展而来。但这样的模式也并非适合各个历史时期。在以和平建设时期为背景塑造“英雄”形象时，不能依照原有的理论生搬硬套，这样反而容易弄巧成拙。

在刻画新时期或社会转型时期的“英雄”形象时，需要更合理地安排故事情节，包括作品结构的设计问题，如在话剧作品《徐洪刚》中，作者对徐洪刚“英雄”形象的刻画重点放在了他在汽车上与歹徒搏斗的场景，但这只是作品中的一小部分，剧本中开篇就提到了徐洪刚受伤的信息，之后开始回溯其在汽车上的英雄壮举，且歹徒并未再次出现，接下来的剧情中也没有出现与“英雄”相对立的反面角色。创作团队没有为了突出主角儿人为地拼凑出一个与之相对立的角色。作品的呈现之所以能够吸引人，在很大程度上还是取决于角色的英雄光环，提高了观众对于角色命运的关注，虽然后续观众已经了解了英雄的命运，而且通过作品剧情的发展与人物之间的交流，了解到当前社会存在的问题。观众在观赏的过程中也会随着剧情的发展思考，并受角色情感表达的影响。因此，作品中呈现的戏剧冲突也需要体现现实生活中的问题，这样才能更好地与现实生活互通。

19世纪下半叶，德国著名剧作家、小说家古斯塔夫·弗莱塔克曾针对其戏剧的创作经验提出，戏剧表达的目的并不是对一个事件的还原，而是通过对事件的呈现影响观者的内心。即使在今天，这一观点也非常具有代表性。近年来，在创作社会转型时期的英雄形象时，创作团队更多地关注到了对现实问题的思考，有时也会结合剧中角色表达的特点，利用旁白或者画外音的方式，通过不同的手段，让剧中角色的内心活动更多地呈现出来。作品中代表性角色的观点与形象也会对观众产生影响，引发他们对现实生活的思考。

现代人在生活中会受到多元文化的影响，在价值观层面也有所体现，观众在欣赏音乐作品时，内心的情感起伏也会有所体现。因此，当观众在欣赏作品的过程中，情绪受作品中角色的影响，会出现思考的行为，这种思考也会因为具体问题的表达而出现。

因此，有些作曲家在戏剧结构的创作上往往采用串珠式发展呈现。舞台上随着故事的发展，不同的时空要灵活安排。在涉及与现实生活相关的问题时，剧中出现的议论、分析都会直接影响观众，这时文学性语言的表达又显得至关重要。以往，在戏剧作品中语言表达会受到更高的重视，会以更贴近人们所接受的方式呈现出来，虽然作品的情节性有所减弱，但是戏剧作品中蕴含的内容与价值却得到了更大程度的延伸。例如，在歌剧《屈原》中，作品开始就将歌剧情节发生的背景作了交代。楚怀王打猎归来被百姓围绕，一片歌舞升平。秦国密使张仪奉命出使楚国，试图破坏楚国与齐国的联盟关系。屈原当时深受楚怀王重视，他在政治上有自己的政治追求。屈原的进谏，使得张仪计策失败。张仪计划落空，他又通过花言巧语骗取了南后的信任，最终在南后嫉妒心的驱使下，秦使张仪与南后暗地勾结，诬陷屈原；结果楚怀王听信谗言，不仅将屈原囚禁，还废弃了之前的齐楚之约，转而依附秦国。在当时复杂的社会局势下，很多变故令屈原悲痛万分。只有忠心的蝉娟，拼死为其抗争。整部作品表达了鲜明的爱国主义情怀，观众在欣赏的过程中，能够明确地接收到作品本身与剧中角色所传达的信息。

英雄也有普通人的情感，他们在被人们称颂的同时，有自己的七情六欲。新时期的戏剧创作，剧作家非常重视对作品中人物关系的设计，每当有新的作品上演，都会有评论家针对作品的表演表达自己的观点。对于“英雄”形象的刻画可以采用艺术化的处理方式，但如果过于脱离现实，观众很难对作品中的角色产生代入感。英雄不是圣人，也有人的情感表达，在自己工作的领域中也会面临普通人的喜怒哀乐，因此，需要通过情节表达情趣，尤其对歌剧作品来说，角色的情感表达至关重要。剧作家创作歌剧中角色的同时，会有自己的选择倾向性，每个人对艺术美的判断标准不一样，他们创作出来的戏剧形象也千差万别，但与现实生活相比，会更典型、更鲜明，人物性格的表达也更加具有集中性的特点。在歌剧创作中通过艺术化的表现手法将“英雄”形象塑造出来，这也是对现实生活最有力的补充。因为，情感与情趣都是英雄人物塑造中非常重要的组成部分，只有这样，才能更好地丰富“英雄”形象的表达，为其增添更多的艺术魅力。

“英雄”形象的塑造方式是多样的，尤其是在音乐创作者的笔下，需要结合音乐情感的表达，结合音乐呈现角色的魅力与作品的价值，这样可以更好地传达作品的思想与情感。很多塑造“英雄”形象的作品中不只是对他们英雄事迹的讲述，也会涉及他们的日常生活、他们的情感生活等，只有这样，“英雄”形象的塑造才是立体化的，才能更好地在情感层面激起观众的共鸣。

三、“英雄”形象音乐作品创作的当代意义

在当代音乐作品的创作中，对于“英雄”形象的塑造会对人的价值观树立产生积极影响，也会更好地激发观众的审美追求，提升社会大众的综合素质，对社会主义核心价值体系的建设有着重要的意义。

首先，是对民族精神和时代精神的弘扬，中华民族有着数千年的发展历史，在这一过程中，各民族团结一致，艰苦奋斗。在新的历史时期，以爱国主义为核心的民族精神与以改革创新为核心的时代精神相融合，体现了更丰富的价值内涵，这也深深地影响了人民群众生活，并渗透到他们生活的各个方面。面对地震、疫情，全国人民万众一心，众志成城，用民族精神筑起一道道坚实的防线，这就是民族精神和时代精神相结合迸发出来的力量。在新冠病毒感染疫情面前，全国人民听从党的正确指挥，将疫情对我国的伤害降到了最低。那些奔赴在抗震救灾与疫情防控最前线的官兵、医护人员，就是新时期的英雄，我们可以从他们身上看到英雄的高贵品质，他们的行为也彰显了新时期中国人的民族精神。因此，在塑造“英雄”形象时，需要体现出民族精神，这在我国很多文学作品中的英雄身上都有体现。要讴歌当代的英雄，就需要在“英雄”形象的塑造中进一步弘扬民族精神。

其次，“英雄”形象音乐作品的创作有利于培养社会主义新人，当代很多先进人物都具有极高的政治觉悟。此外，坚定的信念、崇高的境界，以及良好的道德修养也是必不可少的，这样才能更好地实现社会主义核心价值体系的要求，以此更好地传承中华民族的传统美德，展现新时期的社会风貌。因此，很多作曲家在创作实践中会将人们丰富的情感与多彩的生活典型化处理，着重笔墨刻画处在社会激流中的“英雄”，这也充分显现了新时期的音乐教育功能，以社会主义荣辱观为主要内容，引导大众，帮助更多人树立正确的世界观、人生观、价值观，这也是新时期音乐创作者的历史使命。这在一定程度上决定了社会文艺创作的主体方向，对社会文明的发展会产生非常重要的影响。因此，为了培养社会需要的新型人才，树立社会主义核心价值体系，不管是古代的还是现代的英雄人物，在塑造“英雄”形象时，都需要反映其生活内容的部分。

“英雄”形象音乐作品的创作有利于社会主义文学的发展，文学的发展离不开时代的浸润，文学创作的灵感也大多来源于生活。音乐作品中的“英雄”形象是作曲家对现实生活的感性概括，这在文学创作中也是非常重要的类型，既丰富了文学的表达形式，又促进了其自身的发展。自“英雄”形象在文学作品中开始出现，它就作为一种文化符号，承载了中华民族的历史回忆。每个民族都有属于本民族的民族英雄，如为人类盗取火种而被困高加索山的普罗米修斯，从古至今出现在很多文学作品中，之后越来越多的“英雄”也有了具体的形象，丰富了民族文化的发展。音乐创作文学的发展也是与之相一致的，很多音乐作品的创作灵感都源自文学作品。作曲家从文学作品中获取素材，观众有了文学基础，在接受音乐作品时，会有更强烈的文化认同感，对于弘扬民族文化有着积极的作用。

四、“英雄”形象音乐作品的研究价值

在音乐作品中塑造被人们普遍认可的“英雄”形象时，首先需要明确自己的创作分析，这对音乐创作者来说也是一种挑战，不管是在音乐作品的创作中还是文学作品的创作中，小人物相对容易刻画，但如何通过一部作品呈现一个“英雄”形象是存在一定难度的。我们需要辩证地看待这一

问题，要塑造一个性格鲜明、有血有肉并获得大众普遍认可的“英雄”形象需要从不同的方面综合把握。

1. 价值取向多元化

当今社会生活丰富多彩，随着世界一体化进程的加快，东西方文化的交流也在日益加深。社会各个阶层中都有各类模范人物，各个行业中也都有英雄事迹，很多文学作品的创作都会从不同的价值取向去挖掘、塑造当代的英雄人物，并通过人物体现社会文化与时代精神，因此，“英雄”形象在音乐作品的创作中也应该有更加多元的价值取向，不仅要体现出坚定的社会主义理想、高尚的品德，以及正确的价值观，还要有开阔的眼界及科学的态度，在塑造的过程中需要结合社会生活的不同方面、结合多元化的表现手法，在创作中力求做到多样性与包容性的结合，从不同价值层面塑造不同的“英雄”形象，这样才能更好地适应不同社会成员的审美追求。比如，有勇有谋的领袖、不畏牺牲的将士、为国争光的运动员、见义勇为的公民、勤劳的环卫工人、辛勤的农民等，他们都在不同的工作领域发光发热，为社会主义建设贡献着自己的力量。所有这些事迹，如果体现在音乐作品中，应该都纳入创作的范畴，因为这些“英雄”源自生活。

2. 生活情感平凡化

很多文学作品将“英雄”神化了，脱离了人的真实生活，因此，音乐创作者要在音乐作品中塑造“英雄”形象就需要将其置身于现实生活中，展现他们和普通人一样的情感，在此基础上展现他们超越普通人的精神境界。因为英雄也是人，只有将他们放在普通人的立场上去塑造，才能更好地让观众与之共情，这样的角色才是具有审美价值的，才能引起观众与“英雄”产生情感共鸣。他们虽然是普通人，但他们又有着高于普通人的人格与品质，这也源自他们不屈不挠的精神与执着的信念追求，让他们成为大众的榜样。人们也会在生活实践中受他们的影响与感召，在丰富人们内心情感的同时，唤醒每个人内心的民族精神。让现实人格经过升华，使理想人格潜移默化地影响现实人格。

英雄的生活与情感是他们的现实基础，超越普通人的行为与精神是他们成为英雄的衡量标准。在英雄身上，道德得到了更大程度的实现，因此，音乐创作要放弃原有的观念，将“英雄”的性格普通化，让其在呈现上更合乎情理，这样的“英雄”形象虽然普通，但也正因为其有血有肉才更能体现形象的崇高之处。

3. 形象塑造内在化

在音乐作品中塑造“英雄”形象时，可以充分利用艺术化的表达手法，将人物内心的情感特点表达出来，深入挖掘角色内心的冲突，将其情感发展的主线细腻地描绘出来，只有这样，才能更好地将角色内心的情感变化呈现，将人物塑造得更加深入人心。作曲家在创作时需要将“英雄”的内心世界作为对象，在尊重其性格的前提下，依照自身的逻辑创作，才能更好地将人物的语言与情感统一起来，使“英雄”形象的塑造更为完整。通过对英雄成长历程的揭示，使英雄的人格力量与性格张力也得到多样化的展示，进而不断地冲击着观众的审美。

4. 矛盾冲突悲剧化

“英雄”形象的崇高性体现往往存在于对抗双方力量的悬殊之下，是在冲突中不断表现出来的，且文学作品中塑造得较为成功的“英雄”形象都带有浓厚的悲剧色彩。提到“英雄”，很多人会自然而然地想到悲剧，他们与崇高之间也会存在一定的关系逻辑。其实，悲剧作品中所刻画的内容都要比现实美好，但又与现实中的我们之间存在一定的相似性，这样，当他们经历毁灭之时，观众的悲悯之心才能被最大限度唤起，因此，文学作品中的悲剧英雄最容易得到读者的情感共鸣，会对人的内心产生冲击，也给人以震撼。

5. 文学手法多样化

首先，音乐作品中“英雄”形象的塑造往往会借鉴文学作品的创作手法，结合浪漫主义与现实主义的技巧将“英雄”形象最全面地呈现出来，当然，现在也存在很多其他的（诸如象征、写实等）创作手法，既有独特的审美表达，又体现了角色丰富的内涵，达到了“英雄”形象的立体化呈现。当今时代，同样有很多值得歌颂的英雄事迹，这也为弘扬社会主义核心价值体系提供了机会。我们需要英雄，但我们并不缺乏英雄。以孔繁森、袁隆平等人为代表的时代的中坚力量，为我们提供了很多“英雄”形象的范本，也为音乐的创作提供了丰富的素材。其次，我国优秀的文化传统对“英雄”形象的创作方面也有非常重要的指导意义。最后，崇尚英雄是人民群众的追求，是时代的主流。对“英雄”形象的讴歌是音乐创作领域对时代精神与民族精神的呼唤。音乐创作在新时期塑造了很多有血有肉的“英雄”形象，为时代的发展增添了一抹亮色，也为我国社会发展指明了新的方向。

第二章

歌剧类作品中对“英雄”形象的研究

民族歌剧是我国的歌剧艺术在发展中融合民族元素、体现民族精神的作品形式，在作品抒情与艺术表达上都与西方的歌剧作品存在很大的差别。歌剧的民族性是其基本属性，这从作品的思想层面上有更多的体现。近年来，随着时代的发展，“英雄”形象以不同的形式呈现在很多音乐家笔下，成为创作民族歌剧的重要素材，通过歌剧的形式歌颂“英雄”，成为近代音乐发展中一股重要的潮流。这也是民族文化发展的具体体现，显示出对民族文化的高度认同，民族歌剧中对于“英雄”形象的塑造需要与传统文化结合，不要为了迎合大众的审美而创作，而是需要在充分考虑创作需求的前提下，深入挖掘传统文化的内核，这一点对作品的创作尤为重要。

因此，本章主要通过对民族歌剧作品中“英雄”形象的塑造，从传统文化的角度，了解对于英雄文化的信仰与价值认同，分析这一类作品的主题在传统文化的继承和传播中所具有的重要意义，分析部分代表性的民族歌剧中塑造的“英雄”形象所具有的文化价值与内涵，结合音乐作品的创作，从主题表达的角度分析如何更好弘扬我国的传统文化。

第一节　歌剧《长征》

一、歌剧《长征》的创作背景

歌剧《长征》是国家大剧院于2016年推出的一部大型革命历史题材

的歌剧作品，创作团队在充分尊重史实的基础上塑造剧中角色，为我们呈现了我国当时独有的英雄群像。作品通过弘扬长征精神来铭记这一段重要历史，该歌剧一上演就凭借自身高度的艺术性与思想性受到了观众的认可与喜爱，广受好评。

与其他民族歌剧不同的是，《长征》中人物形象的塑造较为特殊，属于工农红军的英雄群像，而不是个人英雄的颂歌，将革命英雄通过典型化的人物塑造出来，这些人物各有特点但同时具备了“英雄”的共性，这也是歌剧在剧中角色塑造上与其他作品之间的重要区别。

1. 创作背景

歌剧《长征》由国家大剧院制作，一经推出便轰动了整个艺术界。作为国家级表演艺术殿堂，为纪念中国工农红军长征胜利八十周年，国家大剧院决定将长征这一段历史以歌剧的形式再现出来，让更多的人铭记这一段历史。为此，专门邀请作曲家印青与剧作家邹静之等人组成了一个专业的创作团队，历时四年时间，歌剧《长征》于2016年创作完成，并于同年7月1日在国家大剧院进行了首演，国内很多知名艺术家、歌唱家共同参与，并引起了社会各界的关注。整部歌剧作品分六幕九场，涉及多个角色，配合气势庞大的交响乐团，总体演出时长约三个小时，这也是国家大剧院迄今为止上演歌剧中规模最大的一部。歌剧一经上演，好评如潮，并在国内掀起了一股歌剧创演的热潮。作品以鲜明的主题与专业的舞台演绎，获得了业界专业人士与观众的双重肯定。该作品的成功绝非偶然，从创作角度分析，主要有以下两个层面。

第一，是对长征的历史意义的彰显。1934年10月，红军第五次“反围剿”失败，陷入了被国民党军队追击的困境中，为了尽快摆脱当时的困境，红军主力商定后决定撤离中央根据地，实行战略转移，由此开始了长征。在长征二万五千里的路程中，途径中国十四个省，与国民党展开了三百八十余次规模不同的战斗，其间出现了很多感人的传奇故事，最终取得了胜利，但与此同时付出了非常惨痛的代价。1936年10月，红军三大主力军在会宁成功会师，这也标志着我国红军通过长征取得了抗战的阶段性胜利。工农红军用实际行动证明了，这不仅是我国革命史上带有里程碑意义的重大事件，也是人类发展史上的奇迹，工农红军用“行走的力量”为我们书写了一部中国革命英雄的史诗。

第二，是对长征文化的认知提升。长征精神是长征文化的核心，歌剧《长征》的总导演田沁鑫曾评价长征精神，“长征，是一场在忍耐中默默坚持的集体行走；是一种长时间在艰苦环境中凭借信仰前进的精神；是一次顽强的、历时两年的集体意志的磨练；是一首无数生命倾覆牺牲、只有少数存活的悲壮的可歌可泣的生命赞歌。”①铭记过往、以史为鉴是民族文化发展的重要方向，也是文化自觉的重要体现。通过艺术创作的形式再现历史，缅怀英雄，实际上也是在与英雄先烈进行精神交流，可以激励人们奋勇向前，给人丰厚的精神滋养，长征精神给予我们的精神财富，也成为我们不断攻克困难的动力。“读懂历史，就会知道人类精神中的不屈与顽强是何等的伟大；读懂英雄，就会知道生命缘何历经苦难与艰险依然能够拥有快乐和自信；读懂长征文化，就会知道当一个人把个体的命运和民族的命运联系起来时，天地之广阔，生命之荣光。”②

长征文化的核心是爱国主义与革命英雄主义，中华民族是一个充满正义感、崇尚英雄的民族，长征精神所体现的正是一种克服所有落后与陈旧的精神力量，在战争中塑造了很多鲜明的、具有崇高理想的英雄形象，这都是用无数先烈的鲜血甚至生命铸就的文化壁垒。结合当代我国文化发展中的价值取向，长征精神以鲜明的感召力与感染力，冲破了时间与空间的限制，成为我国社会主义核心价值观的重要组成部分。因此，在新的历史时期，文艺工作者依然需要在创作中传承长征文化，弘扬长征精神，尤其是青年一代，更要发愤图强，明确自己的社会责任，力求在创作方面树立正确的艺术审美导向，创造新艺术发展的繁荣。

2. 创作历程

歌剧《长征》共六幕九场，每一幕的标题都以地点命名，歌剧内容依据史实进行了线性描述，将红军队伍离开瑞金，经历湘江之战、遵义会议之后，又飞夺泸定桥、越雪山、过草地并成功在会宁会师的重要历史事件

① 田沁鑫. 行走的力量［J］. 国家大剧院，2016（7）：55.

② 王树增. 长征文化与文化长征［J］. 新湘评论，2015（5）：41-43.

串联在一起形成了作品的故事线，不同的是歌剧中塑造了很多英雄群像，同时体现了长征途中革命先烈为革命理想与信念，不忘初心、敢于拼搏的精神。为了更好地向长征英雄致敬，弘扬长征精神，创作团队历时四年之久创作了这部规模宏大的作品，以严谨的艺术态度塑造人物、审视历史，并依据作品表达的需求融入情感表达。该剧成功再现了工农红军的光辉形象，再现了中国历史上这一次伟大的征途，虽然歌剧作品中刻画的艰难不及真正长征路途的千万分之一，但也可以让更多的人再次感受伟大的长征精神。

著名剧作家、诗人邹静之在创作该歌剧之前就完成了很多优秀作品的创作，如《赵氏孤儿》等，在前期的准备工作中，他了解了很多和长征有关的资料，在读过《革命烈士家书》之后，深受当时仁人志士的革命理想与信念的感动。只有当创作者真正了解历史，才能创作出更贴合时代人物的情感表达，塑造出有情怀、有理想的长征英雄。

印青的音乐带有浪漫主义色彩，在他的歌剧作品中，音乐始终占据着最重要的位置。从接受创作歌剧《长征》的任务开始，他花了一年的时间沉淀、思考，如采用何种音乐形式，体现何种音乐风格，英雄先烈的博大情怀与崇高理想如何呈现，在反复阅读大量长征时期的史料与书籍后，专心研究了很多长征时期音乐作品的风格与特点，总结音乐创作的精髓。印青在《我是怎么创作歌剧〈长征〉的》中提出，红军的文化是红色的文化，而红色文化源自于一个特殊的红色基因。这个基因是当下社会仍需要发扬光大的，那就是爱国主义和英雄主义，即这部歌剧音乐中的灵魂。此剧的音乐应该既是精英的又是大众的，所有音乐技术手段都要服务于这个灵魂的体现。我想准确又自然地表现出中国人的情绪、情感和情趣，使中国歌剧音乐在追求国际化、现代化的同时，能被普通大众所接受和喜爱，并由此感受到歌剧的力量。为了更鲜明地表达革命者的情怀与理想，歌剧创作中采用了纪实的手法体现当时战争的残酷与条件的艰苦，其中，印青还大胆融入了浪漫主义表现手法，表现普通人对爱情和对美好事物的追求。同时，印青在创作中实现了多元融合，运用不同的音乐表现手法，满足了歌剧在音乐表达上的不同表现需求，或庄严，或浪漫，或磅礴，从个体战士的形象刻画到工农红军群体英雄的塑造，都恰到好处。为了更好地体现传统的民族音乐，作曲家还通过地方民歌素材的运用，体现红军长征的具体进程，并采用交响合唱的形式呈现作品的史诗性。此外，为了让歌剧作品从表达上符合大众对审美的需求，主题曲《三月桃花心中开》贯穿歌剧始终。

歌剧《长征》的创作集结了当代国内最顶尖的创作团队，历时四年时间精心打磨，加上国家级艺术家的共同演绎，成为歌剧作品中艺术性与思想性兼具的经典之作。

二、歌剧《长征》的艺术特色

《长征》是一部与时俱进的优秀歌剧作品，在创作上充分吸收了我国民族歌剧的肥沃土壤，对于以长征为表达主题的不同艺术形式作品的创作，在表现手法与文化内涵上都进行了广泛借鉴，结合中国大众的艺术审美需求，对军旅题材的大型音乐作品与现代歌剧作品的长处也有借鉴，最终探索出了适合歌剧的音乐语言与表达形式。作品在艺术上的创新为我国民族革命题材的歌剧创作的发展，探索出了新的路径。

1. 艺术溯源

歌剧《长征》属于民族革命题材歌剧，且在作品的艺术性与思想性上均继承了民族歌剧的优秀传统，因此，该剧也是我国民族歌剧发展到新的历史阶段创作出的重要代表作品。

我国歌剧发展至20世纪30年代，受文化发展的影响开始出现不同的形式，在题材的选择上也更为广泛，民族革命歌剧是在探索发展的过程中受到了重视。在内容上，该类作品以传统历史题材为主，在风格上也大量采用了传统的民族音乐素材，带有鲜明的红色文化底色。尤其是《白毛女》的问世，使以革命为主题的民族歌剧成为中国歌剧发展的主流，也凭借着优渥的创作条件成为当时备受关注的作品，这是此作品的一大特色，从创作之初就受到了国家领导人的高度重视。以革命为题材的民族歌剧创作也一直都是我国歌剧工作者的创作重心，因作品中鲜明的中国风格与内容而受到中国大众的喜爱。20世纪五六十年代，我国革命歌剧的创作进入

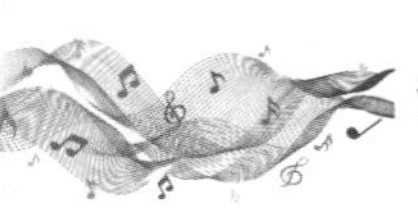

鼎盛时期，很多文艺工作者纷纷投身歌剧的创作中，至90年代，歌剧创作者的热情一直居高不下。这一时期也产生了很多经典的歌剧作品，如《刘胡兰》《江姐》《洪湖赤卫队》《党的女儿》等，这些作品再现了我国不同历史阶段的重大事件，也为观众塑造了很多经典的英雄人物，弘扬了革命英雄主义与奉献精神。

对于民族革命歌剧来说，自身所承袭的革命基因与民族性的音乐表达，加上作品中塑造的“英雄”形象符合中国大众的审美标准，使其带有非常鲜明的民族特色。发展至21世纪，民族革命歌剧的创作也始终秉持了与时俱进的发展方向，不断探索，但鲜少有新时期有力度的代表作品，直到《长征》的问世，引起了社会各界对民族歌剧的广泛关注，作品在首演之后大受好评。它的创作再次印证了以革命为题材创作的歌剧作品永远不会过时。在新的历史时期，这一主题的作品依然有它独特的历史使命，创作团队也在继承传统的同时大胆创新，大力弘扬我国歌剧创作的民族特色，为我国歌剧的发展注入更多新鲜的血液，以更好地促进中国民族歌剧的创作与发展。

2. 作品主题

歌剧《长征》是一部弘扬时代主旋律的作品，在创作形式方面，继承了民族革命歌剧的创作传统，在内容上也彰显了作品的文化内涵。作品再现了长征的漫长历程，将红军战士的英雄形象艺术化地呈现了出来，同时歌颂了百折不挠、勇往直前、团结互助的长征精神，这条漫长的革命道路也是无数革命先烈通过顽强的抵抗，用生命与鲜血铺就的。因此，歌剧《长征》也被赋予了非常鲜明的时代特色，同时彰显了新时期中华民族的优秀传统文化。

3. 艺术创作

“一部真正弘扬主旋律的作品，同时必须是一部艺术上的精品。”①作为历史题材的歌剧作品，歌剧在内容上需要通过音乐再现长征历程，这也

①《中国歌剧史》编委会. 中国歌剧史［M］. 北京：文化艺术出版社，2011.

在一定程度上决定了作品的风格表达。在旋律方面，作曲家借鉴了相同题材作品的发展手法，采用线性模式，以长征途经的六个地点的名称作为歌剧中各幕的名称，以纪实的手法将长征中的主要事件一一呈现。其中，既包含了战争场面的描写，也有不同民族风俗人情的表达。作曲家在创作时紧紧抓住了作品风格与情感的对比，可以让观众感受到作品在内容与情感上所带来的冲击力，大大增强了作品的戏剧性表达。

歌剧中还暗含了另一条故事线索，彭政委与洪医生为了伟大的革命理想经历生死的故事，在第一幕与第六幕中都有呈现，在结构上也形成了呼应。在历史题材的歌剧作品中，创作者往往会更加注重情怀的表达，有时在创作中，情节的戏剧处理与情怀的表达发生冲突时，情节往往会做出“让步”。歌剧《长征》的编剧邹静之曾提及，他并没有打算在这一部歌剧中讲述一个完整的故事，最重要的是想要弘扬一种英雄精神，并通过创作将这一精神传达给每一位观众，让他们获得心灵上的慰藉。虽然个人的悲欢在宏大的历史背景中显得非常渺小，但创作团队还是在角色行为的细节处，造成了一定的冲突，因此，歌剧中有一些非常打动人的故事，这不仅有利于剧中角色的塑造，也丰富了歌剧的情节表达，拓展了整部作品的创作空间。

在叙事方面，歌剧采用了虚实结合的方式，在充分尊重历史的前提下，进行作品的表达。对于历史背景的呈现往往会运用写实的手法，但对于歌剧中具体故事情节安排与角色设定则以虚构的方式呈现，因为历史中的重要革命事件不能有丝毫扭曲，这也是历史题材歌剧作品创作的首要原则。歌剧在创作方面，总体较为灵活，如为了更好地体现红军的英勇与战争的残酷，通常都是通过剧中角色表达，或者通过舞台效果烘托。相邻两幕在转换时，还运用到了无缝对接，这时音乐与故事情节的发展就起到了重要的推动作用。

4. 音乐呈现

作曲家在创作歌剧《长征》时，曾阅读了长征时期的图书，加上对该时期声乐作品的研究，获得了创作灵感。以当下的审美来看，长征时期很多歌曲的歌词部分带有质朴的风格，浓郁的乡土气息直击人的内心。但很

多作品的音乐却有其独创性的表达。印青在《我是怎么创作〈长征〉的》谈到，艺术上如何超过它，同时得有当下时代特质，还得考虑观众的审美需求。因此，我们的音乐必须有个魂，要有红色基因，就是爱国主义和英雄主义。因此，在音乐创作中，所有的技术手段都需要为作品的灵魂体现服务。

歌剧《长征》在风格上符合浪漫主义美学的表达特征，歌剧中的多首唱段都可以体现这种情怀，作品将红军战士在充满艰难险阻的长征途中所表现出来的乐观主义精神淋漓尽致地呈现出来，其中还饱含了军人的理想与爱情的光辉，以剧中的彭政委与洪医生为例，他们都是作品中知识分子的代表，为了自己的革命理想，离开了舒适的生活环境，他们用行动对革命者特有的情怀做了最好的诠释。因此，音乐的总体表达中带有鲜明的浪漫主义色彩。为了更好地突出这一点，作曲家在创作时以羽调式为主，结合大小调之间的搭配，使音乐带有一种暗淡忧伤的情感色彩，符合整部作品的浪漫主义情感基调。

作曲家在创作时，运用了传统歌剧创作中主题贯穿的手法，这样的结构模式也更符合中国观众的审美标准。作曲家采用了江西民歌《三月桃花心中开》的音调，并将其发展为主题，贯穿歌剧始终，增强了作品的民族性色彩。作为传统的带有地方风格的音乐，深化了作品红色主题的呈现。同时，作曲家凭借自身精湛的音乐创作技巧，通过音乐主导戏剧的发展，将作品主题与情节发展一一对应起来，增强了音乐的戏剧感染力。

5. 角色的塑造

老舍先生曾说过：“没有人物，不算创作。”人物的塑造在任何艺术形式的创作中都是关键因素。围绕音乐作品中“英雄”形象的塑造问题，歌剧《长征》的编剧邹静之将创作视角放在战士与革命者在长征途中的经历，通过故事情节刻画他们的情感起伏及人生选择，表现战士的革命理想。对于角色的塑造，编剧有着非常明确的意图，他并没有想要在作品中突出某一个角色的英雄性，而是将红军战士作为一个英雄群体塑造。为了更好地在作品中塑造英雄群像，歌剧中还精细地刻画了很多个体，且对每一个角色的设定都极具象征意义，代表了红军队伍中的不同群体。剧中的彭政委和洪医生占据了较多的篇幅，是因为在角色设定时，本身就带有多重戏剧身份，他们既是部队领导者，又是部队中的医务工作者，同时承载了不同的戏剧关系：既是夫妻又是战友，基于上述原因，这两个角色有充足的创作空间。

歌剧中的角色都是通过歌剧创作手法虚构出来的，对于这些角色的塑造，都是创作团队在尊重观众对史实已有的认知前提下进行的戏剧再创作，通过戏剧性的表达，让角色形象的呈现更为饱满。虽然故事情节和人物都是虚构出来的，但通过创作，将长征文化中的历史性与典型性最大限度进行了还原，具有非常重要的思想价值与文化价值。

三、歌剧《长征》对英雄形象的塑造

“形象塑造是歌剧音乐创作的终极目的，作曲家采用各种手法（古典、现代、民族等），调动各种手段（器乐、声乐、舞蹈等）就是为了塑造一个个鲜明的人物形象。”[①]与其他民族歌剧不同，《长征》中很多角色的塑造都较为特殊，人物的特殊性决定了剧中角色塑造的特殊性，因为作品并不是对某一个英雄形象的塑造或赞颂，而是将颂扬的对象聚焦于中国工农红军与无产阶级革命者这一群体，是对英雄群像的整体塑造，因此，对于歌剧中英雄形象的分析可通过以下几个方面进行。

1. 表现形式

作为历史革命题材的歌剧，《长征》主题鲜明，歌剧中音乐形象的塑造是整部作品的核心问题。红军本身是一个革命群体，因此，在创作时作曲家也需要根据这一艺术形象的特殊性展开创作。印青为了更好地突出红军战士的音乐形象，通过很多合唱形式来表现，如女生合唱、男声合唱，以及混声合唱等，通过不同风格的唱段展现红军战士在长征途中体现出来的英雄气质。

第一，是对红军整体音乐形象的塑造，为了突出整部歌剧的史诗风

① 徐文正．我国新时期三部严肃歌剧音乐创作研究［M］．北京：中国文联出版社，2016．

格，并结合剧中角色塑造的需要，歌剧中运用了大量合唱，在每一幕的开始或结尾部分，多采用男生合唱，这些唱段有力地增强了演唱的仪式感，场面宏大，加上不同主题与音乐语言对音乐形象的塑造，形成了歌剧表达的一大特色。为了更好地呈现红军在作品中的音乐形象，作曲家通过大合唱《神圣的自由谁来侵犯》展开，鲜明的进行曲风格将红军战士英勇的军人形象呈现了出来，也确定了作品的整体特征。此外，作曲家通过附点节奏与八度的双音技巧将音乐动机表达得更为坚定，之后通过不断反复，深化了音乐的主题表达，将红军的英雄形象呈现得更为立体。

第二，是对红军战斗时形象的塑造，战斗形象是红军最典型的特征之一，在六幕中，涉及战斗场面描写的主要是第四幕，由三首乐曲构成，《奔袭之歌》与《波涛在我们脚下》是整幕歌剧中情感表达最危险的名唱段，是红军在飞夺泸定桥和强渡大渡河后的一次胜利歌唱。通过旋律与节奏的配合，营造了红军在风雨交加的夜晚徒步与敌军抢夺战斗先机的画面，并创造了奇迹。其实在整个长征过程中，红军创造的奇迹不胜枚举，因此，作曲家在对战争场面进行刻画时，会通过一些细节性的描写展现红军英勇无畏的革命豪情。

第三，歌剧中也有很多场景是通过侧面描写塑造红军形象的，除了红军的大合唱外，还有很多不同类型的合唱作品，这些作品从另一角度也反映了红军的形象，尤其是战士对革命事业的热爱与赞美。例如，红军出于战斗需要要从瑞金撤离，群众代表为红军送行时动情地演唱了《红军一定会回来》，歌曲主题的呈示中以男声合唱为主，还加入了不同角色的领唱，主要是表达群众对红军的不舍，这是对红军英雄形象的侧面描写。

纵观我国的传统民族歌剧创作，很少有歌剧运用大量的合唱形式，因为在情感表达方面，《长征》并不仅仅局限于男女情感的表达，而是通过不同形式的合唱，体现中国工农红军的博大情怀，合唱的使用也使得歌剧中英雄群像形象塑造得更加丰满。

2. 音乐与戏剧的表达

对于歌剧中红军形象的塑造，除了运用合唱形式外，还体现在音乐与戏剧的交互上，对英雄群像中个体行为进行刻画，才能使其艺术形象呈现得更为清晰。在六幕歌剧中，有角色设定的人物三十多人，他们在歌剧中分别代表了不同的戏剧身份，但具体的音乐任务与戏剧任务是别人无法替代的。因为，歌剧中的角色要想达到一定的形象高度并非易事，歌剧中为了更好地凸显人物形象，曲作者结合故事情节的表达与人物的情感经历，分别为重要的角色设计了带有人物色彩的主题音乐，也因此产生了很多经典的角色主题唱段，进一步表现了革命先烈舍生取义、不忘初心的光辉形象。因此，歌剧中角色形象的塑造非常复杂，需要在角色设定的前提下综合利用戏剧因素与音乐因素展开创作。

如剧中对果敢英勇的曾团长这一角色的塑造，整部歌剧的故事背景就发生在红军某团，故事情节也由此展开，曾团长也成为歌剧中最先出场的重要角色。

对于“某团”，仅是概指，歌剧中并未明确指出曾团长所属哪一团，因为角色本身也是虚构的，这一角色作为红军团级干部的代表，作曲家想要通过对这一角色的塑造，让更多的人看到一位英雄将领的形象。通过曾团长的革命经历，也折射出历史上很多红军干部的经历。作为军人，他要浴血奋战；作为军队的将领，他要身先士卒，带领战士与敌人、与困难作斗争，他内心也会有挣扎、矛盾。但在国家利益面前，他将个人情感放在一边，因为他了解自己肩负的责任与使命，时刻不忘自己军人的身份。曾团长这一角色与剧中其他人物之间也有很多交织的关系，为故事情节的发展搭建了一个框架，但歌剧中曾团长的演唱多以对唱、重唱，以及合唱的形式出现，没有自己的咏叹调作品。因此，曾团长这一角色在剧中更多是以坚毅刚强的军人形象出现的。

合唱在歌剧《长征》中占据了很大的比重，很多唱段都是以合唱的形式呈现的，这也是塑造红军英雄群像的主要方式，曾团长作为一名军人，也会在不同的合唱形式中出现，因此，他会隐于英雄群像之中。但他在作品中又是不容忽视的显性存在，如在第一幕中，演唱完《神圣的自由谁来侵犯》时，曾团长从队伍中走出，作曲家通过这一角色的特点，结合声腔上的进一步把握，将一个具体的、直观的军人形象呈现出来。此外，曾团长的唱词不多，都通过简洁的话语传达最核心的内容。歌剧的创作者会通过角色的表达将作品中蕴含的情感与价值传递给观众，这是作品音乐内涵

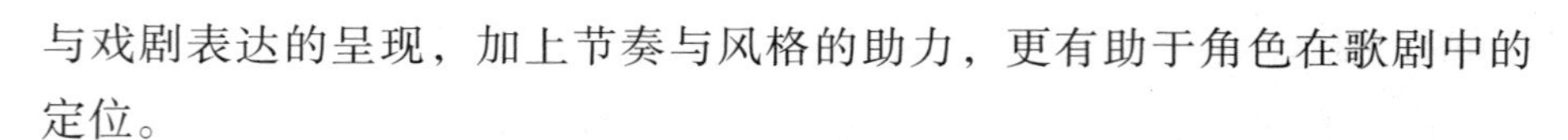

与戏剧表达的呈现，加上节奏与风格的助力，更有助于角色在歌剧中的定位。

再如歌剧中的彭政委，他是整部作品最核心的人物，贯穿始终，对于歌剧的发展起到了重要的推动作用，也是歌剧中塑造得最典型的英雄形象。彭政委与曾团长是非常要好的战友，与曾团长同为红军领导人身份，因此在角色形象的塑造上存在一定的相似度，如勇敢坚毅、无私无畏等，但角色形象上依然带有鲜明的个人属性，曾团长在情感和语言表达上较为直接，性格爽朗，彭政委则更深沉、内敛一些；曾团长偶尔会冲动，彭政委则更加理性克制，这也是剧中角色自身的要求所致。除了军人的身份，彭政委还是洪医生的爱人。因为歌剧《长征》的题材与风格决定了剧中的角色多以男性为主，因此，洪医生是歌剧中最主要的女性角色，也是为数不多的女性角色之一，在剧中也影响着重要的感情线发展，她性格中带有女性独有的柔婉、从容，以及属于革命工作者的睿智。两人之间的爱情荡气回肠，在革命情感的表达中又增加了歌剧的浪漫主义色彩。

歌剧中，两人是因为共同的革命理想走到一起，但为了更好地实现革命理想，两人被迫分离，洪医生与彭政委对爱情、对理想都有自己的追求，但战争年代让他们别无选择。其实在红军队伍中，有很多跟彭政委与洪医生经历相似的人，他们为了信仰与理想，献出了很多宝贵的东西。歌剧创作者也从这一角度入手，深入挖掘了战士的情感世界，以及他们大无畏的牺牲精神。

彭政委在第一幕出场，与曾团长对唱了《谁也不愿离开》，也是从这一首作品开始，音乐发展速度加快，气氛逐渐紧张，营造了激烈的戏剧冲突，战士的情绪一触即发，伤员的情绪也非常激愤，洪医生要留下照顾伤员，不管是作为一名医生还是革命者，她都以身作则。夫妻二人面临一场未知的别离，也有可能是生离死别，但作为一对革命夫妻，他们在这一点上非常默契地达成了共识，放弃了争取相守的机会，选择服从上级命令。与洪医生分别之后，彭政委开始踏上了长征路，途中历经千难万险，一次次徘徊在死亡边缘。

歌剧中塑造的彭政委与洪医生这对革命夫妻非常典型，出于对生命的热爱，他们坚定地投身革命，也因为对信仰的忠诚，他们可以牺牲一切。

创作者正是通过这一类感人的故事，向我们展现了英雄身上的可贵品质，传达出革命先烈胸怀天下的革命情怀。

3. 英雄气质的呈现

在民族歌剧的发展中，很多歌剧作品的主题曲也因为优美的旋律、真切的情感表达被观众铭记而成为经典，有些歌剧中角色的经典唱段的影响力与传唱度甚至早已超过了歌剧作品本身。民族歌剧在创作时会更多地考虑大众的审美，印青创作的《三月桃花心中开》就是歌剧中非常经典的唱段。与其他歌剧作品的主题相似，采用了江西地方民歌素材，贯穿歌剧始终，情感上层层递进，逐渐引出作品的高潮，也将剧中英雄形象烘托得更高大。从主题音乐的调式与演唱分析，歌剧多采用羽调式，表达上带有悲壮、苍凉感，非常贴近歌剧这种“爱情”与“理想”等主题的表达。《三月桃花心中开》带有江西地方音乐的风格特点，从歌曲的象征意义来看，象征了当时江西瑞金难忘的革命岁月，通过音乐也营造了一种诗意的表达，带有抒情性的特点。从呼应关系的角度，歌剧中很多片段都与主题旋律相呼应，在凸显角色的同时深化了作品的主题，使英雄形象的塑造更加深入人心。

《三月桃花心中开》作为歌剧《长征》的主题曲，其相关的元素表达与歌剧之间存在着不可分割的联系，可以让人联想到歌剧中的相关角色，但歌曲也没有仅局限于歌剧本身。歌剧中提及战争中牺牲的革命领导人也在其中，他们无法亲眼见证新中国成立，但他们是新中国永远的英雄，歌曲也通过艺术化的处理手法，将英雄群像进行了升华。

综上所述，歌剧《长征》通过运用大量的合唱、音乐与戏剧的交互等不同的创作手段，将歌剧中红军的英雄群像塑造出来，但歌剧本身属于综合艺术形式，剧中相关角色的塑造也较为复杂。因此，音乐的运用、氛围的烘托，以及舞台表演的呈现都对角色塑造与作品呈现有着重要的影响。

第二节　歌剧《屈原》

一、歌剧《屈原》的创作背景

歌剧《屈原》由作曲家施光南与词作家韩伟根据郭沫若的同名话剧作品改编创作完成，作曲家史志后期又对作曲进行了重新编排与整理，该作品也是施光南作曲风格有所突破的一部作品，在创作时选取了屈原和楚怀王，以及上官大夫等人反目的一段内容展开创作。整部作品中洋溢着浓烈的爱国情感，也谴责了出卖国家、陷害忠良的奸臣，生动地表现了屈原不畏强暴、忧国忧民、大义凛然的英雄品质。在创作上既有对中国传统民族音乐文化的继承，也有对西洋歌剧创作手法的借鉴，在鲜明的戏剧冲突中，向我们再现了中国历史上流传千年的经典故事，同时作品中也塑造了个性鲜明的“英雄”形象。

1. 创作背景

从歌剧发展初期到民族歌剧《白毛女》的创作，再到新中国成立后的民族歌剧创作，我国的歌剧创作始终都以传统的民间音乐素材为主，结合传统演唱方式的表达，并融合了当时的社会背景与政治背景。20世纪初期，我国开始进入半殖民地半封建社会，社会性质的转变使国内的文化发展方向也发生了重要变化。直至新中国成立初期，国内的文化创作也多以反映革命斗争和阶级斗争的内容为主。1942年，郭沫若先生采用战国时期屈原的爱国事迹，创作了话剧《屈原》，以借古喻今的方式在剧中塑造了屈原、蝉娟等爱国英雄的形象，来歌颂抗战时期的共产党员与劳苦大众，借剧中楚怀王和南后一派的角色塑造与形象表达，痛斥了国民党政权的丧权政策，将人民大众的心声表达了出来。结合历史上屈原所处的时代，将当时国内大众对国民党政府所采取的“反共”方针的愤恨表达得淋漓尽致，也以此激励国人，面对外敌侵略要团结一致。因此，话剧一经上演便引起了强烈的社会反响，激起了社会大众的情感共鸣，其中也包括当时正在求学的施光南。

施光南在观看过话剧《屈原》之后深受触动，于20世纪60年代学习作曲时，便萌生了想要创作同题材歌剧的想法，但在当时并未付诸行动，直到1980年，施光南将自己的这一想法提交到了中央歌剧院，想要把郭沫若的话剧作品《屈原》改编为歌剧作品，但受到了各种条件的制约，也始终未实现。1984年，施光南联合剧作家韩伟，开始着手创作歌剧《屈原》，并与院团的创作团队共同商讨剧本的细节问题，研究作品的结构模式、创作方向等，直到1989年底，整部歌剧的音乐与配器基本完成，还专门为此举办了清唱音乐会。但让人感到非常遗憾的是，歌剧还没有创作完成，施光南先生就因病逝世。该歌剧的整个创作过程也得到了很多艺术家的热切关注。1998年，中国解放军总政治部歌剧团与武警政治部文工团决定共同完成该歌剧的排演工作，同年，该剧在北京国安剧院上演，上演后获得了强烈的反响并获得了大众的一致好评。

2. 剧情介绍

郭沫若是一位极具浪漫情怀的诗人，而且深谙历史的发展规律，创作了很多与历史题材相关的作品，其中五幕话剧《屈原》最为经典。创作时，郭沫若选择了屈原与楚怀王和上官大夫等人反目的一段，将他们之间的矛盾展现在了话剧作品中。歌剧版《屈原》也是在话剧作品的整个情节发展基础上改编完成的。

整部歌剧共有六幕，开场就将歌剧情节发生的背景进行了交代。楚怀王打猎归来的途中被百姓围绕，营造了一片歌舞升平的景象。秦国密使张仪受秦王之命出使楚国，其目的在于破坏楚国与齐国战略联盟的合作。时任三闾大夫的屈原深受楚怀王重用，他在政治上有自己的政治追求，对内主张修明法度，举贤授能；对外主张联齐抗秦。也正是因为屈原的进谏，楚怀王谢绝了秦国的连横战略，使得张仪的计策失败，但张仪并未放弃，决定另想计策完成任务。在屈原的主张被楚怀王采纳后，秦使张仪从中作梗，通过花言巧语骗取了南后的信任，让南后认为楚怀王一旦与齐国联姻，自己专宠的地位必然会受到威胁。因此，这个聪颖的女子在嫉妒心的驱使下，置国家与民族的利益于不顾，与秦使张仪暗地勾结，蓄意诬陷屈原，栽赃屈原，并合伙制造了屈原调戏南后的假象，结果楚怀王听信谗言，废弃了之前的齐楚之约，并将屈原囚禁，转而依附秦国。在当时的局势下，屈原的很多学生也为求自保，攀附南后，诸多变故令屈原悲痛万分。忠心追随屈原的蝉娟，拼死为其抗争，以为屈原已遭遇不测，险些丧命，幸得一侍卫相救。另一边，上官大夫一行人想要毒死屈原，但毒酒被蝉娟误饮，致使蝉娟不幸身亡，屈原内心悲痛万分，并作《橘颂》以示悼念。最后是营救蝉娟的侍卫将意图谋害屈原的帮凶杀死了，并决定追随屈原。整部作品洋溢着浓烈的爱国主义情怀，既有对迫害忠良之臣、出卖国家奸贼的愤怒谴责，又有对屈原这种民族英雄不畏强权、忧国忧民、大义凛然的英雄气概的歌颂。

第一幕中，子兰在橘园倾诉自己对蝉娟的爱慕之情，但蝉娟无意，并未有所回应，甚至有意回避。之后为宴请秦使张仪，楚国设宴，子兰奉命邀请屈原排练《九歌》，屈原应允，屈原的徒弟宋玉、蝉娟等人都为能送走张仪而感到开心，屈原还为众人讲解自己的诗作《橘园》，欲借橘树所具备的坚定品质教导徒弟，在战乱时期对于维护国家利益要有坚定的意志。

第二幕中，南后为了维护自己在后宫中的地位不受威胁，阻止张仪给楚怀王进献美女，并受人挑拨与张仪合谋设计陷害屈原。于是假意邀请屈原进宫指点《九歌》的排练，借此机会接近屈原，提前计划好时间扑入屈原怀中，可以“恰好”被楚怀王撞见，并反咬一口，诬陷屈原侵犯她。楚怀王撞见后特别生气，听不进屈原的辩解，于是罢免了屈原的官职，这时屈原才惊觉自己是被南后设计陷害的。

第三幕中，百姓得知屈原被罢后，流言四起，很多人认为屈原因被罢官而精神出现问题，子兰找到蝉娟与宋玉，告知二人屈原已疯，并试图劝说二人归顺自己，于是，宋玉当场倒戈，然而蝉娟却坚信屈原并未发疯，并决定一定要找到屈原。

第四幕中，被流放的屈原因为担心国家的处境，不愿离开。但他内心对奸恶之人已经失望至极。途中偶遇楚怀王与南后并痛斥他们的行径，楚怀王恼羞成怒，命人将屈原收押。南后却告知一直寻找屈原的蝉娟，说出屈原已投河自尽。蝉娟悲痛万分，面对南后对屈原的诋毁，蝉娟痛斥南后也被收押。

第五幕中，被困牢狱的蝉娟对屈原的死深信不疑，内心悲痛不已，她对屈原的赤诚之心感动了侍卫仆夫，仆夫告诉蝉娟屈原未死的真相，蝉娟激动不已，仆夫表示愿意一同前去营救屈原。

第六幕中，南后命郑太卜送毒酒给屈原，关键时刻蝉娟二人及时赶到，屈原在不知情的情况下将毒酒赐给蝉娟，导致蝉娟饮后毒发身亡。临死前蝉娟告诉屈原，很高兴可以为他而死。屈原悲痛万分，并诵读《橘颂》祭念蝉娟，随后屈原悲愤地演唱了《雷电颂》，放火烧庙后悲伤离去。

二、歌剧《屈原》的音乐特征

《屈原》是一部带有史诗性质的歌剧作品，创作团队采用了交响性的创作手法，与《伊戈尔王》的创作模式相似，这也是作曲家施光南在谈及歌剧《屈原》的创作手法时所说的。歌剧《屈原》在创作中既融合了多样化的民族音乐语言，又借鉴了西洋歌剧的创作手法，在创新性的基础上更多地保留了作品的民族性表达，为整部作品的创作营造了一个充满戏剧张力与冲击力的音乐基调，紧紧抓住了音乐中苍凉、悲壮的情绪表达，通过多元化的表现手法塑造了不同的戏剧冲突，也在戏剧冲突中塑造了屈原的英雄形象。

施光南曾明确表示，《屈原》虽属古装题材的作品，但并不想因此而使作品受限，将其定位为戏曲风格，“毛主席诗词是古诗词形式也能用交响大合唱演出，话剧也能上演《屈原》《蔡文姬》，为什么所谓‘西洋歌剧’形式不能演《屈原》？关键在创作”[①]。施光南有着深厚的民族音乐基础，对民间音乐的发展也有深入的了解，还曾为很多经典的京剧作品设计过唱腔，因此，他并不认为自己创作的音乐会丢掉中国传统音乐的精华。但他也明确表示过自己不会一味地模仿旧戏曲的创作，他想要通过对民族传统音乐素材的运用，借鉴西方交响化的处理手段，与西方声乐的发声方法、歌剧形式等进行结合，对我国民族歌剧新时期的发展进行探索，这将

① 施光南．谈歌剧《屈原》：致李晋玮的一封信［J］．人民音乐，1998（8）：7-8．

是我国民族歌剧与西方歌剧交流的一条有效途径，也是我国歌剧发展中的必经之路。

施光南还曾明确表示过，歌剧《屈原》是他在多年的创作探索中的理想题材，他准备以全唱型的模式展开，相较于《伤逝》中宣叙调的运用还要更进一步，或许之后也会在创作中涉及唱与说白都采用的歌剧作品，但他想要将歌剧《屈原》的创作当成一次探索，他认为全唱型的歌剧作品在中国是可以站得住脚的。因此，这部歌剧中“屈原”由男中音演员扮演，《离骚》和《雷电颂》以咏叹调的形式出现，分别以抒情和悲壮的情感色彩呈示，音乐的分量会整体偏重。剧中的“蝉娟”一角由抒情女高音演员扮演，其临死前的咏叹调是她的重点唱段。因为在很多西洋歌剧中许多女性角色都在临死前有着令人难忘的唱段，对整个角色的塑造也有着非常重要的影响，因此，施光南也为蝉娟创作了一首感人至深的诀别曲。剧中的“南后”由花腔女中音演员扮演，相较于蝉娟的扮演者，南后扮演者的音色更为浑厚，运用花腔可以更好体现这一角色的奸诈与轻浮，如在《九歌》一场中的咏叹调，作曲家也运用了高难度的花腔技巧，将这一角色的内心淋漓尽致地表达出来。

歌剧由序幕与六幕组成，作曲家对整部剧中音乐与情节之间的契合度非常重视，并充分考虑剧中角色的性格特点，因此，对于角色的音色的设定与处理上，都非常符合角色的性格特点与表达。音乐与戏剧在结合时，有时为了更好地突出情节表达，创作团队在大跨度时空背景的设定下，面对角色众多且矛盾复杂的情况，巧妙地为不同角色创作了符合角色在特定情境中表达人物心情的唱段，既符合剧中人物的形象设定，又揭示了他们的内心的情感世界。随着音乐对剧情发展的推动作用，在音乐语言方面，作曲家采用了诸多传统音乐元素融合其中，如昆曲、京剧、楚剧、汉剧、花鼓戏、地方民歌等，同时大量借鉴了屈原所生活的楚地的音乐素材，带有鲜明的“楚文化色彩”。全剧以唱为主，涉及诸多演唱形式，如独唱、合唱、重唱等，在表达上具有很强的戏剧性，很多场景涉及人物众多，场面宏大。居其宏先生曾对该歌剧做出过这样的评价：“歌剧《屈原》的整体框架受郭沫若话剧结构的制约，追求情节展开的曲折完整、戏剧动作的连贯发展和人物整体形象的画面，追求歌剧中音乐和戏剧结构这两大构成要素的综合平衡。此外，《屈原》一大特点，这就是旋律的浓重的歌唱性格和高度声乐化。”①

三、歌剧《屈原》对英雄形象的塑造

歌剧是一种综合性较强的艺术形式，这要求歌剧中角色形象的塑造也应该具备综合性的特点。依据不同的元素综合塑造，从音乐、戏剧、舞蹈、舞美、舞台等方面入手，构成有机统一体，其中对于剧中角色的塑造，戏剧形象与音乐形象是其中最关键的两个要素，也是角色塑造的骨架与血肉，他们在歌剧形象的塑造中起着至关重要的作用。尤其是对“屈原”这一英雄角色的塑造，更是需要从角色中把握其表达的特点，再从戏剧与音乐层面共同把握。

1. 屈原的角色特点

整部歌剧的情节发展是以屈原为主线，剧中所有的戏剧冲突点都是围绕着屈原这一角色的遭遇展开的，屈原也是整部歌剧中悲情色彩最为浓厚的一个角色。屈原的故事在中国家喻户晓，是我国封建社会中有理想、有抱负，甘愿为国为民却因为遇昏君而报国无门的典型英雄形象。他正气凛然、刚正不阿，为国家为人民鞠躬尽瘁，虽曾受到楚怀王的赏识，但被南后与张仪合伙陷害，加上楚怀王的昏庸，不辨是非，最终落得被囚禁流放的结局。其侍女蝉娟可以算是屈原为数不多的知音，最后也惨遭南后毒手。歌剧中屈原遭受的不公平的待遇，仅仅是中国封建社会统治下被权势迫害的忠良之臣的缩影，作者也通过歌剧的创作表达了自己对封建社会的抨击，因此，“屈原”这一英雄形象在整部作品中起着不可替代的作用。

屈原的声部呈现需要符合这一角色的性格与“英雄”形象要求，故选择男中音演员担任，通常歌剧作品中的长辈或位高权重者会选择以男中音呈现，宽厚、深沉的音色可以更好地帮助角色树立形象。在民族歌剧中，男中音往往会兼具中国民族传统的神韵特点与西方的发声方式，在演唱方

① 居其宏．为初步繁荣添柴增温：1998年的歌剧音乐剧创作［M］//中国音乐年鉴（1999）．北京：文化艺术出版社，2002．

法上，以美声唱法为基础，综合中国传统的审美表达，综合性地呈现也会增强角色声音的可塑性。

2. 屈原的角色塑造

（1）戏剧形象。

屈原不仅是一位诗人，也是一位有远大理想的政治家，他致力于修明法度，改革内政；在政治上主张选贤举能，以振兴楚国。屈原非常注重自身的修养，希望可以尽自己所能，为国家与民族的发展做出贡献，有着强烈的使命感与政治责任感。同时，屈原博览群书，深谙历史的兴衰变化规律，在政治与外交上都显示出自己出色的才能。他非常重视自己的宗族，将楚国的兴衰视作自己的职责，是一位将国家与民族利益于永远放在个人利益之前的民族英雄。歌剧主要选取了屈原与楚怀王等人反目的一段展开，将屈原和以楚怀王为代表的利益集团之间的矛盾通过歌剧的情感发展一一呈现。

在序幕与第一幕中，通过戏剧的创作手法将整场的气氛调动起来，通过合唱与舞蹈来呈现楚怀王率众人狩猎归来受到民众欢迎的热烈场面，之后又以大合唱的形式呈现了屈原因变法改善了楚国的弊政，也因此受到了楚怀王的重视与信任，进而获得了百姓的爱戴与拥护。

在歌剧的第二幕中，秦使张仪在游说楚怀王时，得知屈原是自己计划实施的最大阻力，通过了解又知道在楚国与屈原站在对立面的是靳尚；南后又因为整日担心楚怀王纳妾使自己失去原有的独宠地位，而与张仪密谋；接下来，张仪便借机以不为楚怀王选美为条件，希望南后可以说服楚王除掉屈原。于是，便有了之后南后自导自演的一场闹剧，激化了作品的戏剧矛盾，屈原的故事线也开始发生了戏剧性的转折，走向悲剧。屈原遭受陷害后创作了《离骚》，以炽热的情感表达倾诉着自己对国家的忠诚，以及对奸臣一派卑鄙行径的痛斥。在其想象中，天堂之境有多美好，现实就有多残酷，两者之间巨大的落差也让屈原陷入了郁闷、困惑之中，困惑的是对国家的赤诚之心却为自己招来了杀身之祸。尤其在歌剧的最后一幕中，当屈原在不知情的情况下，将毒酒赐予蝉娟，致蝉娟身亡，屈原怀着极度悲伤的情绪演唱了《离别之歌》，内心的积郁达到峰值，这时在情感上就需要一个情绪的宣泄口，《雷电颂》给予了屈原一把长剑，带着屈原内心愤怒的讨伐及对正义的呼唤，冲破黑暗的桎梏，也达到了整部作品戏剧的高潮。

综上所述，歌剧中角色的戏剧形象是综合故事情节、戏剧冲突与抒情性的表达塑造的。在歌剧中，作曲家也会通过不同的技术手段来塑造角色，表现故事中的戏剧冲突、推动情节发展、刻画人物性格等。

（2）音乐形象。

声乐是歌剧最核心的表达，歌剧的情节会依据其中咏叹调、宣叙调，以及多声部合唱等不同声乐演唱形式的表达逐步展开。在音乐表达方面，作曲家依据歌剧对不同角色性格的设定，做差异化的处理，让每个角色都有可以拥有体现性格特点的音乐主题，用优美的旋律很好地将中国传统音乐与外来声乐形式之间的矛盾进行了协调统一。

剧中的男主角屈原采用了厚重、深沉的男中音，与其稳健持重、忧国忧民的性格相吻合，也有利于其民族英雄形象的塑造。剧中屈原将自己被陷害后的满腔愤怒，以及对国家对人民的赤诚之心通过相关的唱段表达出来。例如，在咏叹调《众人皆醉我独醒》中，就通过不同的音乐处理，使音乐的表达更加贴合角色的情感。整首作品分三部分呈示，开始于降E大调，连续出现的十六分音符，渲染了角色在情绪上的波动。

第一段中从“太阳啊！你高悬天庭……”到“……举世皆浊啊我独醒，众人皆醉我独醒”，显示出屈原在情绪上的波动，音乐开始采用弱起进行，后为进一步展开，从音乐和唱词的表达上，都运用了更强烈的情感对比去呈现。例如，“太阳啊！你高悬天庭”，以弱起开始，在高音区运用了同音反复、附点节奏，以及长音，体现了屈原内心的焦虑，伴奏声部则以连续进行的震音和六连音，将屈原内心的悲痛之情表达得淋漓尽致。无处控诉的他向太阳发出呐喊，情绪表达更为激烈，将自己的满腔怨恨一泄而出。

在封建势力的压迫下，屈原内心的悲愤无处诉说，只能通过这样的方式宣泄。之后音乐渐弱，但长音依然持续，表达出屈原对现实的不理解与内心的不满之情。之后节奏加快，伴奏声部连续的十六分音符与三连音表达了屈原内心的愤恨。旋律也通过模进的方式不断递进，代表着屈原内心的呐喊在不断重复，质问当时的统治者：“你烘烧着滔滔大海，为什么照不见那些肮脏的灵魂？”

第二部分的音乐调性发生转变，由原来的降E大调转为降G调，“他们说芝兰是毒草，美玉是瓦，说凤凰是鸡……颠倒黑白”，旋律中利用休止与伴奏声部的连续十六分音符，表达了屈原此时内心的烦闷之情。运用低沉、悲痛的音调在诉说，这是诗人充满正义感地诉说当时黑暗的社会现实，对社会中是非不分、颠倒黑白一类人的痛斥。

最后的再现段调性回归至降E调，除了旋律的再现，情感上更进一步。伴奏声部中和弦的运用给人以沉重感，愈发急促的主旋律预示着剧情矛盾进一步激化。“你们陷害的不是我，是我们的楚国，是整个的赤县神州。”这里主旋律以弱起的方式，突出了伴奏和弦，连续出现的三连音将诗人遭受诬陷后仍心系祖国与人民的呐喊表现得淋漓尽致。“我问心无愧，我九死而不悔”，音乐发展中节奏逐渐加快，伴奏声部前八后十六音节奏连续出现，将屈原内心的悲壮心理表达出来，同时刻画了一位民族英雄面对国家与民族的利益，不惧生死的英雄气概。

唱段中的主旋律一直在高音区重复，戏剧矛盾被激化后，伴奏声部中出现的连续震音也表达了屈原内心的急切与愤怒，在被南后等人诬陷之后，屈原依然心系国家，既表现了屈原忠贞刚烈的个性，又表达了他浓烈的爱国情怀。最后以三个八分音符结束，体现了屈原内心的坚定。该作品是屈原被陷害驱逐之后演唱的，通过该唱段来表达自己内心的愤怒与绝望。

《离骚》取材于屈原的同名长诗，歌曲创造性地将我国的传统音乐与西洋的歌剧结合在一起，在保留原有楚文化特色的基础上，又丰富了作品的戏剧性表达。《雷电颂》是对咏叹调《众人皆醉我独醒》的进一步发展，在太乙庙中，屈原在雷电中发出了自己心底的呐喊，要把“包括着一切罪恶的黑暗烧毁”，以此来祭奠未来的光明。

通过几首与角色相关的唱段我们不难看出，屈原是典型的理想主义者，这种处于理想中的完美情怀及被执念营造出来的虚幻，导致他在经历不断的失望之后，表达了对现实的极度不满，以及对现有社会制度中有违正义之处的批判。以自己的品性作为标准去评判世人，肯定会让他对现实有所失望。这也是屈原这一英雄角色本身性格中所带有的悲剧色彩。

3. 屈原形象的审美价值

歌剧中的音乐、文学、舞蹈等相关元素，都在为作品戏剧性的表达服务，也在戏剧美学要求下进一步发展。以歌剧中的角色为出发点，通过情节的发展制造了很多利益与矛盾的冲突点，增强了作品的戏剧性，使得角色在塑造上更为生动、鲜明，作品的艺术魅力也愈长久[①]。歌剧中角色的塑造对歌剧作品的整体表达有着重要的影响，不同的角色本身就存在着不同的审美标准，同时会带给观众不同的审美感受。一部歌剧作品的成功与演员对角色形象的塑造密切相关。作品通过角色本身的善恶对比，帮助观众建立了对真、善、美的审美标准的追求，以及对假、恶、丑的戏剧形象的批判。演员通过对歌剧中角色的一度创作与二度创作，进行戏剧化的塑造，可以加深观众对角色形象的理解与感悟。在本剧中，屈原虽遭受陷害，纵使满腔愤懑，但依然心系祖国与人民，体现了一种英雄的悲壮美与崇高美。

“悲剧”是很多英雄题材作品创作时常用的艺术形式，以戏剧的形式在舞台呈现具有一定的传承性。歌剧作品会通过故事情节的发展渲染一种悲剧性的色彩，在戏剧冲突中刻画角色，让带有正面意义的角色遭受的磨难与困苦来激发观众以悲为特点的审美感受[②]。这种“悲”与日常我们所了解的悲哀、悲惨，以及不幸的人或事不同，在本质上与崇高是相同的，可以激人奋起，产生愉悦的审美体验，使自己的精神境界得以提升。只有具备审美价值的悲剧性表达才能以艺术化的方式体现在作品中，这也是审美范畴所涵盖的[③]。从其审美中悲剧性因素的来源分析，屈原戏剧形象的表达是基于他极具悲剧色彩的命运。特殊的历史背景与其自身的政治理想预示了屈原在戏剧中悲剧性的走向。在遭受陷害后，屈原怀着悲愤的心情创作了《离骚》，“满怀郁闷我矗立远望，天边的乱云似翻滚的海浪……我要寻

① 居其宏．歌剧美学论纲［M］．合肥：安徽文艺出版社，2002．

② 刘叔成，夏之放，楼昔勇．美学基本原理［M］．上海：上海人民出版社，2001．

③ 王世德．美学词典［M］．北京：知识出版社，1986．

遍天涯，追求理想……啊！这哪里是我的祖国？山河这般愁惨凄凉……”[①]，言语中将屈原坚定的意志与信仰表达得淋漓尽致，也体现了这一英雄形象中的悲壮美。之后的情节中，屈原又将自己对当时黑暗政治状态的憎恨表达出来，处在丑恶权力斗争下，他依然坚持着自己的政治理想，显示出崇高的品格。一美一丑之间的鲜明对比，既有对恶势力的痛斥，也有对精神美的颂扬，恰到好处地点明了作品的主题。

屈原角色中的悲壮美来源于作品戏剧冲突的塑造，冲突越激烈，矛盾越尖锐，所呈现的悲壮美也越能触动人心。在歌剧第六幕中，蝉娟误饮毒酒，戏剧冲突得到激化，致屈原的痛与恨也达到了整部作品中的最高点，这里所产生的影响是积极的，在悲痛中获取力量，也是情感升华之后一种理性美的表达。

音乐作品中英雄形象塑造不可或缺的一点就是对角色崇高性的体现，也是歌剧作品创作中对剧中角色特有的审美属性。这种属性在社会与文艺创作中是客观存在的，审美过程中也会对人的心理产生一定的作用，从而产生崇高感[②]。屈原在历史上的定位就决定了这一角色在剧中的审美定位。首先，屈原有远大的政治抱负和浓烈的爱国情感，他会将国家、民族的利益置于自己生命之上，洋溢着大无畏的豪迈气概，也代表了中国历史上很大一批始终心系国家、人民的英雄形象。因此，崇高美的属性在屈原这一角色中是客观存在的，这一戏剧形象是这一审美属性的客观载体，角色的语言与行为也会对观众的审美活动产生影响，让人感受到戏剧角色的人格魅力。此外，屈原在政治上的追求与历史发展相一致，既保留了角色本身的性格特点，也通过艺术化的处理方式丰富了角色的总体呈现，屈原的浪漫主义情怀与文学力量增强了这一戏剧形象的戏剧表达。例如，在歌剧第一幕中，屈原在赞美橘树时，“他在南国茁壮成长，绿叶间开满洁白的花，年轻的人儿啊，你这样坚强，高尚品格如橘树一样”，其实，这也是屈原自身性格与品质的写照，他的乐观、坚毅，以及对学生的教育都显示了其精神的崇高性。在第四幕中，遭受诬陷后被驱逐出宫时，他又将自己内心的感受表达出来，“满怀郁闷我矗立远望，天边的乱云似翻滚的海

① 居其宏．歌剧美学论纲［M］．合肥：安徽文艺出版社，2002．

② 董学文．美学概论［M］．北京：北京大学出版社，2003．

浪……我要寻遍天涯，追求理想……啊！这哪里是我的祖国？山河这般愁惨凄凉……”，在表达角色情感的同时，激发了观众的审美感受，不管从爱国情感的表达还是从歌剧的审美价值体现来看，都与大众的审美取向一致。由此可见，歌剧对屈原形象的塑造上，带给了观众崇高的审美体验。

在大众的审美观念中，“崇高”“高尚”等词汇往往会和“英雄”联系在一起。我国著名美学家杨辛、甘霖指出：“崇高美不仅比优美有着特殊的威力，而且有使人更高尚的特点。它能提高和扩大人的精神境界，鼓舞人的意志和毅力。”[①]通常来说，“美”处在一种相对统一的状态中，而崇高感则是源自审美主客体之间的矛盾，它会通过强大的气势与力量，达到震撼人心的效果。例如，歌剧中屈原的唱段《雷电颂》中，“风啊，你咆哮吧！请你把梦中的大地摇撼；雷啊，你轰鸣吧！请你向着昏睡的世界强烈的呼喊。啊，闪电，我心中的长剑，快劈开这周围的黑暗……”激化了戏剧矛盾，也使得屈原的英雄形象得到全面呈现。屈原角色中带有的崇高美对当前社会大众的审美也带有积极影响，当国家、民族利益遭受威胁时，屈原的英雄形象就给予了面临抉择的人最好的示范，由此可见，屈原形象中展现出来的崇高符合中国人传统的审美与道德要求，也会对人们的情感价值取向带来积极影响。

综上所述，屈原一生秉持着的崇高精神强烈撞击着观众的内心，也激起了观众的情感共鸣。而角色本身带有的悲壮美也源自屈原这一历史人物悲惨的命运，用戏剧化的方式呈现出来，以唤起观众对正义、对真理的思考，最终获得更好的审美体验，这也是作品对屈原英雄形象塑造的成功性的肯定。

第三节　歌剧《江姐》

随着现代歌剧创作的多元化发展，我国的剧作家也在不断从歌剧的内容与形式方面着手，立足于本民族文化的特点进行实践，创作出了很多对

① 杨辛，甘霖．美学原理［M］．北京：北京大学出版社，1983．

我国的民族歌剧发展有一定贡献的作品，《江姐》就是其中的代表。作品采用传统的民间音乐为素材，借鉴西方歌剧的形式与创作手法，结合中国传统的音乐表达方式来展现作品。值得注意的是，歌剧《江姐》以女性角色为主要刻画对象进行作品的构思，讲述了女性英雄这一群体在革命时期对中国的革命事业所做的贡献，以及在这一历程中所体现出的崇高的精神境界，同时体现出了江姐这一角色在歌剧中的重要地位。

一、歌剧《江姐》的创作背景

1. 创作背景与经过

1945年，随着民族歌剧《白毛女》的问世，我国的歌剧创作受到了很大的激励，也对我国歌剧的后续发展产生了深远的影响。1957年初，中国音协和剧协联合召开了“新歌剧讨论会”，会上主要针对新歌剧发展的问题作出讨论。该阶段的歌剧创作多以民间音乐素材为主，经过艺术化的处理方式与戏剧融合，呈现出一种风格化的音乐，帮助歌剧中角色情感与精神更好地表达与呈现。在歌剧角色的形象塑造方面，尤其是对江姐这一角色的音乐表达上，借鉴了戏曲音乐的方式，让观众更准确地把握江姐的精神世界与情感世界，更容易激起观众的情感共鸣。这一时期也被称为“英雄歌剧”时代，很多歌剧都对无产阶级革命英雄的形象进行了塑造，“江姐”就是其中英雄形象的起源。1964年，由空政文工团创演的歌剧《江姐》在北京首演，之后又经过四次复排，最终完成了歌剧《江姐》的创作，使其成为民族歌剧中的经典代表。时至今日，歌剧中所展现的“江姐”精神也一直影响着我们。

作品创作历时两年，由阎肃、羊鸣、姜春阳等老一辈作曲家、词作家共同创作完成，《江姐》的创作是基于歌剧《刘四姐》的成功，由于《刘四姐》上演后获得了强烈的反响，当时受歌剧《刘四姐》公演的影响，阎肃等人在歌剧的庆功宴上聊到创作，经商讨后，决定以小说《红岩》中的主角江姐为素材创作一部新的民族歌剧作品。

首先，江姐具有多重戏剧身份，既是一位勇敢的共产党员，也是一位妻子，还是一位母亲。作为妻子，当她看到自己丈夫的人头高悬于城楼之上时，但为了革命事业，需要强忍内心的悲痛继续投身战斗之中；作为母亲，为了革命，将自己的孩子托付他人照看；作为共产党员，知道战争取得胜利，但身在牢房无法亲眼看到国旗升起。所有这些都汇聚在江姐的身上，强烈的戏剧冲突也是作品中对这一角色赞颂的闪光点。其次，小说中故事的背景发生在重庆地区，编剧阎肃曾在重庆一带生活过，对当地的环境非常熟悉，小说中提到的很多情节都是他在重庆读书期间亲身经历的，加上创作团队之间的默契，为歌剧《江姐》的创作奠定了坚实的基础。此外，歌剧创作团队也从以往的创作实践中积累了很多宝贵的经验。在音乐创作、台词设计、角色塑造等方面积累了丰富的经验，在创作歌剧《刘四姐》时，主创团队就总结了之前歌剧失败的经验，扬长避短，大获成功。《江姐》在创作时也有对以往创作经验的吸取，因此，大大提升了成功的可能性。

2. 创作风格与手法

歌剧《江姐》多以四川地区的民歌为创作素材，在继承民歌、戏曲、说唱等传统元素的基础上，借鉴西方歌剧的创作手法，但并没有照单全收，而是经过不断的探索，以江南戏曲融合川剧独有的表现手法，使音乐旋律的呈现更为丰富。创作中还广泛吸收了越剧、婺剧、沪剧、四川清音等地方小戏与民间音乐元素，综合体现在歌剧中江姐的形象塑造方面，结合江姐大义凛然的精神与坚韧不拔的性格特点，使其音乐形象的表达更为鲜明、饱满。

《江姐》的音乐创作极具创新精神，这有多方面的体现。首先，对于歌剧中音乐素材的选用，创作者非常注重音乐材料使用的广泛性，很多民间音乐素材与地方小戏素材在剧中很多角色的唱段中都有不同的体现，这也是民族性在角色塑造上的具体表达。其次，作品的结构方面，多以主题贯穿手法呈现，借鉴了戏曲音乐中的板式变化体模式展开，通过节拍、节奏与旋律等因素的变化发展呈现。此外，作品还吸收了川剧高腔的帮腔形式，伴唱形式大量出现，丰富了剧中角色形象的呈现。

歌剧带有鲜明的地域特色，既突出了角色音乐语言的表达，又丰富了角色的音乐形象，更好地将民族音乐与地方戏曲融合，这些都为我国民族

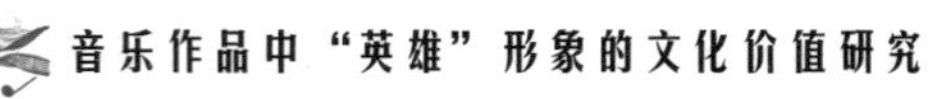

歌剧在后续的发展中积累了丰富的经验。

二、歌剧《江姐》中女性英雄形象的地位与特色

1. 江姐的地位

歌剧《江姐》的内容创作主要取材于小说《红岩》，歌剧直接选择以“江姐”命名也足以说明这一形象在歌剧中的中心地位。江姐作为整部歌剧的剧情发展主线，故事情节的发展都是依照江姐的活动展开的，剧中很多角色的设定都是为了更好地衬托江姐这一英雄形象。通过戏剧情节的发展刻画出江姐作为一名共产党员临危不惧、坚贞不屈的英雄形象。其主要唱段《红梅赞》《五洲人民齐欢笑》《我为共产主义把青春贡献》等，同样在歌剧中占据着中心地位。作品从不同方面塑造了江姐的艺术形象，作为母亲、妻子、革命者，她始终秉持着自己对党的忠诚和对革命的坚定信念。

2. 歌剧的音乐特色

歌剧中江姐的三个主要唱段均带有鲜明的地域特色与民族风格，也将江姐这一角色的艺术魅力与崇高的英雄形象展现了出来。歌剧中音乐素材多采用四川民歌，对川剧、沪剧等地方小戏中的元素也进行了广泛借鉴，吸取民族音乐中的精华，并在音乐主题的创作中借鉴了戏曲音乐的板腔体结构，增强了音乐表达的丰富性。此外，作曲家对川剧中高腔的帮腔形式也有借鉴，使角色主题的表达更为自由、生动。与此同时，创作者在创作中还结合了民间说唱的表演风格与形式，将角色内心复杂的情感刻画得淋漓尽致，丰富了戏剧形象的音乐情感。通过对不同音乐风格的运用，增强了作品的细腻之感，带有江南戏曲音乐的特点，又体现了浓郁的地域音乐特点。

三、歌剧中女性英雄的音乐形象与戏剧形象分析

音乐与戏剧是歌剧作品中最重要也最基本的元素，剧中角色的形象塑造都是以作品中的核心人物为出发点，随着故事情节的发展，将作品中的

戏剧性与矛盾冲突充分铺展开来。因此，角色形象的塑造在歌剧表达的主题中占有至关重要的地位。一部优秀的歌剧作品除了要表达主题思想外，作品本身的艺术魅力与特点也至关重要，需要通过戏剧情节的设计与音乐元素的融合，共同塑造作品中不同的戏剧形象，在塑造的过程中还需要通过剧情的设定刻画不同角色的情感表达与内心活动，最终结合舞台的总体呈现，才能获得完美的演绎效果，激起观众的情感共鸣。

1. 音乐形象

歌剧围绕江姐这一中心角色展开，通过多元化的创作手段来体现江姐的角色特点，依据作品中音乐主题的表达，通过歌剧中角色的相关唱段来塑造江姐的音乐形象。《红梅赞》作为全剧的主题音乐，风格明亮，优美抒情，创作上作曲家采用了一字多音的方式丰富了旋律的发展，运用大幅度跳跃的音程在细节中展开来表现江姐的崇高形象与丰富的情感，唱段也借梅花不畏严寒的高洁品质，塑造了江姐坚贞不屈的英雄形象。

江姐面对甫志高的叛变，内心深受打击，之后遭受牢狱之灾；面对狠毒的特务，江姐演唱了《我为共产主义把青春贡献》，该唱段的出现也使歌剧达到了一个高潮，从侧面反映了江姐大无畏的革命精神和崇高的思想境界。同时，歌声中饱含了江姐对党和人民无尽的爱，将自己对革命必胜的信心及为革命可以舍弃生命的英雄气魄表达了出来，使江姐的英雄形象更加鲜明。

在江姐被押赴刑场时，江姐演唱了《五洲人民齐欢笑》，歌词中通过鲜明的唱词表达了她对共产党的爱，也表达了自己对战友的不舍及对美好未来的憧憬，从不同方面刻画了江姐对革命事业的忠诚与热爱，虽奉献了自己的生命，但想到革命马上胜利，自己的牺牲也非常光荣，这样的情愫体现在歌曲中，为我们营造了一幅感人的画面，将江姐鲜活的英雄形象呈现了出来。

（1）角色性格确立。

歌剧《江姐》共七场，每一场中都从不同角度展现了江姐这一角色，虽然作品的重点是对江姐英勇战士形象的刻画，但在表达上可以结合江姐本身的性格特点入手，首先，江姐是一位女性，虽然歌剧中只用少数笔墨刻画了江姐的女性身份，但依然让人对其戏剧形象产生了深刻的印象，机智、勇敢中又带有女性特有的坚强、细腻，二者在革命者形象的塑造中是相辅相成的。

歌剧中江姐第一次出场，身穿华丽的服装，手里拎着包，将女性的风范表现得恰到好处，江姐这场戏中主要任务是要扮演一位富家小姐，在这一身份的伪装下将省委的指示从重庆带往川北根据地，她怀着对革命必胜的信念，内心充满斗志。她还非常注重细节，当她看到联络员甫志高迟到时，就注意到了他身穿西装却扛箱子的细节，并对其发出警告，提醒他注意隐蔽，由此也可以看出江姐是一位经验丰富、冷静、沉着的地下工作者。之后，江姐在去往根据地的途中发现丈夫遇害，还被斩首示众，内心悲痛万分，故发出“老彭，你在何方”的感叹。作为一名妻子，在得知丈夫遇害的噩耗时，将内心的沉痛、伤心和无助全都表达了出来；但想到革命还没有取得成功，不能沉溺于悲伤的情绪中，又将一个共产党员的高贵品质表现了出来。

在第三场中，江姐与双枪老太婆见面，二人在交谈中相互安慰，还刻意避开了与老彭相关的话题，没有将伤痛的情绪外放出来。江姐也不想因为自己个人的情绪给大家增添困扰，当她了解大家的良苦用心之后，才将自己压抑已久的情绪释放出来。这不仅体现了江姐作为一位女革命者与其他战友之间的惺惺相惜，也体现了她作为一位革命者高度的自觉性。在得知战友要替老彭报仇的心情非常强烈时，她劝大家不要和敌人盲目硬拼，要审时度势，把握时机。在第四场中，江姐智取敌人军火，在与敌人对峙中沉着冷静、善于把握时机，这也体现了她作为革命者的优秀领导才能。回到联络站后，通过猜测知道组织内可能已经出现了叛徒，于是果断让大家撤回山里，撤掉联络站。并细心观察甫志高，通过与其交谈，确定他就是组织的内鬼；为了保护其他人的安全，自己拖住甫志高；被捕之后，面对敌人的威逼利诱，不为所动，将敌人的幻想彻底粉碎。我们赞颂江姐，正是对她崇高革命精神的赞颂。

在最后一场戏中，江姐在狱中得知新中国成立了，与狱中其他同志兴奋不已。她拿出了丈夫留下的红旗，准备与大家绣一面五星红旗，却接到了自己与部分同志要“转移”的消息，对此，江姐临危不惧，虽然知道等待自己的将是生命的终结，但她毅然奔赴刑场，高大的英雄形象也与革命者的气概在这一部分被淋漓尽致地表现出来。

（2）音乐形象塑造。

作曲家在创作中以江姐为主要发展线索，通过多样化的音乐创作手法表现这一角色的性格特点。依据作曲家创作的音乐主题结合作品的剧情表达来刻画江姐的音乐形象。《红梅赞》作为歌剧的主题音乐，旋律优美，极具抒情性，作曲家在创作上运用了一字多音的处理，音程中包含大幅度的跳进，体现了江姐崇高的形象与丰富的情感表达。借梅花不畏严寒的高洁品质塑造了江姐坚贞不屈的精神。

江姐被捕入狱之后，面对狠毒的特务，江姐演唱的《我为共产主义把青春贡献》掀起了作品的一个高潮，也反映出江姐作为革命者崇高的思想境界。这首作品唱出了江姐对中国共产党和人民无尽的爱，以及对革命必将胜利的信心，这样的英雄气魄也使江姐的英雄形象呈现得更加鲜明。

在赴刑场之时，面对战友，江姐演唱了《五洲人民齐欢笑》，将自己对党和人民的情感淋漓尽致地表达出来，歌声中饱含着对战友的不舍，以及对未来的憧憬，通过不同层面的刻画也显示出江姐对革命的忠诚，虽然自己的生命即将结束，但革命的胜利让自己感觉虽死犹荣，每一句话都饱含自己的情感，也塑造出一个崇高的革命英雄形象。

2. 戏剧形象

歌剧《江姐》剧情丰富，对于剧中角色的塑造也非常细致、生动，歌剧风格的选择更倾向于民族化、大众化。剧本通过复杂的情节、激烈的戏剧冲突与特定场景的设置，对江姐、甫志高等不同角色的性格都做了非常全面而具有特色的刻画。整体上为我们塑造了一位伟大的革命者形象，作品情节紧凑、角色真实，富有时代特点。

歌剧中所有故事情节的发展都紧密围绕着江姐展开，从歌剧一开始时，江姐带着机密文件与甫志高见面，见其装扮后提出警示，显示出江姐是一位拥有丰富地下工作经验的革命工作者，自始至终，都抱着革命必胜的信念。之后江姐亲眼看见自己的丈夫被斩首示众，内心悲痛万分，但依然保持着共产党员的理智，始终谨记上级领导交代的任务。在华蓥山时，

她和双枪老太婆共同带领队伍砸敌军车、抢敌军粮；当她得知甫志高叛变，以及发现敌情时所表现出的临危不惧的优秀品质都显示出江姐作为革命者的较高素养；最后，江姐被捕，在狱中并未因敌人的威逼利诱而动摇自己的政治信念。在得知沈美斋想要提前杀害自己时，她与战友在狱中告别，通过对大家的鼓舞，让大家看到革命胜利的希望。临刑前，江姐从容、镇定，始终保持着革命者的姿态，塑造了一个崇高的英雄形象。

（1）沉着、冷静、勇敢的地下工作者形象。

在歌剧第一场，江姐带着任务奔赴川北，当她注意到甫志高迟到，并进一步发现他身穿西装却扛着皮箱的细节时，对他提出了批评，从这一细节中可以看出江姐是一位有着丰富经验的地下工作者。当得知丈夫被斩首示众时，她悲痛不已，但为了革命事业，她将内心的悲痛转化为力量，理智最终战胜了情感。这一幕中透露出的江姐内心的情感变化让观众了解了一位外柔内刚的革命者。

为了更好地衬托江姐的坚强、冷静，作曲家在塑造剧中的反面角色甫志高时，突出了人物特点的表达，使得江姐的形象更为清晰、鲜明。

（2）勇敢、机智的革命领导人形象。

江姐到达华蓥山，奋战在丈夫生前曾经战斗过的地方，与双枪老太婆一同带领游击军劫了敌军的军火与军粮，给国民党反动派制造了很大的麻烦。之后因为甫志高的叛变，江姐为了更好地掩护战友安全离开，最后被捕。与敌人周旋时，江姐会时刻关注周围的变化，发现敌情后立刻将暗号撤走，这都是对江姐勇敢、机智、舍己为人品质的体现，也让她革命领导人的形象表现得更为突出。

（3）视死如归、乐观坚毅的英雄形象。

被捕后的江姐遭受了严刑拷打，但面对敌军的威逼利诱，江姐不为所动，无计可施的敌人恼羞成怒，准备将江姐提前杀害。江姐临刑前与大家依依惜别，奔赴刑场时依然镇定自若，慷慨赴死，这也将一位乐观坚毅的女英雄形象呈现出来，体现了江姐作为一名革命者的伟大与崇高。

歌剧《江姐》的创作凝聚了作曲家的心血，首先作品改编的原著《红岩》就具备了广泛的群众基础，这是经过时代检验的。因此，改编之后的歌剧作品同样需要接受观众的考验。其次是从歌剧创作角度，创作团队先后历时两年，深入了解我国的民间音乐，只为可以提炼出更好的音乐素材。创作时对传统戏曲音乐中的形式也有一定的借鉴，这是歌剧《江姐》创作中的一大特色。通过不断地对传统音乐进行吸收与借鉴，才创作出了这部经典的歌剧作品。因此，创新性在艺术创作中占据着至关重要的地位，综合不同方面的创作与表达，共同塑造了一位女性英雄的形象。

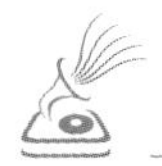

第四节　歌剧《洪湖赤卫队》

歌剧《洪湖赤卫队》是我国歌剧发展史上又一部经典之作，歌剧内容取材于真实的历史事件，在角色形象的塑造与情感表达方面也能够激起观众的情感共鸣。作品记载了中国共产党领导下的革命运动与战士的生活，歌剧自创作完成以来经历了多次复排，也因此影响了很多喜欢歌剧的创作者。此歌剧通过其独特的文化内涵表达，也显示了作品的艺术魅力。其中塑造了很多个性鲜明的英雄形象，通过这些形象的塑造也让更多的人了解到战争时期的苦难，让当代人铭记历史。歌剧中韩英这一角色的形象就是典型革命英雄的代表，这也使得《洪湖赤卫队》在民族歌剧发展史上成为革命经典作品的代表。

一、作品概述

歌剧《洪湖赤卫队》于1959年首演，由欧阳谦叔、张敬安作曲，梅少山、杨会召等编剧，共同完成了这部经典的革命题材歌剧。当时的文艺创作者都积极响应了“艺术应当源于生活，艺术应当服务人民群众”的国家号召，很多艺术家为了更好地开展工作，到群众中体验生活，感受他们的生活状态，因此，歌剧一经上演便掀起了一阵热潮。

歌剧中女主角韩英的戏份占比非常重，因此，与该角色相关的唱段也是最多的，唱段中表现了非常鲜明的个人色彩。居其宏在《我国当代歌剧的历史与现状》中曾提到了该歌剧作品，认为作品的创作手法是在继承民族歌剧《白毛女》的基础上，巧妙地融合了我国传统的戏曲元素和西方歌剧元素，女主角韩英贯穿作品始终，但在具体的情节安排上并不会让人感觉单调，因为歌剧情感内容的表达才是戏剧创作的最终目的，音乐更多是为作品表达服务的。因此，《洪湖赤卫队》中戏剧与音乐之间的融合对之后我国民族歌剧的创作都产生了非常重要的影响。也正是因为韩英在歌剧中的核心地位，所以，我们也主要围绕这一角色的形象塑造与艺术特点作进一步的分析。

1. 创作背景

新中国成立后，国家制定了一系列的文艺方针，如"百花齐放、百家争鸣""古为今用，洋为中用"等，以更好地引领我国文艺创作的基本方向，在这些方针的指引下，国内很多文艺工作者开始由理论走向实践，在歌剧创作方面，很多作曲家与剧作家也进行了尝试和探索。当时负责该剧的创作团队为了更好地感受洪湖地区民众的生活，经常下基层进行慰问演出，也会跟当地民众共同生活，深入了解当地的民风民俗。因为洪湖地区本身就是革命气氛浓郁的革命老区，这在很大程度上影响了创作者，因此，他们想通过艺术化的手法将这一革命故事呈现出来。在新中国成立初期，人们刚从战争的迫害中被解救出来，歌剧《洪湖赤卫队》让大家在铭记曾经耻辱的同时，增强了民族凝聚力。

1956年，创作团队再次来到洪湖地区，为了可以更好地呈现洪湖地区革命英雄的战斗精神，以及洪湖人的革命情怀，他们在了解洪湖当地人民英雄事迹的同时，学习当地的音乐和语言，包括对民俗风情的了解，将诸多带有当地特色的元素与音乐风格融入歌剧《洪湖赤卫队》的创作中，经过创作团队的共同努力，完成了歌剧的初稿。之后又对歌剧中的角色、剧情与整体呈现等方面进行了更精细的调整，尤其是在对地域特色的把握方面，歌剧中运用了湖北方言，唱段的旋律也结合当地的语言特色进行创作。最终在创作团队的共同努力之下，完成了整部歌剧的创作。

2. 艺术成就

近年来，以红色革命为主题创作的剧目在数量与质量上都有了很大的提升，也受到了观众的喜爱，很多传统的歌剧作品经过了多次复排，从创作层面了解，《洪湖赤卫队》的创作理念与国内其他歌剧作品关联密切。

通过对中国歌剧发展史的了解，我国自宋元时期出现的以对白为主和以歌舞为主的不同戏曲形式其实已经带有歌剧的相关要素，但还不能算作真正意义上的歌剧。在歌剧创作探索初期，很多剧作家、作曲家的实践、积累，促进了中国歌剧的进一步发展，直至《白毛女》的问世，标志着我国民族歌剧创作迈向了新的高度。《洪湖赤卫队》也是在歌剧《白毛女》的影响下紧随其后，一经上演就大获好评。王玉珍是首位饰演韩英的女演员，随着歌剧的上演，剧中韩英的唱段《洪湖水浪打浪》被大众熟知。之后，艺术界又对该作品进行了改编，以电影、豫剧、昆曲等不同艺术形式呈现。湖北省歌剧院于1991年复排了《洪湖赤卫队》，歌剧中韩英这一角色由演员刘丹丽饰演，重排后的歌剧中加入了戏曲的特点。与第一版相比，从唱腔和舞台呈现方面都做了相应的简化，整体呈现更为简洁，这样的处理方式也更好地突出了演员所塑造角色形象的特点。2012年，新版《洪湖赤卫队》在国家大剧院上演，这一版本中对戏曲成分做了减弱，增强了话剧舞剧的成分，更加倾向于迎合年轻观众的艺术审美，旋律优美，演出后也获得了一致好评。

这些作品之所以能经久不衰，不仅源自作品中对于红色内容的传达，也因为作品中塑造的很多个性鲜明的英雄形象，如韩英等，角色所带给观众的，除了想要传达的思想，还有角色本身对大众产生的积极影响，因此，不管作品的呈现方式如何变更，这一角色的文化价值依然存在，这才是民族歌剧作品的灵魂。

二、歌剧《洪湖赤卫队》的艺术特色

1. 对地方音乐的运用

《洪湖赤卫队》中音乐的运用极具特色，这是作品广受大众喜爱非常重要的原因。在歌剧创作之初，创作团队深入了解了湖北地区的音乐，为了更好塑造剧中的场景与人物性格，作曲家对音乐素材加以改造，创作出符合剧中艺术形象表达的旋律。此外，作曲家还借鉴了戏曲中板腔体

的结构体式，这在歌剧作品中是一个极具标识性的特点，也在一定程度上增强了作品的叙事性和戏剧性，此后被广泛运用到我国歌剧作品的创作中。

歌剧中的主题唱段《洪湖水浪打浪》就是以洪湖地区的民间音乐为素材创作的，其最早的原型为当地的民间小曲《襄河谣》，之后又加入了《月望郎》改编而成。作曲家结合民间音乐的旋律，将唱段进行了改编，并以三段式结构展开，使作品在保留原有旋律的基础上以波浪式前进的方式，加上环绕音的使用，大大增强了音乐的流行性，使人仿佛置身于洪湖水中。随着旋律的发展，营造了一种微风吹动水面产生波动的场景，让观众产生身临其境之感。不同音乐元素的组合，对剧中呈现的景色进行了描绘，作品中乐句的结尾处都运用了装饰音，好似观众的内心也在随着湖水的波动起伏，增强了音乐整体氛围感的表达。该作品作为主题旋律贯穿歌剧始终，很多重要的场景中都出现这一主题旋律。因此，随着歌剧的上演，《洪湖水浪打浪》也迅速成为一首家喻户晓的歌曲。歌曲在原《襄河谣》的基础上做了改编，用活泼的旋律曲调代替了原本忧伤、哀怨的风格，带有时代特点。纵观整部作品中的音乐，也可以了解作曲家的用心，他在创作中巧妙地将主题曲的旋律融入了很多的场景音乐中，从创作层面将作品的情节与音乐发展对接，也更容易激起观众的情感共鸣。

剧中小红跟爷爷打听情报时演唱的《小曲好唱口难开》也融入了地方音乐元素，作品的旋律、曲调与风格都是依据《天沔小曲》创作的，作品伴奏形式较为简单，小姑娘以敲碟子的方式伴奏演唱，虽形式简单，但作品中饱含了社会底层劳苦百姓对凄苦生活的哀叹，也是作品中非常经典的唱段之一。

2. 对板腔体风格的结合

中国戏曲音乐主要分为板腔变化体和曲牌连缀体，其中，板腔变化体就是曲牌连缀体与民族音乐共同演变而来的。板腔体是以一首作品为基础，通过不同的创作手法演变的不同板式来表达作品。我国很多歌剧唱段中都借鉴了板腔变化体的创作方式，如《白毛女》《江姐》等。相较于歌谣体而言，板腔体的唱段在歌剧中有更大的发挥空间，可以通过唱段表现角色的戏剧性与性格张力。歌剧唱段中融合板腔体的风格带有独特的艺术价值，不仅可以表现角色的戏剧情感、性格，还可以更好地突出歌剧中戏剧矛盾冲突点。

《看天下劳苦人民都解放》也是《洪湖赤卫队》中非常经典的一首唱段，是韩英在极度悲伤又非常坚定的情况下演唱的。歌曲以慢板开始，随着音乐的发展，音乐速度不断加快，由中板到快板，情绪也随着音乐的发展不断递进，乐曲在慢板段落运用了拖腔处理，没有使用间奏，这也是歌曲在表达上的特点，之后开始进入叙事阶段。从这一部分开始，韩英回忆以往的生活，从中板展开，“娘说过那二十六年前，数九寒冬北风狂”顶板起唱，奠定了整个乐段的情感基调；“彭霸天，丧天良，霸走田地，（过门）强占茅房”则运用了垛句的方式，情感意味更为鲜明；之后音乐发展中依然运用了大量的拖腔和过门，也增强了整个回忆段落的情绪渲染。之后速度发生变化，歌曲中的戏剧冲突立刻凸显。韩英非常悲愤，情绪也在这一部分得到宣泄。在唱段中的散板部分，作曲家依旧借鉴了戏曲音乐中的唱腔表达，在唱段中融入了戏曲音乐的表现形式，如“韵白”“叫头”等，有利于更好地塑造剧中的人物形象，这样的呈现方式也使韩英革命者的形象塑造得更为鲜明。最后一段的音乐速度较快，伴奏与演唱通过“摇板”式的结合方式来表现韩英大义凛然、视死如归的心情，也牵动了更多观众的情绪，将歌剧的发展推到了高潮。最后两句的表达又再次回到散板，主要表达了韩英对百姓的牵挂和对敌人的仇视，也将内心高尚的革命情怀表达了出来。

《看天下劳苦人民都解放》是韩英英勇赴死前的绝唱，她面临的除了生死的抉择，也反映出了当时的敌我矛盾，引发了一系列的戏剧冲突。从细节分析，这一场段中所涵盖的不同板式之间也会存在对比，这种对比主要源自音乐速度差异化产生的音乐性格对比，这也是作品戏剧性的具体表现。该唱段作为韩英最大的唱段，其艺术性是不可忽视的。从民族歌剧的表达来说，既有慷慨激昂，又有优美婉转，情绪不仅在歌词中有所体现，在节奏中也有体现。这样的处理方式才更为适合板腔体民族歌剧的发展，是唱段时至今日依然受到大家欢迎的重要原因。

3. 对唱词中方言的处理

在创作歌剧《洪湖赤卫队》之前，创作团队就在洪湖地区广泛学习了当地的民间音乐，掌握了大量的民间音乐风格，在后期，将这些民间音乐风格运用于歌剧创作中更有助于准确表达。通过和当地群众交流，更准确地把握他们的方言特色，因为，只有在表达中抓住了地域性的特点，才能更好地通过作品呈现洪湖地区的音乐特点。在歌剧作品的最终呈现中，台词与演员的亲身经历无关，而是剧作家为了塑造角色创造的内容，为了更好地塑造歌剧中的角色，一定也要了解作曲家的创作意图，通过对作品创作背景的了解，分析台词可以更加有效地帮助演员对剧中角色进行理解与表达。作曲家在创作时运用了洪湖地区的传统小调作为基础旋律加以改编，使之更好地与歌词结合。如果在戏剧语言上不讲究，而选择以普通话呈现，那旋律中出现的洪湖民歌小调也会失去重要的依附，大大减弱了作品的亲切感。

通常演唱者在歌剧表演中会非常注意唱段的咬字，但很多方言都有自己标志性的字音，如何更准确、更好地完成方言特色的表达是歌剧的创作者与表演者都需要思考的问题。因此，作曲家在旋律的创作中也会体现洪湖地区音乐的特点，结合音乐和语言的表达，共同把握好歌曲风格的表达。

善于运用衬词和装饰音是湖北民歌标志性的特点，如“长呀嘛长又长啊”“闪呀嘛闪金光啊”等，在体现地方音乐特色的同时，要关注装饰音对角色内心情感的表达。这在歌曲的整体艺术效果的呈现中是非常加分的，如果演唱者单纯嗓音条件好，但是缺乏韵味的表达，会使作品的整体呈现效果大打折扣。因此，歌曲中方言的运用对歌曲总体风格的呈现具有非常重要的意义。

三、歌剧中“韩英”形象的塑造

《洪湖赤卫队》中塑造了很多个性突出的角色，但韩英是其中形象刻画最出彩的一位，也是角色中最为鲜明的代表。歌剧围绕韩英制造了很多的戏剧冲突，因为戏剧相较于声乐、舞蹈，是一项综合的舞台表演形式，在塑造韩英这一角色时，需要了解韩英在歌剧《洪湖赤卫队》中的重要地位，结合剧中不同的唱段及角色之间的对话，分析韩英不同形象的具体呈现。

1. 角色表达分析

韩英在歌剧中的形象带有多面性的特点，结合不同的性格特点表达，分析其戏剧形象的呈现。

第一，韩英在剧中呈现的是一位积极乐观、善良朴实的“渔家女”形象。在洪湖出生、长大，父母遭受着彭霸天的欺凌。在歌剧中，通过唱段《洪湖水浪打浪》和《看天下劳苦人民都解放》，可以了解到韩英的成长环境，这一角色本身就是洪湖的一部分，淳朴的气质也在角色的表达中体现出来。作品中，通过韩英与队员、村民之间的相处，也可以从细节处了解韩英的性格。战争胜利之后，收缴了彭霸天的枪支，队员在休整之余采莲、捕鱼，韩英和秋菊还给大家带来了野鸭蛋，之后韩英又将自己的传家宝送给刘闯，鼓励他上阵杀敌，这一系列剧情都体现了韩英性格中的善良、乐观。韩英体现的天真朴实的形象又与其英勇的革命形象形成反差，为故事情节后续展开中革命形象的塑造奠定了基础。

第二，机智沉稳、智勇双全的女战士形象。韩英在剧中是一位革命者，具有非常崇高的思想境界与鲜明的革命自觉意识。因此，剧作家在塑造这一女战士时，也有很多细节的刻画。歌剧一开始部分，白匪准备攻打彭家屯，刘闯要与敌军决一死战，但韩英劝大家不要鲁莽行事，并向群众传达了上级领导的指示，随后向队员解释这一决策的重要性。在团队中起到了领导者的作用，在与队员相处过程中也体现了足够的耐心与细心，刘闯很多时候并不能很好地理解韩英的指示，韩英会耐心地向其解释指示的用意，还会同时兼顾队员的面子，这也是韩英智慧的体现。

第三，视死如归、大义凛然的女英雄形象。虽然作品中对这一形象的处理方式有些接近男性化，如短发、大脚、扎腰带、打枪、划船等，这些形象与她的行为在传统意义上都不符合柔弱女子的形象。当抓到假扮渔民的白匪时，刘闯情急之下开枪暴露了行踪，韩英则迅速给各小队分派好了任务，自己冲锋陷阵。当冯团长准备扫射洪湖地区的乡亲时，韩英将自己的生死置之度外，从敌人的枪口下救下了乡亲的性命，自己却被捕入狱。但面对各种威逼利诱、严刑逼供等，也没有动摇自己的内心。之后彭霸天又想利用韩母劝说韩英，但韩母并未如其所愿，彭霸天又想通过吊打韩母的方式逼迫韩英就范，但韩英始终不为所动。这一点也将韩英英雄革命者的形象展现得淋淋尽致，综合对角色的总体呈现，韩英戏剧形象的表达也是处在当时历史环境下的产物。

2. 角色塑造分析

对于角色塑造方面，除了表演者的演唱技巧、表演技巧外，还需要准确把握这一角色外向的戏剧形象特点。

首先，通过演唱技巧的运用，可以有效推动作品的音乐张力，出于剧情需要，韩英在歌剧中的几个主要唱段都运用了不同的音色，因此，不同阶段的环境不同，角色内心的状态也会受到影响，演唱时对情绪的把握也要有所差别。

《洪湖水浪打浪》是《洪湖赤卫队》中韩英最具代表性的唱段，也是歌剧中的中心选段。正因为这首歌曲的传唱度广，大多数人对这部歌剧有很深的印象。歌剧和歌曲的完成离不开音乐素材的选择，作曲家在创作时结合了地域性的特点，大量采用民间音乐素材，曲子的旋律平顺、结构充实、通俗易懂，体现了浓厚的乡土气息和地域特色。后经人们多次改编，为这首歌曲增添了更为丰富的艺术特点，使得这首歌曲变得丰富多彩，更好地表达出这首歌曲的情感。

作曲家在创作该唱段时运用了相对舒缓的旋律，节奏连贯，在音乐情绪的表达上较为明快，与剧中塑造的韩英的深情及角色中细腻的性格特点相符合。到了牢房唱段时，戏剧冲突非常激烈，曲子的节奏变得紧凑，情绪起伏跌宕，充分表现了韩英不畏强暴、无比坚定的平民英雄形象。在该乐曲的前奏中，作曲家运用了十六分音符的表达，一方面是对湖面美好景色的赞美，另一方面体现出了韩英对家乡的热爱之情。歌曲的伴奏旋律非常舒缓，作曲家运用切分的节奏，其实这与洪湖地区音乐总体的风格特点相关，我们可以从歌曲中了解到一位机智勇敢、关心人民疾苦的韩英。第一句中就引用了附点节奏，推动了旋律的向前发展，只有随着高潮乐句的出现，又通过切分节奏对“怎比我洪湖鱼米乡”这句歌词的情感表达做了进一步的强调。低音区的表达中，旋律委婉抒情，乐音中透露着韩英对家乡浓烈的热爱之情。歌曲第一句的表达中带有鲜明的喜悦之情，情绪非常明亮地唱出“洪湖水呀浪呀么浪打浪啊”，演唱时对于声音的力度要有整体的把握，声音不要太小也不宜过大，保持匀速呼吸，也可以适当放慢呼吸的速度，让气息与声音处在同一频次，这样所呈现的声音才会更加自然、流畅。同时，演唱者在演唱时需要注意歌曲的情绪表达，伴唱声部也需要把控声音的表达，注意力度的控制才能使演唱的声音更符合剧中角色的情感表达。

其次，通过表演技巧丰富女英雄形象的塑造。歌剧作品中，除了语言方面的呈现，肢体、行为方面的表演给予观众的感受是最为直接的。《洪湖赤卫队》中，在塑造韩英这一角色时，融入了中国戏曲的很多传统表演元素，因为戏曲艺术中，对于表演的整体性要求非常严格，“手眼身法步”综合为角色表达服务。在中国传统戏曲舞台呈现中，往往更倾向于采用虚实结合的手法，内容与表达方面都会体现一定的虚拟性，这与西方歌剧或话剧作品中的舞台呈现存在一定的差别。有时会因为演出场地的限制，规模较小的舞台道具有限，很多场景需要依靠演员精湛的表演技巧实现。

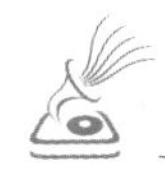

第五节 歌剧《党的女儿》

一、歌剧《党的女儿》概述

1. 歌剧创作背景与剧情

为纪念中国共产党成立七十周年，词曲创作团队由王祖皆夫妇、阎肃等艺术家组成，并以电影《党的女儿》中的情节为故事发展线索，创作了这部六幕歌剧。歌剧讲述了1935年江西地区发生的事，党内出现了叛徒，致使整个党内小组在执行任务的过程中被屠杀。因此，故事围绕找叛徒和送盐的主线展开，女共产党员田玉梅在村支书的帮助下逃过一劫，不顾安危找到原区委书记马家辉，向其报告党内出现了叛徒一事，但让玉梅没想到的是马家辉就是玉梅口中的叛徒。怕自己暴露的马家辉想要杀人灭口，幸好田玉梅受到处在疯癫状态下的桂英相助，无奈下只能寻求七叔公的帮忙，玉梅也用自己的赤诚之心得到了七叔公的信任，并决定再次以身犯险，揭穿叛徒的丑恶行径。这也再次激发了桂英内心的革命之火，之后三人成立了革命战斗小组，连夜进山找寻游击队下落，在他们周密的部署下，成功伏击敌人。最后，玉梅与桂英在筹盐的途中遇到了叛徒马家辉，几经周旋桂英为保护玉梅壮烈牺牲，但是国民党军队也因此发现了他们，玉梅为了保护游击队联络员，慷慨就义。

2. 歌剧人物分析

歌剧作为一种综合性的艺术形式，需要塑造不同的歌剧形象，歌剧中不同角色的塑造是多方面的，需要语言与音乐共同支撑。歌剧共有六幕，主要角色有共产党员田玉梅、原区委书记马家辉及妻子桂英、七叔公、游击队联络员小程等。全剧围绕“找叛徒”“送咸菜”展开，以田玉梅为中心人物，剧作家在创作中从不同角度对这一角色进行了刻画，包括剧中不同角色之间所建立的关系网，如敌我关系、战友关系、同志关系、姐妹关系、母女关系等。

歌剧中不同角色的性格、语言和行为都非常贴近现实生活，能够引起大众的情感共鸣，因为角色的呈现需要对剧本中相关的人物关系进行定位，这也是歌剧作品表达的根本。在歌剧开始，玉梅的形象更贴近于一位地道的江西农村妇女，此外，她还是一位好妻子、好母亲和优秀的共产党员。作为一名革命者，她面对危险，毫不怯懦，将自己的利益放在了党和人民利益之后，为了革命的胜利甚至可以牺牲自己的生命；作为妻子，她深明大义，始终追随丈夫的脚步，无怨无悔；作为母亲，严厉中又充满对孩子的怜爱；身为共产党人，她有自己的任务和使命，也有自己的遗憾。因此，田玉梅这一形象也在不同角度的塑造，以及戏剧冲突中变得更为丰满，是一位有情有义的共产党员形象。

3. 艺术特征

首先，在对民族曲调的运用方面，《党的女儿》在创作中运用了大量民族音乐，并借鉴西方歌剧的形式，将其融合在特殊的时代背景中。作品中带有中国传统的戏曲元素，又有西方歌剧的新形式，为了更好地突出作品的民族风格，结合歌剧情节发展与角色情感表达需求，作曲家在创作时选择了带有浓郁江西地域特色的音乐，并融入了山西蒲剧的音乐素材，在创作中突出地方音乐风格的表达，同时增强了歌剧的艺术表现力。歌剧也采用了不同的演唱形式，如独唱、对唱、重唱等，不同的表达方式使剧中相关角色的呈现更为鲜明。

其次，对戏曲化唱腔的运用方面，在歌剧《党的女儿》中，有些插曲就是采用江西地区的民间曲调创作的，以分节歌的形式增强旋律的情感表达，有时也会选用梆子音乐作为创作素材以更好地突出角色的戏剧性表达。在民族歌剧创作发展中，出现了很多不同的创作模式，对于板腔体的运用增强了歌剧中传统风格与民族特色的呈现，既有别于西方歌剧又与传统戏曲存在差别。

在歌剧《党的女儿》中，田玉梅的唱段创作就采用了板腔体的创作模式，并依据角色情感的发展，通过不同的手法在节奏上形成鲜明的对比，结合唱段的表达，将角色内心的情感融入其中，以增强音乐的戏剧性与艺术性。

此外，作曲家还运用了我国戏曲音乐创作中的旁白与帮腔去呈现，通过这些手法的运用将角色在不同情境中的内心活动揭示，渲染了作品气氛，有利于推动剧情的进一步发展。

戏剧化的表达方式对玉梅“英雄”形象的塑造也至关重要。在歌剧剧情的发展中，剧作家有几处悬念设计得恰到好处，对前后的剧情发展也起到了衔接作用。在六幕表演中，从第一幕中玉梅的“血里火里又还魂”到第二幕以不同的演唱形式呈现的《党内有叛徒》，将剧中不同角色之间的心理活动表现了出来。在最后一幕中，作曲家又通过快节奏的合唱烘托玉梅和通讯员小程在为游击队送盐过程中的紧迫感，吸引了观众的注意力，这些音乐的出现为戏剧作品的表达营造了所需的氛围感。

整部作品中的音乐对戏剧性的表达也起到了关键性作用，音乐的运

用，可以让观众更直接地感受到紧张的剧情及在特定情境下角色的心理活动。因此，作品中音乐的戏剧化表达对整体氛围的渲染十分重要。

二、歌剧《党的女儿》中“玉梅”艺术形象塑造

1. 人物形象

在《党的女儿》中，玉梅是一位普通的共产党员，她也经历了很多普通人没有经历过的磨难，被敌人抓捕后，面对敌人的威逼利诱，玉梅并未顺从，而是坚守着对中国共产党绝对的忠诚之心，完成自己的使命。在不同的情境中，玉梅的性格与情感呈现有很大变化，这种差异化的体现也使得角色的形象更加立体、更加饱满，也更加真实。

第一，玉梅在剧中呈现了坚贞不屈的党员形象，这也是她在作品中最重要的艺术形象，歌剧中很多情节的设定与戏剧冲突都是从玉梅党员这一身份出发展开的。首先，在刑场面对死亡时，她内心依然坚守着自己的革命之心，大义凛然且无所畏惧。在她经历过亲友的生死之后，看到自己的亲人、战友已经牺牲，内心的悲痛进一步激化了她对敌人的仇恨，并誓死与敌军抗争。其次，当玉梅得知组织内出现叛徒时，她也没有慌乱或有任何退却之意，依然选择要找到真相。在得知是马家辉背叛组织时，玉梅内心充满愤慨与鄙夷。当因为叛徒对其恶语相向而受到七叔公误解时，她为自己辩解，并演唱了慷慨激越的《天边有颗闪亮的星》，这也是身为一名革命共产党人，自己的光荣使命不允许被误解、被玷污的表现，同时体现了玉梅对革命怀有必胜的信心。之后，为了掩护通讯员小程，玉梅在危难时刻挺身而出，为争取时间与敌人周旋，将自己的生死置之度外。在剧情自始至终的发展中，面对敌军的威胁与叛徒的挑衅，玉梅都无所畏惧，共产党员的优秀品质在玉梅身上体现得淋漓尽致。

第二，玉梅在剧中还展现了严厉且慈爱的母亲形象，从角色本身考虑，玉梅除了共产党员的身份，还是一位母亲，当娟妹子用稚嫩的声音唱出《女儿离不开妈妈》时，从女儿的描述中凸显了玉梅伟大的母亲形象。但她误会自己女儿偷吃时，对娟妹子进行了严厉的批评，虽然是误会，但玉梅却始终坚守自己内心的原则，认为自己是党员，娟妹子是党员的女

儿，就希望她做一个正直的人，也体现了她在子女教育问题上是非常认真且严格的。两次被捕时演唱的《孩子啊，我的小心肝》《孩子啊，妈妈对不起你》，就是一位普通母亲站在自己的角度对女儿的深情诉说，表达了一位母亲最真实、最动人的爱，这两个唱段也是作品中最柔美的部分，每一句歌词中都体现着玉梅伟大的母爱。

第三，真诚友爱的战友形象也是角色呈现的一部分，《党的女儿》是一部革命题材的作品，玉梅作为共产党员，对待战友真诚友善，与战友之间建立了深厚的情感，这也是角色多元化呈现的具体表现。包括剧中玉梅对叛徒马家辉妻子桂英的劝说、关心，也凸显了其“英雄”形象的伟大。

2. 音乐形象

在歌剧《党的女儿》中，《杜鹃花》在很大程度上代表着玉梅的音乐形象，随着歌剧情节的不断推进，旋律主题也以不同的形式出现，丰富了玉梅这一角色的表达，也使得角色的音乐形象更为鲜明。《杜鹃花》在作品的四个场景中都出现过，第一次是开场部分，在序曲之后，《杜鹃花》以领唱与合唱的形式出现，为后续故事情节的发展奠定了情感基础。作品用杜鹃花比作人，虽然词面是对杜鹃花的赞美，实则对玉梅的形象进行了意象化的表达，通过杜鹃花赞美玉梅形象的高洁。

《杜鹃花》第二次出现是在歌剧的第一幕中，八位党员被带到了刑场准备被枪决，面对残暴的敌人，共产党员壮烈牺牲，《杜鹃花》主题响起，将作品中悲伤的情绪进行了渲染。

《杜鹃花》第三次出现是在歌剧第四幕中，叛徒马家辉的妻子桂英因为自己丈夫叛变革命，深陷于纠结与痛苦之中，备受煎熬的她有些疯癫，当她准备以结束自己生命的方式报答共产党时，被玉梅阻止；但当下玉梅也不知以何种形式去劝说桂英，就通过唤起她们共同的回忆，希望可以唤醒她，于是，当玉梅唱起《杜鹃花》时，桂英的思绪被拉回，也开始跟着玉梅唱起了《杜鹃花》。

整部作品的结尾部分是《杜鹃花》的第四次出现，玉梅为革命牺牲了自己的生命，深化了作品英雄主题的表达。

其实这一唱段并不单单是对杜鹃花的描写，而是玉梅性格中果敢、坚

毅的体现。以杜鹃花的形象比作田玉梅，将其“英雄”形象最大化地表现了出来，同时表达了共产党人的精神可以像杜鹃花一样永世流传。

作曲家除了运用音乐主题来突出田玉梅的“英雄”形象，还运用了对唱、重唱等不同的演唱形式辅助剧情发展中的戏剧性表达，如剧中的《两条道路任你选》（对唱）、《天边有颗闪亮的星》（三重唱）等。

首先，对唱是歌剧作品中经常运用的演唱形式，有助于表达歌剧中不同角色之间的戏剧冲突，使角色形象表达得更为鲜明，角色呈现也更有特色。唱段《两条道路任你选》的戏剧冲突非常强烈，主要为玉梅被捕以后及叛徒被杀，玉梅与孙团长在杜鹃坡对峙时演唱的唱段，主要有对唱和念唱两种形式，前半部分是玉梅与白军的对唱。白军在失去了卧底马家辉之后，面对屡次破坏他们计划的主使者，内心满是怨恨。因此，想要用讥讽的方式刺激玉梅，但玉梅也不甘示弱，坚定、鲜明地表达了自己的立场。通过对唱的形式将双方的矛盾冲突表现得淋漓尽致，冲突的双方通过音乐表明自己立场的同时将音乐氛围渲染得更为紧张，玉梅作为党组织的组长，面对敌军的威逼利诱，沉着应对，表现了一位优秀共产党员的素质。

其次，重唱是歌剧作品中非常重要的演唱形式，通过直接的表达方式，将不同角色之间的情感串联，帮助大家更好地厘清剧中角色之间的关系。《天边有颗闪亮的星》是整部作品中唯一一首三重唱作品，作曲家采用了歌谣体与变奏的创作手法呈现，借鉴了江西地区的民间音乐素材；虽然结构短小，但唱段本身具有很强的表现力；素材虽以民间音乐为主，但作曲家在创作层面进行了升华。唱段的主题旋律也在剧中多次出现，第一次是以独唱的形式在第三幕中出现，第二次就是以玉梅、桂英、七叔公的三重唱形式出现，由此可见这一唱段的重要性。唱段在第五幕中的出现也掀起了高潮，从音乐层面可以体现鲜明的民族信仰，也体现了我们共产党人的赤诚之心。

《天边有颗闪亮的星》不仅旋律优美，歌词也体现了很强的文学性，表达上较为含蓄，意境的呈现也非常深远。每段歌词均由“星星”开始，之后采用一些变化处理，每一次变化都在思想层面有所升华，同时增强了歌曲表达的思维空间。这样的创作模式可以进一步推动角色的情感发展，丰富歌剧作品的艺术呈现。将共产党比作闪亮的星，“星星”的光芒也照耀着大地，照耀了像玉梅这样的共产党员。

此处着重介绍第二部分。第二部分是白军的慢段，采用了传统戏曲中“紧打慢唱”的形式，器乐伴奏声部以快板的方式与慢板的声乐唱腔相结合，整段音乐将白军企图获取利益时的奸诈狡猾与凶残无耻的状态表现出来。敌人为了让玉梅归顺，他们费尽心机，用尽手段，但玉梅依然不为所动，谨记自己的使命。此处通过丰富的音乐表达，将一位女共产党员的“英雄”形象刻画得更为鲜明。

3. 舞台形象

（1）音乐风格。

《党的女儿》的创作虽以民族音乐为基础，但在演唱上打破了传统民间演唱方法，运用对唱、重唱、合唱、伴唱等形式呈现，使歌剧中玉梅这一英雄形象的塑造更加立体化，表演中既有对叛徒行径的憎恨与愤怒，也有不被战友理解的委屈；既有对敌人的蔑视与视死如归的浩然正气，也有对革命必将走向胜利的信心。

其音乐的地域色彩主要体现在对赣西音乐元素的融合，如赣西茶歌的“茶腔”“灯腔”等，在音乐特点上也带有兴国山歌的表达与江南音乐风格色彩。《杜鹃花》以动听的旋律、抒情的曲调，贯穿歌剧始终，通过托物言志的表达方式呈现歌曲的主题，同时，这是玉梅与桂英的二重唱唱段。作曲家对传统曲调进行了改编，并在高音区进行相应补充，运用5/4拍的节奏展开，让人既能感受到二拍子的情感延续，又能感受到三拍子中带有的柔美之感，从而使得主题旋律的表达更加细腻、深情。这一主题对玉梅的形象刻画非常准确，在整部作品中起到了画龙点睛的作用。而另一首《天边有颗闪亮的星》则表达了对革命必胜的信心，以此激励战友，对孩子也有一定的教育意义。在第五幕中，旋律织体进行了扩大，最开始由玉梅领唱，之后七叔公与桂英加入，以三重唱的形式呈现，最后为了契合人民群众共同心愿的表达，以混声大合唱的方式结束，既塑造了几位主角的革命形象，又体现了军民之间浓厚的革命情感，非常动人。

另外，其他唱段中也体现了戏剧冲突，如《血里火里又还魂》《生死与党心相连》《万里春色满家园》等，在这些唱段的塑造中，作曲家大量借鉴了我国北方戏曲音乐元素，如作品的曲式、旋法、节奏、织体等，风格中也带有北方音乐的激越、高亢之感，通过不同板式之间的融合与发展，营造激烈的戏剧张力，同时对塑造玉梅坚韧的性格特点也有帮助。歌曲的唱腔多以板腔体为主，唱词多为七字句或十字句，由原版衍生出很多其他的板式，如慢板、二六板、流水板等。在文场中，伴奏乐器以板胡为主，笙、笛、三弦、二胡为辅；武场中，伴奏乐器多与京剧相同，但掌控节奏用木质的梆子。

歌剧在音乐风格方面体现了南北音乐高度的融合性，吸收了不同地域音乐的精华。因此，《党的女儿》一经推出便受到了大众的喜爱，成为民族歌剧创作中的经典作品。

（2）声音形象。

通过对歌剧《党的女儿》音乐风格的了解，想要准确呈现玉梅的音乐形象，就需要运用声音的特色，结合民族风格、语言、情感的表达综合呈现，这样的呈现方式更符合大众的审美。在掌握发声技巧的前提下，合理利用剧情调节声音，运用不同的音色、情绪呈现角色形象，同时，演唱应该体现艺术性与民族性的特点。

在演唱歌剧中带有浓郁江西民间音乐色彩的唱段时，需要在打开声音通道的基础上合理运用支点。演唱时，需做到音色统一，尽量以纯净、明亮的声音呈现，可以更好地表达音乐的地方性特色，这也与歌剧中玉梅的戏剧形象相契合。在演唱一些戏剧性较强的作品时，如《血里火里又还魂》《生死与党心相连》等，也需要从方法层面把握这些唱段的演唱，如气息需要找到叹气的感觉，且歌词中的字需要在支点上进行转换。这样所呈现的声音才能具备较强的流畅性，在明亮的基础上加强了声音的厚度、宽度和力度，有助于玉梅英雄气概的表达。

分析演唱中对声音形象的塑造，以唱段《生死与党心相连》和《万里春色满家园》为例，《生死与党心相连》共分三部分呈示，第一部分的陈述性较强，在紧凑的三连音之后，演唱“你以为一死，一死能解千重怨”，涉及音程的大跨度跳进至小字二组的G，而且演唱中容易发生挤压现象，因为“死”属于闭口音，需要窄音宽唱，其他如“天”“边”“连”等窄母音的演唱时需要遵循这一原则。此外，在任何一个唱段演唱前，都需要对唱段的歌词进行细致分析，关键的字、词在表达上要注意突出，这样有助于角色的情感表达，如“想一想”“千重怨”“怎么对得起”等。第二部分以回忆为主，演唱时需要体现一定的亲切感，也要注重音乐表达的抒情性。第三部分为快板乐段，演唱时需要准确把握节奏，不要因为速度的转换影响咬字的清晰度。

《万里春色满家园》是玉梅在牺牲前演唱的，将玉梅作为优秀共产党员所表现出来的英勇无畏的英雄气概表达得淋漓尽致。第一段的“我走，我走”铿锵有力，之后又对孩子演唱：“孩子，你紧紧依偎在娘身边，我们清清白白地来，我们堂堂正正地还。”亲切的语言中透露着坚毅，这也是玉梅这一角色的性格特点。第二段音乐表达了玉梅对家乡、乡亲，以及给予她强大内心信念的丈夫的留恋之情，分别用了五个“告别了”，将情绪不断递进，也是玉梅内心最真切的情感表达，非常感人。演唱时在尾音的表达中加入哭腔，来展现玉梅心中的不舍。第三部分的快板乐段要求声音要充满激情，需要以明亮的音色表达对美好明天的展望，因此，表达上是充满希望的。在最后的尾声部分，“我走，我走”在连续的强音和弦之后出现，在结构上形成首尾呼应，也坚定了革命必将胜利的信心。

（3）舞台表演。

在戏剧舞台上，相较于语言的表达，有时动作更容易揭示角色的内心世界，在人物塑造方面更具感染力。不管是对人物性格的呈现，还是作品情感线索的发展，或是舞台行动的呈现，都需要演员结合一系列的形体动作来完成。因为舞台艺术的创作灵感本就来源于生活，因此，表演过程中的每一个动作，甚至是眼神都需要经过艺术化处理，进行规范表达。这里的规范，是要使歌剧表演中的技巧运用符合角色的戏剧性、音乐性等审美范畴，使其与大众对歌剧的审美需求相契合。剧中玉梅是一位农村妇女，在角色的呈现过程中需要在走路的状态、说话的神态，以及很多细微的表情等细节方面与其相符，作为歌剧演员来说，在角色的呈现过程中不能将自己生活中的习惯带到舞台表演中。

民族歌剧的表演风格在很大程度上受到了我国传统戏曲表演形式的影响，戏曲艺术表演中融合了唱、做、念、打，手、眼、身、步、法等不同元素，是一种综合性较强的时空造型艺术，其呈现效果往往带有虚拟化、

夸张化的特点，有的作品也会带有程式化与写意性的表达。歌剧作品中，眼神是角色塑造的关键，很多表演者无法很好地完成面部肌肉控制与眼神之间的配合，整个表演状态无法实现协调统一。其实，现实生活中，人的不同心情，如喜、怒、哀、乐、愁、怕等都与眼法的控制与表达息息相关。例如，在歌剧第一幕中，玉梅在行刑之前与女儿抱头痛哭，匪兵团长不怀好意地问道：“怎么，你好像有什么话要说?”玉梅在这一场景的表达是眉头紧锁、双目怒瞪，鼻翼微张、紧闭牙关，两眼逼视对方。

歌剧中不同角色的情感表达带有音乐化的特点，这就要求歌剧表演者在舞台呈现中将情感的表达、身体的韵律与旋律融为一体。在表演中将音乐通过语言化、形象化的表达呈现出来。这样在唱段转换的间奏中，活跃烘托氛围的音乐出现时，表演者在舞台上不至于显得十分尴尬。例如，在歌剧的第六幕中，玉梅在悲壮的音乐中英勇就义，以符合角色表达的动作、神情来整理了自己的发髻，非常淡定地转身，从容地走向刑场。一系列的舞台呈现非常自然、流畅，这些舞台动作的呈现所取得的戏剧效果都不是语言所能替代的。一系列的形体表演也为整部作品塑造了一个完美的结尾，给观众足够的想象空间。

（4）语言台词。

歌剧中出现的台词都是通过艺术化方式处理的语言，将剧中角色的情感、思想进行表达，也是向观众交代故事情节的主要方式，便于刻画角色、推进剧情并解释人物内心思想，是歌剧作品表达中至关重要的载体。

台词的表达与歌唱一样，需要利用腹肌的支持，打开腔体，保持呼吸通道的顺畅，通过唇、齿、舌等部位完成咬字，准确把握语言的节奏。舞台艺术的语言往往会带有一定的夸张性，表演者在说台词时，需要仔细揣摩每句话，分析语调重音等，避免口齿不清或将日常用语用到舞台表演中。

由于不同职业、不同社会阶层的人在说话习惯方面存在很大的差异，不同性格的人说话的声音与语速控制也不相同，不同年龄的人的表达方式也会带有某一年龄阶层的特点，因此，歌剧中不同角色的台词表达要带有“性格化”的特点，而要想更好地实现台词性格化表达就需要结合角色的年龄、所处环境与性格等深入分析，体会角色的内心情感，从歌剧中了解角色的语言表达方式。玉梅在歌剧中就是一个淳朴的农村妇女，因此，她的台词大多简单质朴，并带有乡土气息。但在与不同角色交流时，玉梅的语言风格也存在很大的差别，她与战友、与孩子、与叛徒在对话时的状态、情绪都需要依据情感的表达作出相应的调整，这样才能有助于玉梅这一角色的塑造。

因此，要想塑造好一个角色，需要综合角色自身形象、音乐风格、舞台呈现等方面的表达，尤其是像玉梅这一类英雄形象的代表，更要在角色的表达中从不同角度体现角色的英雄性。

三、玉梅其他唱段分析

1.《血里火里又还魂》

《血里火里又还魂》是歌剧中结构篇幅相对较大的唱段，多变的旋律突出了音乐的戏剧性表达，或低吟浅唱，或娓娓道来，或坚定有力地表达角色的内心活动，节奏的运用上也非常有特点。其中，更多地运用了戏曲音乐中快板与慢板之间的结合，使整体的情感表达更加鲜明。作曲家张卓娅和王祖皆正是在观看完戏曲表演后，获得了创作灵感，在《血里火里又还魂》创作中采用了我国戏曲音乐中传统的板腔体结构，还加入了很多戏曲元素。多变的节奏可以丰富作品的情感表达，对角色豪放、坚毅的性格特点也有很好的体现。该唱段在风格上豪放粗犷，对戏曲元素的运用也体现了作品的民族性特点。《血里火里又还魂》是歌剧中板腔体运用较典型的作品，我们可以分三部分来了解这一唱段。

第一部分的音乐由散板进入，速度较缓慢，这样的处理方式也将玉梅面对现实情况的难以接受的情感进行了合理表达；旋律发展方向多以下行为主，这也是对玉梅这一角色悲痛情绪的表达。缓慢的速度结合自由的曲调表达，可以使观众更易于与剧中角色的情绪产生情感共鸣，更直观地感受剧中角色悲伤、哀怨的情绪。散板在该唱段中起到了画龙点睛的作用，节奏处理方式也给予这一角色更多的发挥空间。第一部分中的唱词多为对仗，上下两句可构成基本的乐段，唱词在表达上也多为两腔式，唱词的字数设置也是相对于戏曲唱词进行了增减，符合戏曲板腔体唱词表达的特点。散板乐段在进行节奏处理时，对自由的把握是相对的，它需要依据歌

剧中角色的具体情感表达处理，因此，非常考验表演者的专业功底。从作品的创作角度来看，作曲家在这一部分的乐句连接部分运用了一些单音、长字等，既填补了乐句之间的空当，又起到了很好的衔接作用。有时加入的单音、长字也会模拟声腔，对表演者的情绪起到一定的深化、延伸作用。

第二部分从“雨呀纷纷地下——哭啊英灵之前”开始，通过对景色的描写表达了玉梅内心的悲痛，同时表达了玉梅对乡亲浓烈的情感。通过对这一部分唱词的分析，可以发现，它在创作上运用了规整的七字句唱词，基本体现了板腔体的形式特点，为了更好地表达情感，作曲家运用了多腔式表达，均在顶板起唱，而且在一定程度上结合了戏曲的板腔体中对唱词结构的运用规律，多数乐句都是成上下句的对仗模式发展。这一部分的节奏采用了四二拍，以慢八板的形式表现作品中悲苦哀怨的情绪。缓慢的速度加上相对平缓的节奏，使情感的表达也更加细腻，旋律优美，更有利于作品情感效果的表达。

在演唱“万家闭门低声泣……留下我孤零零”这一段时，多以七字句和稍加变化的六字句为主。“荒野，哭啊英灵”融合了快二八板的变化形式，二八哭板，两种板式在速度上基本相同，但二八哭板在节奏与旋律的发展上，空间更为广阔、自由，对于戏剧情感的渲染与表达也有更进一步的表现。为了更好地增强角色中带有的悲情色彩，在演唱中可以通过“哭腔”进行表达，哭腔在传统戏曲中也有标志性的音调特点。

第三部分以快板开始，将玉梅从悲痛情绪中抽离出来时的状态转变完美地呈现了出来，既然上天给予了她重生的机会，又使她的革命信念更加坚定，誓死要和敌人抗争到底。在速度上要比之前快了一倍，情绪上也与之前的乐段形成了较为鲜明的对比，高亢、激情的表达方式更有利于角色情感的表达，节奏的安排也很好地表现了音乐的气势，为之后角色的情绪表达提供了更加充足的表达空间。综合分析，该乐段的呈现中，融合了快板的风格特点，很多唱词的呈现也比较铿锵有力，有利于角色情感以更饱满、更准确的方式传达出来，对之后投身革命实践的信心也有更坚定的表达。

整首作品的高潮部分，“鬼门关前走一走……我要再和你们拼一拼呐”，这一部分在演唱中运用了传统戏曲中的散板，在节奏上虽然看似自由，但实际演唱时仍需要遵循板眼，在音乐情绪的表达上也更为饱满、热情。

在歌曲独特性的体现上，歌曲的前奏部分由散板进入，速度相对缓慢，对玉梅在这一阶段的状态进行了贴切的表达。之后音乐节奏加快，旋律的表达也更加激昂。音乐部分对玉梅的情绪起到了极强的渲染作用。之后接间奏进入了慢板乐段。总体来看，该唱段最鲜明的特点就是运用传统的板腔体形式贯穿始终，这也是唱段的出彩之处，与传统的唱腔之间进行了很好的融合。

2.《万里春色满家园》

《万里春色满家园》是剧中玉梅英勇就义前演唱的咏叹调，在歌剧中属于篇幅较大的唱段，歌曲不仅表达了戏剧中的冲突因素，更是玉梅慷慨就义前的内心独白。作品在情感表达上非常丰富，因此，演唱者需要高超的声乐演唱技巧与情感把控能力。戏剧作品会通过不同角色之间的冲突、矛盾推动剧情发展，很多唱段中的唱词是在表达角色的内心情感，也是对词曲作者内心情感的直接反映，在呈现某一角色的艺术形象时，会通过舞台的肢体表演、人物的表情等帮助角色内心情感的表达。因此，歌剧的呈现是综合的，不能仅仅凭借声音的好坏进行评判，需要综合角色内心的情感表达，需要表演者综合声音技巧与情感表达准确把握角色。

《万里春色满家园》的开始部分情绪较为激烈，这是玉梅与匪兵对抗之后的内心写照，作品中表现了非常鲜明的戏剧冲突，也表现了玉梅即使面对死亡，其内心坚定的革命信念与英勇的精神依然存在，也在理智与情感的不断碰撞中塑造了这一角色。通过该唱段的伴奏声部呈现的情绪非常激烈，作曲家还运用了三连音的节奏模式，使紧张的氛围感进一步增强。刚开始出现的“我走，我走”，音域在小字二组的“f”，之后的“边”“还”都在“g”音上延伸至八拍，在高亢旋律的烘托下，角色内心活动呈现得更为直观。“我们堂堂正正的还”之后的过渡乐段中，作曲家又运用了模拟与重复的方式，将情感氛围进一步延续下去，充分体现了该乐段中音乐的戏剧性特点。

在“告别了这座座青山……红米南瓜苦也甜”这一部分中，玉梅的情绪在冲突之后逐渐松弛下来，也表达了玉梅对身边很多人、事的留恋与不舍，这些情愫都在旋律的表达中得以体现，让人联想到以往的美好时光。该乐段有较强的抒情性，这也是歌剧中为数不多的乐段表达玉梅对美好时光的怀念，该唱段深刻地揭示了乐段的抒情功能。通过唱段的歌词部分“孩子啊，你抬头看”可以直观地反映出来，这是玉梅与女儿的直接交流，歌词中多次运用排比句，用强调的方式表达玉梅与女儿对美好生活的期望，这一部分的演唱也以叙事的方式表达了角色的戏剧诉求。

在唱段的结束部分，从“我走，我走，不犹豫不悲叹”到结束，与开始部分形成呼应，同时表达了玉梅自始至终都怀揣着对党的坚定信念，使这一角色的形象表达更为鲜明，且以饱满的角色状态结束了整个唱段，在突出唱段主题的同时，为整部歌剧的呈现画下了完满的句号。

歌剧中对角色性格与人物情感的刻画多以唱段的形式表现，这也是歌剧中角色抒发情感最常见的方式。通过对玉梅不同风格唱段的分析，了解这一角色的多样性与丰富性，结合这一角色本身带有的英雄主义色彩，从而在唱腔上更好地把握角色，这样才能使人物形象的表达更为立体。

第三章

器乐作品中对“英雄”形象的塑造

第一节　中国民族器乐作品

在中国的民族器乐作品中塑造了很多不同的英雄形象，从不同方面展现了我国历史发展中对民族发展做出过贡献的英雄，他们不畏艰险，勇于为民族的利益牺牲小我的博大胸怀与英雄气概自古以来都受到人们的歌颂。作品中呈现的英雄形象也是作曲家想要表达的乐曲的精神面貌。以“英雄”形象的塑造为主题的器乐作品的出现，也代表着作曲家在意识层面对民族精神时代性与音乐审美观念的特征体现。

一、中国传统音乐文化中的“英雄”

中国地大物博，众多的人口也在不断地创作着属于这个民族的文化，在历经几千年的文化积淀中，以和为贵的民族性格逐渐养成。我们一直所说的礼，也就是孔子所提倡的礼，指的是周礼，即西周时期由周天子为了巩固自己的统治而建立起来的一套区别社会不同等级的制度，即礼乐制度，这项制度要求人们在日常生活中的所有行为和生活方式都要符合自己所处的阶级身份与社会地位，不同规范对行为的约束就是礼。孔子在“六艺”中，将“礼”放在了首位，由此可见“礼”在中华文化中占据的重要位置。因此，中国人也讲求“礼”，进而“礼”成为中国传统文化非常重要的理念，这也影响了中华民族精神的塑造，使中国人具有重感情、有正义感、有包容性、内敛含蓄的民族。

英雄是指英勇威武、无私忘我，为国家、民族的利益奋斗，为大家舍小我，为集体利益作出牺牲的英雄人物。中国人的性格中自古就有含蓄的特点，就像中国的绘画艺术讲究意境的表达，它的美不会给人很直观的视觉冲击，而是通过作品的表达与人内心的情感形成共鸣。如果说，声乐作品是声音和语言的艺术，那么器乐作品则是纯声音的艺术，听众在获取这些作品的音响信息时，会依据作品中情感的不同表现出不同的音乐情感，也可以让人对声音产生不同的想象。中国的传统音乐作品，不管在风格上是优美的、刚劲的还是愁思的、哀怨的，都会以一种含蓄的表达方式呈现，通过对一个事件或任务的描写，以音乐的方式传达出来，听众可以通过音乐作品中的旋律、节奏等因素传达作品的情感走向，以更好地激发听众对乐曲产生共鸣。

人们在获取对某件事情或某个人物的印象时，如果是文字信息，会很直观地让人了解想要表达的内容，文字的表达也能很直观地让读者体会到民族的骄傲与自豪。音乐的曲调及旋律特征是隐性的，需要用心去琢磨、感受。这从歌曲的创作环节就存在，作曲家的音乐创作本身就是极为主观的，通过乐音不同形式的组合与发展表达自己的社会情感。演奏者的呈现也融入一定的主观表达，不同演奏家对同一首作品的理解与呈现都存在差异，但对于乐曲演奏过程中的力度控制与演奏动作是较为直观的。通过直观和隐性的结合可以深切地感受音乐的情感。音乐中的英雄形象是在历史兴亡和世事无常中歌颂其精神的崇高，揭示生命的真相，并由此激起震撼人心的壮美与深情。

二、“英雄”形象在器乐作品中的呈现

民族器乐的发展需要人的传承，我国人口众多，因此，很多作品中呈现出来的音乐风格与人的性格一样，带有多样化的特点，有的细腻优美，有的温婉含蓄，有的豪放不羁，有的低沉幽怨，有的开朗活泼等。作曲家在创作作品时也融入自己的情感表达，通过对人、事、物的描绘提出自己

的见解，这些观点、想法，以及见解会融合到自己的创作中。

不同的民族乐器在发展中都留下了很多具有代表性的作品，如二胡曲《二泉映月》、笛子曲《春到湘江》、扬琴曲《林冲夜奔》、古筝曲《高山流水》、琵琶曲《十面埋伏》等，这些作品都已经成为乐曲的符号化代表，一提及某一件乐器就会立刻想到这件乐器的代表作品。在地大物博的中国，有很多优美的景色和有趣的事物，很多作曲家也通过作品赞颂自己的见闻，如《高山流水》《春到湘江》都属于借景写意的作品，作曲家依据乐器本身的音色特点，使创作有利于技巧的表达，创作出更加优美、适合表现作品主题的旋律音调，有利于对自然美景的描绘，使听者也可以从作品中获取艺术信息。音乐作品的表达没有文字具体、清晰，也没有绘画作品直观，因此，需要深入把握作品的意境，只有准确把握乐曲的风格呈现，才能将内容传达给观众。

《春到湘江》将竹笛清脆婉转的音色表现得淋漓尽致，我们也可以从《高山流水》中感受古琴的柔美动听。不同的民族器乐作品中所体现的演奏技巧性表达蕴含着很多的情感因素，在不同的器乐作品中都有体现，因此，我们主要通过分析以“英雄”形象塑造为主要落脚点的作品，来了解民族器乐作品中蕴含的情感表达。

作品的形式包含了构成作品不同元素的具体组成，相对于作品的形式而言，作品的内容代表了作品的内在含义，或者，我们可以说是作品形式表达的内在依据。很多作曲家在创作之前会以想要表达的内容为依据，有时这些内容也会以外化的形式表现在作品中。每一部作品都有其想要传达的核心理念，以塑造“英雄”形象为主的器乐作品，在描述的事件中穿插对角色性格进行塑造，以更好地展现角色的性格特点，进而表达作曲家想要呈现的作品意境，如《林冲夜奔》《霸王卸甲》《将军令》等作品，我们仅通过乐曲的标题就可以了解作品中有英雄性人物的描述，通过演奏技巧的风格表达来塑造作品中的“英雄”形象，这从音乐审美与演奏技法上都有很大的研究空间。

扬琴曲《林冲夜奔》仅从标题就可以大致了解乐曲中所塑造的角色与相关的故事情节。乐曲讲述了宋徽宗时期，林冲作为禁军总教头，因为权臣当道，朝政腐败，故被奸臣设计陷害，有幸逃脱后连夜投奔柴进，之后朝廷派人追捕，林冲又不得已连夜转投梁山，故事情节跌宕起伏，表达上富有戏剧性。该乐曲出自昆曲中的《宝剑记》，之后经作曲家项祖华创作了扬琴版本的《林冲夜奔》。

作品类型相似的乐曲还有《草原英雄小姐妹》《英雄们战胜大渡河》《西楚霸王》等，每一首作品都有与之相对应的角色与故事情节。也有很多作品在创作中采用了古今元素融合的方式，如依据王昌龄的《从军行》改编的《大漠风尘》，电影《英雄》为了更好地贴合影片中人物形象的塑造创作了古筝曲《离弦》。

一首器乐作品的呈现需要创作者、演奏者与观众共同完成。在乐曲创作的过程中，创作者会在很大程度上融入自己的个人情感，再加上创作手法及受创作环境的影响，乐曲得以创作完成。演奏者通过对乐曲的初步理解，结合自己的演奏风格，最终经过技巧上的处理完成作品的呈现。欣赏者欣赏的作品既包含了创作者的思想，又包含了演奏者对乐曲的处理；在欣赏的过程中，也会结合自己的思维方式去理解作品。虽然，一首音乐作品的创作思维较为单一，但可以有多样化的演奏思维，欣赏的模式也有很多，但乐曲在创作时所传达的情感主题不会在这一过程中发生变化。

很多作品中带有多元化的形象概念因素，如英雄性、崇高性、悲剧性等，这些因素并不会特指情绪的具体表现类型，也不会决定音乐作品表达的内在含义，而是一种比风格体系与情绪类型表达更深层次的精神表达特征。这也是作曲家内心情感思想的真实写照，同时体现作曲家所处时代所体现的特征。作曲家赋予作品本身非常鲜明的情感主题，演奏者在呈现作品时需要尊重创作者的表达意愿，这样才能让欣赏者更准确、更全面地理解作品。

三、民族器乐作品举例

1.《林冲夜奔》

《林冲夜奔》是作曲家项祖华于1984年创作的一部大型扬琴独奏作品，是一首标题性与情节性兼具且在表达上较为具象化的器乐作品。乐曲以《水浒传》中的英雄人物林冲被逼上梁山的故事为素材，借鉴了中国传统戏曲中昆曲中的元素展开创作，在结构上采用了中国器乐作品中的多段结构与复三部曲式的结合。乐曲刻画了林冲落难之后的满腔怒火，冲风踏雪，战胜各种艰难险阻后夜奔梁山，在演奏上对其他乐器的演奏技法也有不同程度的借鉴，这样的表达方式使得作品中林冲的英雄形象表达得更为丰满，对中国传统文学作品中英雄形象的音乐表现方式也有了创新。

《林冲夜奔》选自项祖华扬琴套曲《国魂篇》，共由四首构成，在套曲的题解中，项祖华先生做出了如下介绍：

“泱泱中国上下五千年，巍巍中华英雄万万千。他们崇尚的爱国情怀和民族气节，历来受到人们的传诵与敬仰。为弘扬华夏优秀文化，激励爱国主义精神，选择四位历史人物的典型，构思创作乐曲四章，组成《国魂篇》扬琴套曲，每首乐曲又可单独演奏。”

（1）创作背景介绍。

《林冲夜奔》是我国著名作曲家项祖华于1984年创作的一首大型扬琴协奏曲，整首作品的呈现跌宕起伏，音乐色彩鲜明，情感真挚感人，创新性地运用了很多演奏技巧，使作品中林冲的形象塑造得更为饱满、立体。作曲家以传统的昆曲作品，如《新水令》《雁儿落》中的素材为基础展开，作品中饱含了抗战的激情与战争的悲壮。但为了更好地呈现作品主题，作品也会带有一定的阳刚气质和戏剧性的表达。在乐队配置方面，乐队使用了很多昆曲中常见的十几种打击乐器，如大鼓、板鼓、拍板、大锣、小锣、吊钹、小钹、碰钟、木鱼、铃鼓等，使乐曲中带有浓郁的昆曲色彩，极具音乐感染力。

项祖华先生不仅是著名的作曲家、扬琴演奏家，还是中国扬琴演奏、宣传的代表人物，为中国近代扬琴音乐的发展做出了非常重要的贡献。项祖华出生于江苏徐州，从小学习扬琴、二胡等多种传统乐器，在学习过程中也得到过很多演奏大家的指导，如陆修棠、杨荫浏等。在20世纪40年代，国内很多民乐大师都会在上海、江苏、浙江等地举办专场音乐会，项祖华经常参与这些音乐会的演出，其才华也逐渐受到国内民乐界的关注。至50年代，项祖华被调入上海民族乐团；60年代又在中央音乐学院和中国音乐学院担任教学工作。他作为新中国成立以来第一批扬琴音乐家与首位在中国高校招收扬琴专业硕士的导师，为我国培养了很多优秀的扬琴人才，近代的扬琴大家，如黄河、李玲玲等都曾跟随项祖华学习过扬琴演奏。他用自己的创作实践，为近现代扬琴音乐的传承与发展做出了重要贡献。此外，他还擅长广东音乐、江南丝竹等不同音乐风格，也正是因为这样的创作、实践经历，使其作品带有兼收并蓄的特点，在此基础上进一步开拓创新，以创新性的表达丰富扬琴的演奏，形成自己的艺术风格，其特点为刚柔并济、细致入微、跌宕起伏、韵味隽永。项祖华还曾多次参与中外名曲的创作与改编工作，将它们移植到扬琴和民乐作品中，如大型扬琴套曲《国魂篇》、扬琴组曲《芳季篇》和以古典文学为题材创作的《丝路掠影》《弹词三六》等乐曲。项祖华先生具备非常深厚的艺术素养与古典文学基础，也正因为如此，他才能够综合中西方文化中的精华，创作出很多经典的扬琴作品。

（2）历史文化探源。

《林冲夜奔》取材于中国四大名著之一的《水浒传》，讲述了北宋末年，皇帝昏庸、奸臣当道，朝廷腐败，百姓的生活困苦不堪，在这样的社会环境下，百姓不满的情绪日益高涨，相继出现了很多农民起义，以宋江为首的英雄好汉就是其中的代表，艺术化地再现了古代人民在封建势力、恶势力压迫下如何反抗的故事。其间出现了很多英雄，作品中也揭露了封建统治的残暴与腐朽，暴露了当时现实社会中存在的矛盾对立面，在官与民之间的冲突中塑造了诸如林冲、李逵、鲁智深、武松等很多英雄人物。作品就是以林冲为作品的核心展开，生动地描绘了受到官府压迫下的林冲，在大雪之夜，奔赴梁山聚义的故事。

演奏《林冲夜奔》之前，演奏者需要对乐曲中的故事情节与角色形象有全面理解与准确把握，因为整首作品都是围绕林冲的心理活动展开的。需要通过作品呈现，了解对这一英雄形象的塑造。林冲外号"豹子头"，时任汴梁禁军总教头，作为一名朝廷命官，非常安分守己，但在他与妻子去岳庙还愿当天开始，他的命运出现了转折。在前去进香的路上，林冲偶遇鲁智深，很多人围观鲁智深要一支六十多斤重的铁棒，赢得一片叫好声，林冲也被声音吸引，二人一见如故，结为兄弟。这时，接到侍女锦儿通风报信——林冲的妻子在路上遭遇坏人拦截，林冲赶忙辞别鲁智深，前去追赶坏人。之后正当双方要起冲突时，却发现坏人的真实身份原来是他的上司——当朝太尉高俅的义子。权衡之后，林冲因惧怕高俅的权势，没有出手。高俅义子高衙内便趁机逃走，待鲁智深赶到，探明事情的缘由，便要去追打高衙内，被林冲拦下。逃走之后的高衙内贼心不死，依旧垂涎林冲妻子的美貌。于是与高俅合谋设计陷害林冲，以看刀为由将林冲骗进府中，并给其扣上了一个莫须有的罪名，将其发配充军。林冲以为只要自己承担这一切，远离高家的势力就能保全自己的性命，但没想到高太尉的阴谋才刚刚开始。先是在发配的途中，他们买通了押送林冲的官差，虐待、凌辱林冲，并试图找机会将其杀害；幸好一路上有鲁智深的保护，高太尉的阴谋才未得逞，林冲在此时依然没有想过反抗，并劝说鲁智深不要杀押送的官差。抵达沧州之后，林冲被安排看管草料场，高俅等人依然没有放弃杀害林冲的念头，又派人放火烧掉了草料场，加害于林冲，这样即使林冲逃脱火灾，也会因责被处死。但在草料场起火的过程中，林冲得知奸人暗害自己的计划，忍无可忍，手刃了仇人。走投无路的林冲毅然走上了反抗朝廷之路。

在林冲这一角色的塑造上充满了矛盾点，首先他对于封建专制与权势是畏惧的，但性格中又带有一些坚强与刚烈；虽一直在忍辱负重，但反抗意识始终存在于他的内心。他不满于高俅父子对他的陷害，却逆来顺受，这也是为何之后他屡次遭受陷害的原因，最后沦为了阶下囚被发配。之后林冲依然对他人抱有幻想，希望日后有机会返回京城，回归以往的生活。他性格中本身带有很多戏剧性的点，在所有的梁山好汉中，林冲是一个非常特殊的存在，他原本是禁军总教头，这样的政治立场决定了他处在统治阶层的社会地位。

他原本有社会地位、富裕生活，如果没有高俅父子不断的陷害，他也不会被逼上梁山，以林冲的性格，他是不会存有反抗朝廷的心思的。高俅父子之所以肆无忌惮地用尽各种手段陷害林冲，也是因为在这一过程中林冲不断地忍让。其实，真正让林冲产生惧怕心理的并非高俅本人，而是他所代表的封建权势，几十年的生活经验让他不得不对封建势力有本能的畏惧。在遭受不公平对待和迫害时，反抗绝对不会是林冲的首选，而是会选

择隐忍与接受。忍是他性格中最突出的一个特质，但也正是因为他的一再忍让：妻子被高衙内调戏时选择忍，被高俅陷害发配时选择忍，对押送途中官差的欺凌选择忍，甚至对被高俅收买杀害自己的官差也选择忍，一味忍耐导致被逼上梁山的结果。在当时的社会制度、社会环境下，林冲的忍让并没有为他换来安逸的生活，反而助长了陷害他的奸恶之人的气焰，使他们更为变本加厉。因此，始终在委曲求全的林冲最终爆发。他最后的爆发并非自愿，而是经过一系列的忍让，才有了现在我们熟悉的典故。其实，在封建社会中，林冲这样的人物不在少数，他们都受到了封建势力的压迫，作者选择以林冲为代表，着重刻画了他性格中妥协、忍让的一面，极具警示意味。

林冲性格中的矛盾在作品中也有体现，乐曲的引子部分，到之后情绪的愤慨部分将这一角色的情绪转变表现了出来：从愤懑到难以抉择再到下定决心上梁山的心理过程，到夜奔段后，音乐的情绪也在不断变化，越来越紧张的节奏增强了这种紧迫感的表达，也将林冲最后下决心反抗的情绪表达了出来；最后在风雪、上山两个乐段的共同推动之下，将作品推向高潮。林冲不惧风雪挺近梁山的画面被刻画得非常生动，角色中坚强的一面也正是在这一段被体现得淋漓尽致。作品中极具表现力的音乐性表达配合文学性的标题，很好地体现了林冲内心从不反抗到反抗的变化，以及被逼上梁山的过程。听众通过音乐的表达也完全可以想象林冲在高俅父子的不断迫害下，终于不再忍让，奋起反抗后在风雪之夜不顾艰险上梁山的画面。

（3）创作分析。

《林冲夜奔》在结构形式上融合了传统民族器乐作品的标题形式与西方复三部曲式结构，依照我国传统民族作品结构划分，可分为引子与四个乐段，结构层次分明。乐曲四个主题存在于四个标题之中，每个乐段各具特点且结构完整；在有的音乐会中，这四个乐段也会作为独立作品演奏。但旋律发展主线与作品的乐思贯穿作品始终，不同乐段之间是相互联系且层层递进的，整首乐曲是一个完整的整体，并与作品中呈现的故事情节有很好的结合。其结构表如表3-1所示。

表3–1　结构表

起	承	转	合
引子	愤慨	夜奔、风雪	上山

从结构表3–1中我们可以看出，作曲家依据作品的主题划分了“起、承、转、合”的作品结构，音乐线索呈现非常清晰，并且在创作手法上以中国传统音乐创作中常用的展衍旋律与结构为主，每个部分的主题呈示非常明确，作曲家也将新的材料不断地引入故事情节的呈现中，使整部作品的呈现与主题的表达之间相统一。因此，不管从乐曲的内容来看，还是从结构表达来看，这都是一部较具代表性的、以传统音乐创作手法展开的民族器乐作品。

西方创作元素主要体现在对每个乐段的结构划分，以及乐句的方整性上。乐曲整体可以分为带有两个展开部的复三部曲式，这也是作曲家创作上良苦用心的体现，其曲式结构表如表3–2所示。

表3–2　曲式结构表

<table>
<tr><td rowspan="2">引子</td><td colspan="2">主部</td><td colspan="3">展开部1</td><td colspan="3">展开部2</td><td colspan="2">再现部</td><td rowspan="2">尾声</td></tr>
<tr><td>A</td><td>A1</td><td>B</td><td>C</td><td>D</td><td>E</td><td>A2</td><td>D1</td><td>A3</td><td>D2</td></tr>
<tr><td>1–8</td><td colspan="2">9–45</td><td colspan="3">46–166</td><td colspan="3">167–258</td><td colspan="2">259–288</td><td>289–298</td></tr>
<tr><td>G</td><td colspan="2">C–F</td><td colspan="3">C–G–C</td><td colspan="3">D–G–C</td><td colspan="2">C</td><td>C</td></tr>
</table>

通过分析乐曲的结构，我们可以了解作品对中国传统的曲式结构与西方曲式都有融合，这样的处理方式使得作品发展中乐思的表达更为连贯，音乐也更具逻辑性。此外，在调式调性的表达上以民族七声调式为主，完成了曲式结构上的“中西合璧”，主要涉及以下几个方面。

引子部分，是整首作品的“起”，包含两个并列关系的乐句，前三个小节为第一乐句，为引子的发展奠定了基调；之后是第二乐句的呈示，主要是对上一乐句的变化再现，增强了音乐中的不安定因素。引子部分的篇幅虽然不大，但在乐曲中功能性、结构性较强，为乐曲音乐氛围的营造奠定了良好的基础，此外，在结构的划分上也与西方曲式结构中引子的特点

相符合，属于同类乐曲中的典型代表。

“愤慨”在整首乐曲中属于“承”的部分，属于二部曲式，第一乐段，采用七声羽调式，带有我国戏曲音乐的风格；雅乐音阶非常适合表达哀愁的情绪，将林冲凄凉、无奈的内心情绪表达出来。第二乐段的调性发生变化，旋律和节奏与上一乐段基本相同，速度加快，伴奏声部中增强了低音的表达效果，更有厚度。从乐曲的创作手法看，作品在该部分的呈示中借鉴了中国传统的旋律发展手法，以第一乐句中的旋律素材为基础，经过变化发展完成；第二乐段并未出现新的材料，多为第一乐段中使用的旋律素材。从材料方面分析，“愤慨”这一部分的音乐主题较为统一，不存在鲜明的对比，这一部分的主体性较为明确，属于典型的传统音乐创作手法。但从更微观的角度分析，乐句结构相对规整，虽然乐曲的戏剧性没有在这两个乐段中得到凸显，也没有对乐段之间的对比性进行强调，但作曲家在创作主题时，调性在第二乐段出现了短暂的“偏离”，由主调转为F宫d羽调式，在调性上形成了对比，因此，结构上符合三部曲式的划分。

“夜奔”“风雪”段落在作品中属于“转”的部分，篇幅较大，带有双展开部，即两个三部曲式。

在第一展开部“夜奔”中，包含三个乐段，每个乐段中所使用的材料各具特色，创作上带有中国传统手法的特点。第一段采用了七声雅乐音阶，由两个并列的乐句构成，两个乐句的旋律素材与节奏模式大致相同；第二乐句是第一乐句的高八度再现，情绪的表达也更为激昂。旋律创作上采用了二重对位模式，旋律线走向非常清晰，音乐色彩的呈现也非常鲜明。将林冲雪夜赶路时风雪交加、寒风凛冽，加上路途中林冲举步维艰的状态表现得非常生动。第二乐段为G宫羽调式，共有两个乐句，作曲家采用了传统鱼咬尾的创作手法，带有传统戏曲的表达风格。因此，该乐段的紧密性与衔接性体现得较好。第三乐段以C宫羽调式展开，只有一个主题材料，结构上相对独立，情感上层层递进。

第二展开部中，共由三个乐段构成，频繁地出现了半音化的调性表达，音乐主题的呈现也各不相同。第一乐段采用D宫羽调式，打破了原本结构的方整性表达，选择以相同旋律素材展开的并列乐句，每个乐句都是自上而下的半音阶进行，在听觉上会给听众以压迫感、紧张感，这与乐曲主题的表达非常贴切。第二乐段属于G宫羽调式，由3个乐节组成。最后一个乐段采用C宫羽调式，分为前后两个乐句；第二乐句有着较高的技巧性，且有着重要的过渡作用，旋律中出现的连续变化音阶，上行、下行音阶的表达也将乐曲的情绪推至高潮。

从音乐材料的选择方面分析，该部分两个乐段的创作运用了很多新材料，主题鲜明，带有中国传统音乐创作特点；从结构层面分析，乐曲的整体结构设计与乐句的划分又带有西方曲式的特点，不论是哪一个展开部，在作品内容的呈现方面都需要为乐曲的整体呈现服务，因此，才会出现“夜奔”和“风雪”两个非常重要的主题。

“上山”属于“合”的部分，是作品的再现，采用C宫雅乐羽调式，分两个乐段呈示，第一乐段再现了整首乐曲的主题，作曲家在创作中对旋律织体做了变化处理，并不是主部主题的完全再现。第二乐段的调性虽然有所回归，但该部分的主题材料并没有完全再现，而是将第一展开部中结尾部分的材料做了改动，进行了变化再现，因此，从作品的结构层面分析，并不能算作完整的奏鸣曲式。综上所述，主题材料先后在两个展开部和再现部中出现三次，结尾部分相似，并且每一次都做了相应的变化，并不是完全再现。

在尾声的部分，作曲家运用了主题旋律中的核心音调和回音七和弦，配上戏曲鼓点的使用，增强了乐曲的表现力，整首作品结束之后，给人以意犹未尽之感。

（4）演奏中对林冲英雄形象的塑造。

在《水浒传》中，有很多个性鲜明的英雄现象，林冲就是其中的代表，其英雄性格的体现也是随着整个故事情节的发展逐渐成熟的。这一角色的塑造中带有一定的悲剧性色彩，一生中经历了很多次的起起落落，当然，这也是当时的社会环境导致的，林冲也是旧社会制度下产生的英雄人物的代表。

在扬琴曲《林冲夜奔》中体现了扬琴音乐与人物塑造之间的关系。首先，乐曲的题材根植于中国的古典文学《水浒传》中林冲夜奔的故事展开；其次，在乐曲的演奏过程中，演奏者对乐曲内容的理解，对林冲角色形象定位的理解及演奏中的二度创作也非常重要；最后，作品通过强弱快

慢的处理与演奏技巧和音色的变化等对林冲的英雄形象进行塑造，也是以音乐的方式呈现古典文学中的经典形象。

引子部分为散板，和弦的进行以四分音符为主，极具力度性表达；“急急风”锣鼓点节奏较为密集，演奏中配合气息的运用，表达了一种悲壮激昂的情绪。引子部分运用了双音琴竹的演奏技法，因为在传统的扬琴中，一个琴竹仅有一个键头，在有些乐曲的表达和呈现中会显得有些单薄。因此，为了更好地丰富扬琴的艺术表现力，每个琴竹拥有两个键头的双音琴竹被创造了出来，演奏时可以演奏双音，左竹可演奏四度，右竹可演奏三度，这样便可以很完整地演奏三和弦与七和弦。演奏过程中，演奏双音时演奏者要将双手的手腕抬高，让琴竹的其中一个键头离开琴弦，仅用一个击弦发音，这样做是为了避免其他杂音出现。在演奏三个音的和弦时，是在一个琴竹上演奏三度或者四度，另外一个琴竹仅演奏单音，这样就能够演奏普通扬琴琴竹演奏中无法实现的三和弦与七和弦的演奏，让扬琴实现和声化的表达。在演奏七和弦时，为了确保和弦中每个乐音的均匀演奏，双手大拇指演奏时需要稍微往下移动，这样更便于两个琴竹的头部靠在琴头上，演奏出来的声音效果也会更加清楚、丰满，可以更好地构成大小三和弦和七和弦。在双音琴竹被创造出来之前，普通扬琴只能使用单键头琴竹演奏，在乐器需要力度加强或演奏乐曲的高潮乐段时，需要更厚实的音响效果；且总会觉得音乐呈现效果的完满度不够，无法达到最好的演奏效果。而使用双音琴竹，可以使原本单薄的和声织体更加丰富，使其具有立体化的和声表达效果；在需要增强演奏力度时，可以选择三和弦、七和弦与相关转位，这样不仅有利于作品气氛的营造，还丰富了作品的表现力。

在乐曲的引子部分，运用双音琴竹使音乐的层次感大大增强，使作品悲壮的音乐气氛得到渲染，对后续林冲出场时的内心情绪刻画起到了重要的预示作用。在这一散板乐段的呈示中，除了演奏技法的运用，还有一些其他方面也需要演奏者重视。在第一小节中，带倚音的八度双音的反复既增强了气势方面的表达，也预示着林冲的登场，使角色出场就带有鲜明的戏曲色彩。装饰音的使用也极具深意，作曲家对旋律中出现的装饰音的演奏有着明确的要求，有力度控制，有停顿感，增强音乐效果的不稳定表达等，主要是为了刻画林冲内心的悲愤。

此处对林冲英雄形象的塑造是非常悲壮的，他刚死里逃生，将想要置自己于死地的陆谦等人杀死，内心充满对高俅父子的憎恨及对命运不公的不满，不知道自己的容身之所在哪儿，也不知道自己该去往何处。扬琴在这一部分的演奏中，对于音色与演奏技巧方面的处理都非常符合林冲这一角色形象的刻画。

“愤慨”部分主要刻画了林冲内心的煎熬与痛苦，音乐借鉴了昆曲的音调，因此，需要在演奏中准确把握这一部分的风格表达。乐音连贯、结实，韵律感鲜明。整个乐段的音乐速度先后有三次变化。

第一乐段主要通过缓慢的速度、厚重的音乐与低沉的轮音表达林冲内心愤懑的情绪；为了更好地贴合角色的情感表达，在演奏时需要适当压低琴竹的高度，以沉闷的乐音表现林冲悲愤不能抒发、冤屈得不到伸张的心情。换气时留出一定的气口，包括旋律中装饰音的表达也要清晰、明确。

第二段以双声部轮音的方式重复了上一乐段中的材料，速度有所加快。之后进入第三部分，直至乐段临近结束部分的泛音演奏速度减缓之前，音乐依然还是以表现林冲内心的挣扎、矛盾为主，最后才下定决心奔赴梁山。这一部分是林冲思想变化的转折点，演奏时运用摘音技法，需要用左手拇指与食指将琴弦捏紧，再通过右竹竹尾拨奏，这样产生的声音效果非常清亮，在戏曲板腔体作品中经常使用。通常出现在正拍上，类似于传统戏曲中“板”的效果。演奏时演奏者要准确把握拇指的按压位置，拨弦时的位置也要有所把握。这一部分对于“摘音”技法的使用可以很好地体现林冲的矛盾心理。

“夜奔”在结构上有着承前启后的作用，以小快板的速度展开，音乐的发展也预示着林冲的心态变化，要奋起反抗，投奔梁山。该乐段也可划分为三部分呈示，第一部分以四分音符和八分音符为主，主旋律在左右手声部交替出现，以此来表现林冲脚步的沉重，速度要控制好，不宜过快，但落音要坚定，之后逐渐加快，最后还要通过演奏力度的变化呈现音乐的层次感；三次演奏力度逐渐增强，之后向下一乐段过渡。第二乐段的速度也是由慢到快，配合打击乐的铺垫，也预示着林冲上山的路途越来越险

峻，前进的步伐也越来越艰难。第三乐段对第二乐段中的音乐材料进行了扩充发展，运用了十六分音符的快速跑动推动音乐的进一步发展。乐音中间能看到鲜明的锣鼓节奏，演奏时需要对这一节奏进行强调，以突出乐曲中体现的锣鼓元素，因此，需要突出重音表达。节奏的发展其实体现着林冲的脚步，节奏的坚定表达也代表着林冲对压迫者的反抗之心，要上梁山聚义之心越来越坚定。

“风雪”部分运用了很多技巧性的表达，通过快速的半音阶上下行进行来模仿夜晚暴风雪的音效，将林冲顶着风雪、艰难上山的情景刻画了出来。我们也可以分三个乐段分析这一部分的表达：第一乐段中融入了鲜明的力度对比，开始以“sf”的轮音演奏，之后力度突然减弱，之后逐渐加强至几个不谐和音程，营造了当时环境的恶劣；第二乐段通过音乐的表达体现了风雪更加猛烈，这也使得林冲上山变得举步维艰；第三乐段几乎全都以半音阶的上下行构成，演奏时确保乐音的清晰性，上行加强、下行减弱，尤其要注意“强而不噪，弱而不虚”的表达。

但作曲家依然不满足于这样的表达，又在乐段的结尾处加入了新的演奏技法，如滑抹和摇拨等。滑抹音技法最早出现在20世纪60年代，运用不锈钢或黄铜材质的指套，通过对琴弦施加压力改变琴弦的有效发音长度，以改变振动频率，使击弦余音得到美化。演奏者在演奏时将指套戴在无名指第二指节上，有利于演奏时调整角度。扬琴是通过键头敲击琴弦发声，乐音无法像拉弦类乐器一样“拐弯”，滑抹音的运用可以丰富扬琴演奏中旋律音的表达，增强演奏的歌唱性，也提升整首乐曲的表现力。滑音指套在演奏中大致有四种使用方式，即上滑抹、下滑抹、回滑抹和揉滑抹。使用上滑抹时，需要从滚珠左侧由低向高处滑动，根据作品的演奏需求确定滑动的音程度数，可以是二度、三度或者四度。与上滑抹不同，下滑抹的演奏需要先将指套放置在需要演奏的乐音位置上，从滚珠右侧向下滑动，下放时要把控好力度，避免杂音的出现，因此，在演奏这一部分时需要对四个琴弦均匀施压，与琴弦处于垂直方向，否则会因为角度或者压住琴弦数量的不同产生杂音。回滑抹结合了上滑抹与下滑抹演奏时的特点，在敲击琴弦之后从原本乐音位置开始上滑至高音，再连贯滑回到原来的乐音上，如“3–5–3”；揉滑抹类似于弦乐器的揉弦，使乐音产生颤音的效果。摇拨这一技法则是借鉴了古筝、琵琶等弹拨乐器使用的摇指发展而来的，演奏时运用拨片做连续的摇指演奏，可以模拟乐曲中想要表达的风声呼啸的情境效果。

在“风雪”部分的演奏中，作曲家将滑抹音与摇拨相结合，并利用减三和弦的不稳定性突出了夜晚路上风雪交加的意境。作曲家还设计了滑抹音中的回滑抹，用左手不断来回滑动，右手借助拨片拨动琴弦，演奏时控制琴弦振动的频率要由缓到急再到缓，力度的轻重也要与频率的缓急相配合。其创新点在于将很多弹拨乐器的摇指技法融入其中，以滑抹和摇拨的方式将乐曲推向了高潮，过渡到下一个乐段，也对上山路上风雪交加的环境描写起到了画龙点睛的作用。

最后一部分运用了引子部分使用双音琴竹的演奏技法，结构上形成呼应。但这一部分表达效果的呈现与引子部分的表达存在明显的区别。所呈现的不再是对林冲内心犹豫、彷徨心态的刻画，而是在冲破重重阻碍之后，林冲终于登上梁山，也终于找到自己的归宿，此时林冲的内心是非常坚定的。在演奏这一部分时需要准确把控演奏的力度，这一部分是单音与和音交替出现的，因此，需要避免力度不均匀出现的声音大小不统一，会影响音乐效果的总体呈现。结束句的演奏也需要注意出现的八度三连音和轮指，演奏时综合手臂、手腕与手指之间的配合，以持续强奏的形式结束全曲。

2. 古筝协奏曲《临安遗恨》

古筝曲《临安遗恨》主要围绕我国南宋时期的民族英雄岳飞展开，作品讲述了岳飞精忠报国的决心及报国无门的无奈，饱含了对人民鱼水情的眷恋、对亲人的思念、对命运的感叹，以及对奸佞之人的愤慨等，这些不同的情感都综合性地在乐曲中表达，致使乐曲也通过崇高的意境表达塑造了岳飞顶天立地的英雄形象。

（1）作曲家介绍。

何占豪，著名作曲家，创作了很多经典的音乐作品，尤其在20世纪80年代之后，他选择以“民族音乐现代化”为创作理念，创作了很多带有鲜明民族特色的器乐作品，如独奏曲《茉莉芬芳》，古筝协奏曲《西楚霸

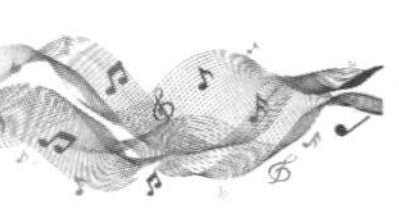

王》《孔雀东南飞》，民族管弦乐《伊利河畔》等，均创作于这一时期。《临安遗恨》原为中阮演奏家林吉良以传统作品《满江红》为旋律素材创作的中阮曲目，之后经由何占豪为其编配为协奏曲形式，1922年，因为感觉阮这种乐器在乐曲的表达上缺乏乐曲需求的气质，何占豪又将乐曲改编为古筝协奏曲版本，同时创作了琵琶版本的协奏曲。对于民族音乐素材的选择方面，主要以具有历史性的人物与曲调表达，一方面使观众在欣赏时便于理解，同时可以从乐曲中找寻到民族文化的归属感；另一方面，在作品结构与情感契合度的表达方面，结合得较为紧密，且逻辑性强，严谨的结构模式有助于乐曲情感的表达，丰富的情感呈现也使作品合理的结构层次得以凸显。从创作方面分析，作曲家关注了民族题材作品的创作中对西方作曲技法的运用，带有鲜明的时代精神，并且很好地融合了当前世界音乐的发展，即便对中国古代文化不了解的西方观众也能接受作品。

通过对乐曲创作改编过程与后续发展的了解，《临安遗恨》为民族器乐的创作与发展做出了重要的贡献，作品在教学与实践中的运用也加强了中西方音乐之间的交流与合作，这对我国传统民族音乐的发展有着非常重要的意义。作曲家在创作中阮协奏曲版本的《临安遗恨》之后，又在之后的实践中，以该作品为基础改编了古筝协奏曲版本的《临安遗恨》，乐曲以《满江红》为创作蓝本，主要讲述北宋时期的民族英雄岳飞遭奸人污蔑，被困于临安城狱中，以岳飞被押送法场的路上的情绪变化为发展脉络，饱含了对人民鱼水情的眷恋、对亲人的思念、对命运的感叹，以及对奸佞之人的愤慨等，还体现了岳飞对国家社稷的担忧及对自己无法报效国家的感叹。

（2）题材来源。

岳飞，历史上著名的抗金英雄，少时从军，有勇有谋，立下了很多战功。但也因此遭受奸臣的嫉恨，便被秦桧以莫须有的罪名陷害，死于临安风波亭。《满江红》以该事件为原型创作，主要描写了抗金英雄岳飞的伟大功绩及报国无门的无奈。诗句语言粗犷，气势宏大，既表现了岳飞奋勇杀敌的飒爽英姿，又体现了他鲜明的爱国主义情感。

歌曲《满江红》的歌词源于元代诗人萨都剌创作的《满江红·金陵怀古》，在爱国情感的表达上与岳飞创作的《满金红》有着异曲同工之妙。

20世纪初期的中国被帝国主义列强欺凌，很多的民族音乐家希望通过音乐创作激起全国民众的爱国热情，杨荫浏先生这里所说的《满江红·金陵怀古》的曲调是1920年由黎锦晖先生为词配的曲。歌曲以稳健规整的节奏、淳朴的音调、激昂的情感，呈现出一位抗金英雄的铮铮铁骨。

《临安遗恨》的旋律以《满江红》为素材，讲述了抗金英雄岳飞被奸臣秦桧所害的故事，在了解作品所表达内涵的基础上，演奏者需要将乐曲中的思想情感融入技巧性的呈现中，才能更好地诠释作品。由于作品对古筝音乐的创作与发展有非常重要的影响，因此，对乐曲中所表达的思想、角色形象与演奏方面都具有一定的典型意义，有重要的理论价值与艺术价值。

音乐内容的表达在乐曲的呈现中主要是通过对作品节奏的把控，以及对音色的呈现完成的，很多技巧性的表达在乐曲的表达中都有着非常重要的影响，如摇指技法的使用。当旋律以轻柔、缓和的方式呈现，更多的是想凸显温情的主题表达，作曲家借柔和的旋律表达乐曲中对人民的关爱之情，当古筝旋律表达得较为急促时，即凸显了激进的主题。

（3）演奏中对岳飞英雄形象的塑造。

作品共分为七个乐段呈示，悲壮的前奏在钢琴伴奏声部呈现，为整首乐曲的表达奠定了情感基调。主旋律进入之后便以和弦的形式强有力地奏出，并结合了左手的刮奏，进一步渲染了情绪中悲愤的表达，也为后续音乐的发展做出了提示。在后续的表达中，作曲家又通过长摇技法的使用表达了一种悲伤的情感，演奏时可做自由处理，以此表现岳飞英雄形象中的自由不羁，并在节奏、音色、力度等不同因素的把握上形成对比。之后的十几小节中的旋律都使用了相同的节奏型，速度由慢逐渐加快，力度也随之逐步增强，我们仿佛可以看到身处牢笼的岳飞虽身体被枷锁铁链禁锢，但仍然心系人民，忧国忧民之情体现得淋漓尽致。主题乐段部分就是以《满江红》为素材创作，贯穿全曲，丰富的曲调表达并展现了民族英雄岳飞性格中的豪放，也揭示了他非常复杂的思绪。结束句的表达就像是一声无奈的长叹，之后承接了情绪的转变，古筝呈现出的节奏性好像将听众带到了战马驰骋的古代战场，通过激昂的旋律向我们描绘了岳飞作为抗金英雄，率领军队将士浴血奋战、奋勇杀敌的壮烈场景。当逐渐进入高潮部分

时，音乐突然停止，古筝的柔板旋律也在钢琴极弱的表达下将民族英雄情感的另一面表达了出来，如音乐中蕴含了岳飞对亲人的思念，尤其是勉励自己要精忠报国的母亲，之后又通过相对轻快的旋律表达了岳飞对家人相聚时光的回忆。突然，擂鼓般的节奏将大家的思绪重新拉回现实。作曲家在这一段中采用了协奏曲作品中常出现的华彩乐段，以技巧性的表现手法为听众带来了更大的想象空间，将自己无法报效国家的伤感，以及对奸臣无计可施的愤恨充分表达了出来。主题在最后一个乐段再现，旋律并未保持不变，而是通过调性的转换以平缓的曲调表达了人们对民族英雄的追思。

从结构上乐曲可分为四部分，作品的主题与情感也在发展中不断循环往复，最终将岳飞的“遗恨”推向了最高潮，并为聆听作品的观众提供了充足的联想空间。主题旋律也在发展中经过不断变奏，形成了五个规模大小各不相同的段落，且带有三部曲式的特点，大篇幅的引子与强劲的乐曲结尾使乐曲的思想与作品更好地融合在一起，使乐曲的统一性增强，并带有鲜明的民族风格特点。

前奏部分的旋律便奠定了整首作品的情感基调与色彩，以主题表达的方式将岳飞内心的愤懑、无奈呈现，同时刻画了岳飞英勇坚毅的英雄形象。之后的音乐又通过速度的变化显示出角色内心情感的起伏，音乐在节奏、力度、速度等方面逐步递进，为音乐主题的表达做好了铺垫。

作品的主体由以下四部分构成。

第一部分为“回忆”主题，由古筝声部引出，结构方整，旋律以平稳的方式推进，包含了起承转合模式的音乐也在暗示着主题、情感的变化与发展。之后调性发声变化，更具抒情性的表达也预示着角色的命运开始出现转变；之后的乐句，在结尾处抒发了岳飞对自己命运的叹息，虽不愿接受现实但又不得不接受的无奈。

第二部分古筝旋律的速度不稳定，时急时缓，钢琴伴奏声部运用了很多附点节奏配合古筝的旋律，使音乐总体上呈现一种激动、饱满、热烈的氛围，以表现岳飞挂帅征战沙场的激烈场面。之后古筝声部出现了短暂的休止，以中断旋律的方式将英雄从“回忆”中拉回到现实，昔日的光辉与现实的残酷之间又形成了鲜明的对比。

第三部分中，作曲家加入了散板，以带有回忆主题的旋律表达英雄对世界的真挚告别，运用三十二分音符与附点节奏之间的配合表达了岳飞在面临与亲人临别时内心的悲痛，之后速度以中板呈示，旋律也变得乐观明朗，展现了岳飞凯旋归来之后与人民之间互动的场面。

在钢琴声部的铺陈之下，古筝的独奏声部出现，作品的情绪也随着旋律的发展进入高潮。散板乐段主要通过扫弦与刮奏的技巧恰到好处地表达了岳飞性格中的抗争因素，右手摇指技法的使用将岳飞对强加于自己身上的莫须有罪名的控诉与痛恨表达得淋漓尽致，同时将他拽回到现实生活中。演奏时可以通过相对自由的处理方式，通过强弱关系的对比，呈现乐曲的情绪表达。

第四部分表达“遗恨”的主题最先在钢琴声部出现，之后又在古筝声部承接，运用回忆中出现的素材进行后续的陈述。在情感表达方面与第一部分相似，但层次的表达更细腻，更容易打动听众，每一句都在直击听众的内心；通过如泣如诉的表达，将作曲家想要传达的情感表达出来。结尾随着情绪热烈的高潮乐段的结束，人们开始感叹作品中英雄极具悲剧色彩的命运。

作品前段部分，首先，以轻柔的摇弦开始，之后力度逐渐加强，平和的节奏加上错落有致的刮奏和琶音，带给人耳目一新的感觉。三连音在演奏时也以渐快、渐慢交替出现的弹奏方式，好似撞击发出的清脆响声，给人很强烈的氛围感。之后旋律优美动听，好似处在雪山之巅，感受着这漫山的雪景带来的甜美的空气与美好的享受。在演奏这一段主题时，滑音的表达至关重要，滑的位置需要准确把握，包括上下滑音演奏过程中的韵味表达，带有藏族民间音乐的风格特点。之后是摇指乐段，需要确保演奏时的流畅度，演奏时可以先分手练习，熟练之后再提升速度即可，乐音切换过程中的换弦缝隙要小，这样可以确保旋律的流畅演奏。在处理这一部分的演奏时，还需要关注乐段起始音的演奏，在音色上尽量与整体保持一致，以含蓄的方式表达出来，与主题的纯净感也会更为契合。第一个乐音作为整部作品的开始，需要准确处理。其次，是这一部分右手摇弦技巧的使用，持续音在演奏过程中需要保持流畅、连贯，尤其是结束部分的弱处理，更要准确把握。在左手声部的演奏中，需要对三音琶弦、四音琶弦与七音琶弦有很好的处理，在三音琶弦、四音琶弦的处理上需注意乐音的纯净度，音调变换的过程中转换自然；尽量缩短不同组琶弦之间的转换时间，避免演奏过程中出现明显的换组痕迹。使用七音琶弦时需注意整体的流畅性表达，双手之间的密切配合也非常重要。再次，乐段中多次出现刮弦演奏，在技巧性表达上与普通技法基本相同，但需关注力度之间的对比与变化，重视双手之间的配合。最后，右手声部在演奏连续三连音时使用的小抓，需要准确把握乐音的时值，注意乐音之间的衔接问题。

（4）民族性在乐曲中的重要性。

首先，在音乐题材的选择方面，何占豪在创作时将创作理念与作品题材进行了完美的融合，多选择中国家喻户晓的民间故事或历史典故展开创作。因此，都是为大众喜爱的内容，可以激起人们强烈的情感共鸣；作品风格质朴，通俗易懂，以鲜明的民族风格、激烈的戏剧冲突，将作品的民族性、戏剧性与抒情性表达出来，吸引了不同层次的观众。乐曲《临安遗恨》就以我国著名的传统作品《满江红》为素材创作完成，《满江红》原本是宋元时期的词牌名称，据说是岳飞创作了《满江红》的词；杨荫浏先生又在1925年为该词谱曲，以更好地契合当时中国人的爱国主义情怀。乐曲分为两部分，在中间部分的创作中，作曲家运用了我国戏曲音乐中较典型的结构形式——"换头"，使两个乐段的起始部分之间存在一些变化。1981年，林吉良借鉴了《满江红》的主题旋律，并以此为素材创作了中阮独奏曲《临安遗恨》；至20世纪90年代，何占豪将其移植到古筝作品中，音乐风格高亢激烈，旋律激昂，使岳飞精忠报国的英雄形象带有强烈的感染力，豪迈的音乐旋律也以画面感极强的方式传递给听众，给予听众强烈的听觉冲击。

综上所述，何占豪在音乐创作题材选择方面带有鲜明的民族特色，通过家喻户晓的民间传说或历史故事，在作品中塑造了很多形象生动的角色，揭示了深刻的文化内涵，使听众在欣赏乐曲之时就能感受到强烈的情感共鸣。这也是何占豪音乐创作的重要特点，体现了该作品乐曲的独到之处。

其次，是音乐语言的民族性，何占豪创作的很多作品不仅在题材选择上会体现民族元素，在音乐语言的使用中，作品主题的呈示也多取材于民间传统音乐，通过对其创作语言的分析，有助于我们更好地了解其作品的音乐特色、风格与情感表达。

不同地区的地理环境与历史传统潜移默化地影响人们的生活方式，反过来，生活方式也会对不同地域人们的气质、性格产生不同程度的作用。因此，这些地理、历史因素，在人们内心逐渐沉淀，并表现在语言与音乐等方面，致使我国很多带有民族性的作品会有五声性特点，即作品的旋律音阶会以大二度加小三度的结构模式组成一个三音小组。但五声调式并非仅代表我们传统意义上了解的五声音阶，其指的是旋律音调发展过程中最基本的发展规律，如很多少数民族的乐曲创作中也会运用六声音阶、七声音阶等，但最基础的依然是五声音阶，这也是中国传统民族音乐与西方音乐作品之间的差异化体现。

何占豪的作品中，不管是在协奏曲还是独奏曲中，对于调式音阶的选择都以我国传统的五声音阶为基础，这也增强了乐曲中民族风格的体现，同时受到了更多人的喜爱。在作品的结构方面，多采用传统音乐作品中常见的结构模式：散—慢—中—快—散，这样的模式带有传统作品中“起承转合”的形式，增强了作品结构在发展中的紧密性。旋律是音乐发展的基本要素，其走向符合中国人的审美标准，这样才能让观众产生情感的共鸣。他创作的乐曲中很多旋律都取材于传统的民间曲调或者人们所熟知的民间时调小曲，带有鲜明的民族性特点。

《临安遗恨》的主题旋律就借鉴了传统乐曲《满江红》中的素材，以主题变奏的方式展开，整首乐曲的主题旋律采用了《满江红》中的第一句。其实《满江红》的主题旋律就是《临安遗恨》的旋律框架，但作曲家并不是直接引用，而是对原有的旋律素材进行了创新性的改编；以这些音调为基础，进行变化发展，通过扩充、延伸的方式，丰富乐曲的风格表达。同时借鉴了西方的作曲技法，但乐曲中传统的元素依然使乐曲有极高的辨识度，因此，乐曲中既带有韵律感又包含了鲜明的时代特征，做到了真正的通俗易懂。在作品和声的安排上，除了采用传统多声部音响，还结合了传统民族音调中的和弦外音，如二度音程、四度音程、六度音程等，增加了传统音乐的独特韵味。

综上所述，传统音乐素材是作曲家创作的重要依据，他在西方音乐形式中融入了我国传统的音乐元素，对民族性与民族风格进行了强调，这种融合中西方元素的创作形式也使得民族音乐作品的感染力大大增强，使其保有不竭的生命力。

最后，情感表达的民族性，中国民族音乐非常注重情感的有效传达。何占豪在古筝曲《临安遗恨》中，就凸显了浓郁的民族情怀，也体现了作曲家的英雄崇拜情结。这些内容也源自中国传统的民族素材，通过感情的串联，彰显了乐曲的精神内涵；作品情感表达真挚，抓住了情感发展的主线，通过简洁的旋律发展，将作品中的英雄形象刻画得非常生动，将对英雄的崇敬之情传达给听众，这样的情感氛围也易于感染听众。

何占豪创作的古筝作品，旋律优美，但又无法仅用优美表达，通过优美的旋律刻画出鲜明的民族英雄形象是作品的内涵表达。《临安遗恨》中刻画的岳飞是一位拥有爱国情怀的民族英雄，这也增强了乐曲内涵的深度表达。作品中，既有大气磅礴的乐句用来表达岳飞的精忠报国，也有低沉的音乐表达用来衬托岳飞内心的焦虑和哀伤。例如，作品中的慢板乐段就运用了古筝演奏中特有的按音滑音技法，将旋律中的情感逐步推进，将岳飞这一英雄形象中的普通人情愫表达出来。虽然乐谱是以单旋律形式呈现的，但足以勾勒出岳飞对亲人无限的思念之情，哀伤的情感也直击观众的内心，“从内心来，到内心去”才能更好地诠释作品的情感。

纵观作曲家的古筝音乐创作，都体现了鲜明的音乐个性特点，将中国传统文化的表达寓于乐曲之中。正是因为对中国传统音乐文化的引用与借鉴，才体现了浓郁的中国民族韵味。虽然多以民间音乐为创作素材，在乐曲中塑造了传统的文化意境，但并未对这些民族元素直接引用，而是保留了音乐原本的特色与本质，再对此进行发展与变化，使音乐在表达方面既带有传统音乐文化的本质，又具有时代性的表达，让中国民族音乐文化在当今社会多元文化的碰撞中依然呈现高涨的发展之势。

第二节 西洋器乐作品

一、《英雄交响曲》（《降E大调第三交响曲》）

1. 贝多芬生平及音乐风格

德国的启蒙运动在整个欧洲的启蒙运动中占据了很大的比重，受当时特殊历史环境的影响，带有鲜明的德意志思想的特征，如浪漫主义、民族主义等思潮。这种创作理念对西方启蒙理性产生了很大的冲击性，也影响了德国的启蒙运动。在18世纪，受启蒙运动影响，欧洲人对音乐作品的审美取向发生了翻天覆地的变化。简单、亲切、质朴的音乐成为当时发展的主流，很多音乐作品形式得到了一定的发展，如奏鸣曲、交响套曲、室内乐等，在作品形式上也更为灵活，很多作品被保留下来，如贝多芬的交响曲、奏鸣曲等，这些经典的作品也随着启蒙运动的影响延续到今天，并对当时和之后的音乐创作产生了深远的影响。德国的启蒙运动作为世界文艺史上的一次思想解放运动，以“自由、平等、博爱”为宗旨，为了推倒刻板的封建主义，将人们引领到一个更为理性的新时代。

作为西方后起的资本主义国家，启蒙运动在德国开始的时间虽然比较晚，但在取得的成就与影响方面显示出了非常强大的优势，这与德国深厚的哲学底蕴有着很大的关联性，也对当时启蒙运动的进一步开展起到促进作用。意大利学者齐亚法多纳曾这样评价德国启蒙运动的特征：“它导致文化持续的世俗化，不再像16世纪那样，是存在及其最高使命位于思想的中心，而是人、人的本质和人的需要位于思想的中心。最优秀的科学不再是神学或形而上学，而是关于人的理论。这决定了18世纪的特征，因此可以言之有理地把德国启蒙运动称为‘苏格拉底世纪’。”[①]

德国的启蒙运动处于西方资本主义世界的后期，带有时代性的特点，虽然起步晚，但很快便发展到运动的高潮，充满了哲学的反思。此外，从

---

① 张慎. 德国启蒙运动和启蒙哲学的再审视［J］. 浙江学刊，2004（1）：13.

运动的目标与具体表现形式来看，与其他西方资本主义国家存在很大的差别，特别是在思想方面。启蒙运动在德国并不像在法国一样产生激烈的斗争意识，相对比英国来说也表现得较为理性；在德国，启蒙运动像是西方资本主义国家启蒙运动的集大成者，并对此进行了反思与总结，尤其是在思想与文学等方面。

贝多芬的创作生涯是依据其在不同年龄阶段的创作呈现出来的特点划分的，总体上可划分为四个阶段。

青年时期。贝多芬在很年轻的时候就已经显露出在音乐方面的才华，跟随启蒙运动时期的作曲家聂弗学习后，他的创作中也逐渐开始显露出启蒙主义思想的影响。"自由、平等、博爱"的理念也开始影响他的音乐创作，这从精神层面逐渐影响了贝多芬的革命意志，与其音乐创作之间始终是相互影响的关系，使得贝多芬的创作随着思想的深入发展而越来越成熟，因此，作品的结构也越来越严谨，以及贝多芬寓于作品之中的革命思想，都为他的音乐创作之路奠定了坚实的基础。

早期创作。我们通过了解贝多芬早期的音乐作品，可以感受到作品中的斗志与情怀，因此，创作时贝多芬融入了很多催响号角与鼓舞人心的音响效果，因为在此阶段，贝多芬受法国大革命的影响，且充满英雄主义的法国作曲家在这次革命中呈现的斗志昂扬的状态也影响了他的音乐创作。此外，身体方面的原因也是贝多芬所苦恼的，他的耳疾不断加重，最后失聪，不断与命运做抗争的同时用他崇高的信念感以音乐的方式来抒发自己内心的困苦与愤懑，虽然痛苦不堪，但依然不愿意向命运低头，也不愿向命运妥协。同时，贝多芬的创作进入到了一个新的阶段，但我们依然可以从其作品中看到海顿与莫扎特的影响，然而在创作理念与作品独立性的体现方面已与之前的作品有了很大的区别。例如，《悲怆奏鸣曲》《暴风雨奏鸣曲》等作品中，体现了与命运抗争的音乐性格，是贝多芬对命运的不满及对生活的失望，但依然选择抗争到底的人生态度。正是因为这些疾病和痛苦，贝多芬在创作中逐步确立了自己的风格，将音乐思想提升到了一个新的境界。

之后，贝多芬创作了三首钢琴协奏曲，即《第一钢琴协奏曲》《第二钢琴协奏曲》《第三钢琴协奏曲》，其实，第一首的创作时间要晚于第二首，但出版时间上要早于第二首，因此，在作品序号与时间排序方面并不相符。前两首钢琴协奏曲与海顿、莫扎特的作品风格非常像，因此，我们可以了解贝多芬对二位前辈创作风格、手法与音乐特征方面的崇敬之情。尤其是在贝多芬早期的创作中，对二位音乐大师的作品构思与创作技法有所继承，但作品中对于情感表达的节制性与爆发性的音响对比体现得较为鲜明，这也是贝多芬作品独有的特点。《第三钢琴协奏曲》在维也纳首演，因为时间安排非常仓促，因此作品临近首演依然没有定稿。从乐曲的创作时间与创作风格分析，此乐曲大致处在贝多芬早期和中期阶段，从作品的水平分析，已逐渐趋于成熟。虽然从作品的创作层面分析，更接近于古典时期的作品形式，但从音乐思路方面，该作品的成熟度也远高于前两首协奏曲，乐曲中体现的英雄性与革命性也更加鲜明。从调性层面分析，乐曲的调性有独特的安排，贝多芬更多地从风格与表达上寻求更自由、创新式的创作风格。

成熟期。在经历了前两个阶段创作经验的累积之后，从1803年开始进入贝多芬创作的成熟期。他的作品在该阶段已经开始显露鲜明的个人风格，通过分析贝多芬这一时期的创作，可以了解他的作品已经带有不同于以往作曲家的创作特点；在运用古典主义时期音乐创作手法的基础上，更为关注作品中情感的表达与传递，显露出浪漫主义音乐的新风格，使之带有英雄主义色彩。虽然，当时的贝多芬依然处于古典主义时期，但他的作品已经带有浪漫主义的倾向性。

《第四钢琴协奏曲》《第五钢琴协奏曲》就是在这一阶段创作的两首协奏曲作品，相较于贝多芬早期的创作，在风格上已经更接近于浪漫主义风格，尤其是对作品的调性安排及音乐语言的表达方面，使音乐与情感之间结合得更为紧密。这是作曲家音乐创作非常重要的核心内容，浪漫主义的萌芽也开始。

《第五钢琴协奏曲》（“皇帝”协奏曲）是贝多芬生前最后创作的钢琴协奏曲，作品将音乐技巧与思想内涵进行了完美的结合，使钢琴协奏曲的创作提升到了一个新的高度，因此，我们也可以认为贝多芬通过该协奏曲的创作，将同类型的作品形式开拓了更广阔的创作领域。

晚年期。贝多芬的晚年生活较为窘迫，孤身一人，生活单调且孤单。

尤其是在失去听觉之后，他就陷入了一个无声的世界，对于音乐作品的创作，更是依靠自己的主观想法展开。在作品的音响效果方面，贝多芬试图通过震撼的音响效果让自己感受到一些音乐，然而这并没有影响他作品的质量。贝多芬通过独特的作品构思与创新的创作手法来表达自己内心面对命运的不屈服，以及对革命的斗志，有些作品中也会透露贝多芬内心的悲伤情绪。上述特点在他五首钢琴奏鸣曲，以及《第九交响曲》中体现得较为鲜明，这些作品在结构框架上不再追求以往的严谨性，而是采用更为自由的表达方式呈现，之前奏鸣曲作品的整体框架也开始逐渐模糊化。同时，贝多芬对很多作品的创作形式进行了一定的修改，一改古典主义时期作品的传统形式，在风格上与思想上更贴近于浪漫主义时期的表达。

通过了解贝多芬的创作，我们可以发现他很多作品中都贯穿着与命运抗争的英雄主义精神，虽然古典风格在贝多芬的创作曲目中占据了很大的比重，但进入成熟期后，其作品的曲式结构、和声织体与旋律音调已经开始显露出浪漫主义时期的特点，贝多芬将不同的元素进行融合，创作出属于自己的一种音乐风格。在他的创作中，更多地抒发自己的内心情感与自己的世界观、价值观，而不是为了迎合他人的审美创作的。这也是古典主义时期与浪漫主义时期音乐作品的重要区别，贝多芬也因此被称为“乐圣”。

2. 贝多芬创作思想

贝多芬的哲学观与宇宙观决定了他音乐作品的崇高性，作品中蕴含了贝多芬对生命的思考与探索。我们对其作品中崇高性的了解就是通过作品的音乐语言，了解贝多芬在创作中是如何将以往自己所见的田园美好景象与情绪上升为自己对大自然的敬畏与热爱。这种崇高的思想境界也是贝多芬音乐创作的思想来源。因此，通过对贝多芬创作思想的了解，分析其作品中所体现的崇高性，最终可以提升我们思想的高度，更好地理解贝多芬的创作。

对于音乐作品的理解是一个动态化的过程，在思考的过程中，也涵盖了对作品的体验感知，将以主观状态存在的事物转化为客观存在，这一过程也是通过音乐语言的积累完成的。很多作曲家经过多年创作经验的积累，总结出一些音乐语言的创作经验，他们在创作与自然题材相关的作品时，就会出现一些约定俗成的作品类别，这一体裁被称为“田园曲”。也是通过这一类作品的表达，人们才能将自身的情感与自然相融，并产生崇高的精神。如果我们想更细致地了解贝多芬，就需要回归到他的作品中，分析崇高性的具体体现，特别是在他的《第六交响曲》《第七交响曲》，以及《第五钢琴协奏曲》等作品中。因为只有透过作品本身，我们才能与贝多芬进行深入的对话，了解他寄托在作品中的悲痛与苦难，通过其音乐作品中表达的鲜明的反抗精神来体现生命的崇高性。

贝多芬作品中体现的哲学性与崇高性在很大程度上是受当时德国社会环境与启蒙运动的影响，从而影响了贝多芬的音乐创作。作为“乐圣”，贝多芬也是在更多前辈艺术家的成果基础之上进行了发展，他并非唯一的思想者，在艺术、文学，以及哲学等领域都有非常深入的思考，在他对相关问题进行思考之前，已经有不同领域的佼佼者展开过深入的了解，贝多芬的创作思想正是建立在他们的成果之上，如康德、黑格尔、海顿、莫扎特、巴赫等。

贝多芬在波恩大学学习期间，就已经开始对康德的哲学有一定的研究了，当然也包括逻辑学与文学作品等，这一点也可以从贝多芬早期的日记和与朋友之间的信件往来中了解到，他一直视康德与柏拉图为自己的精神导师，因此，我们能够在贝多芬的作品中找到作品中所表述的哲学内涵。由于德国的文化发展在很大程度上受到了康德思想的影响，因此，哲学也成为德国的民族事业，这一时期出现了很多哲学家，贝多芬或许就是其中之一。因此，我们在解读他的作品时，或者在理解他的创作思想时，都不能孤立地看当时的哲学文本，特别是康德科学，他的思想成果对贝多芬产生了极为深刻的影响。

在康德之前，理性主义与经验主义对贝多芬的创作思想存在很大的影响，至康德哲学之后，贝多芬的哲学思想发生了转折，这也是康德经过多年的积累、研究所得，他将理性主义与实践主义进行了调和，并通过他的批判性理论成果（《纯粹理性批判》《实践理性批判》《判断力批判》）展开论述。在上述三部作品中，康德对于美学的思考非常广泛，从普适性的美学思想到内化表现为人类的情感表达，在论述的过程中，康德都将自己的成果表达与音乐相联系，这也影响了他的崇拜者贝多芬。

贝多芬的作品中的情感表达与音乐中所蕴含的崇高的思想都有非常明确的具体含义，约瑟夫·科勒尔曾这样评价过贝多芬与他的音乐创作：“面对着脸色煞白的崇拜者，这位伟大的头颅总使人联想起威严与崇高。”由此，我们可以猜想贝多芬的创作于大众而言的价值所在，如蔡德里克·杜蒙在其所著的《贝多芬传》中对贝多芬的歌剧创作曾评价：“一部歌剧应当具备深刻的道德内容，应当合乎道德、情感崇高。”他认为，相较于贝多芬的歌剧作品，莫扎特歌剧中的歌词创作得略显轻薄。“像莫扎特谱曲的那种词，我可没能耐为之作曲，我绝不会对伤风败俗的词感兴趣。”[①]“当黄昏来临，我满怀着惊奇注视天空，坠入了沉思，一群群闪闪发光的天体在那里运行，永无停息，那就是我们称之为世界和太阳的天体；此时此刻，我神游魂驰，精神超越了这些距离我们亿万公里的群星，直向那万物之源奔去——一切造物皆源于此，同时它也是一切新造物的源泉。渐渐地，天呀，我就试着把我心中的一团激情转化为音响，我失望啊，而且大失所望，我怀着一种不满的心情，扔掉了被我写得乱七八糟的稿纸，我几乎要相信，我们这些凡夫俗子要想通过音响、文字、色彩或雕刻把激发我们想象力的这幅宇宙图像描述出来，是绝无希望的，打进心坎里的东西，必定来自天空，那么，音乐仅仅就是音符这样一个外壳——没有精神做内容的躯壳而已。”[②]

这也是为什么很多人认为贝多芬的作品超出了多数人的理解范畴，其作品内容是基于作曲家宏大宇宙观视角的表述，充满了对世界的敬畏，情感表达也让人有崇敬之感，这种宏大的心态与力量的呈现正是作品中所呈现的崇高性。如康德所说：“自然引起崇高的观念，主要由于它的混茫，它的最粗野最无规则的杂乱和荒冻，只要它标志出体积的力量。”[③]相较于莫扎特作品中优美动人的旋律，贝多芬的音乐能给人以思想的启迪，会让人陷入沉思，或产生崇敬之感。在欣赏莫扎特作品时，常给人轻松愉悦的感受，而贝多芬的作品则常常让人感受到压抑，甚至产生悲痛的情感体

① 海涅．论德国宗教和哲学的历史［M］．海安，译．上海：商务印书馆，1972．
② 蔡德里克·杜蒙．贝多芬传［M］．周新建，祁建德，译．西安：陕西人民出版社，1987．
③ 侯康为．论贝多芬音乐中的崇高与自然［J］．音乐研究，1995（2）：72-81．

验。在莫扎特的作品中，如一些奏鸣曲或交响曲作品，会让人感受到乐曲中开心的情绪，但在听了贝多芬的《第五交响曲》《第七交响曲》，以及部分奏鸣曲作品后，人们会感受到一种内心的安详、平静，有时也会使人振奋。

贝多芬作品中的崇高性源自他对自然的热爱，以及对现实生活中遇到苦难的升华，将自己接触到一切事物提升到了宏观的层面，境界的表达也就更为崇高，贝多芬寄托在作品中的思想情感会受到他所处时代的社会发展水平影响，听众无法从作品中真正感受到作曲家想要表达的主观情感与客观意识，但也正是因为这些不安因素，才增强了作品的崇高感。虽然这种类似的感受不能等同于崇高的情感体验，但这种感性因素会持续出现，带给作曲家一种敬仰之心，才促使作曲家在创作中进行情感的表达。贝多芬在创作实践中通过快、慢乐章之间的对比，在情绪的不同碰撞过程中得以更好的体现。

3. 贝多芬创作中英雄观的体现

贝多芬的创作中，英雄体裁的作品占据了大多数，究其原因，我们需要从不同的角度展开。其中，较为鲜明的角度是贝多芬本身的英雄情怀非常强烈，对于英雄有着强烈的崇拜意识。

其实，贝多芬在罗曼·罗兰眼中本身就是一位英雄，罗曼·罗兰编写的《贝多芬传》及小说《约翰·克利斯朵夫》中的主人公都是贝多芬本人，因此，在著作中人物性格的思想与表达是一致的，在对人生的追求目标方面，都以真、善、美作为要求，两者都将对人类的大爱置于个人之上，一生都在为人类事业努力奋斗，也是勇于斗争的人类英雄。在罗曼·罗兰眼中，当时的社会环境之下，选择站在为人类奋斗的立场势必会受到很大的压力，但他们都以不同的方式与命运抗争。这些人都在贝多芬或者小说的主人公约翰·克利斯朵夫身上获得了精神层面的力量，将他们视为前进的动力或方向，在奋斗的过程中用于战胜困难。所有的英雄也不是从一开始就存在的，都需要经历艰苦奋斗的过程，这也是他们理想与现实之间交汇的结果，也为后人留下了宝贵的财富。那贝多芬的作品中究竟是如何塑造这些英雄形象的呢?

贝多芬的童年时代非常坎坷，父亲在事业上毫无进取心，而且常年酗酒，对于贝多芬的培养也多采用暴力的方式，希望贝多芬能够成为像莫扎特一样的音乐神童。在贝多芬十七岁时，母亲的去世对他的打击非常大，当时尚未成年的贝多芬，不仅需要照顾整天酗酒的父亲，还要照顾比他更小的弟弟、妹妹，开始为一家人的生计奔波，贝多芬就是在缺少家庭关爱的环境中度过自己的青少年阶段的。从1796年开始，贝多芬的事业才逐渐有了起色，但耳疾却开始侵蚀他，再加上失恋，贝多芬在这一阶段遭受着精神与身体的双重打击，还因此萌生了自杀的念头。1815年之后，贝多芬的事业发展至巅峰期，但直到贝多芬死前最后一刻，他还在为争夺弟弟卡尔的抚养权做努力。因此，贝多芬一生从未停止与命运的抗争，困苦与磨难在不断消磨着他的身体，即使这样，贝多芬依旧凭借自己坚强的意志顺利完成了他所面临的一切，尤其是在与病魔抗争时他表现出来的坚强的意志，让人十分敬佩。

美国著名传记作家罗素·马丁在20世纪90年代曾写过一本书——《贝多芬的头发》，作者在书中主要以贝多芬遗留下来的头发为素材，经过长期的思考研究，并从头发中发现导致贝多芬耳聋的重要原因就是身体摄取铅量超标，之后又发现他最后死于肝腹水，尸检后又发现贝多芬患有肠胃问题、肝炎等。著作中所得出的结论引用了维也纳大学汉斯·班克和汉斯·耶塞雷尔合编的《路德维希·范·贝多芬的疾病》。通过研究结果发现，“贝多芬一生中大多数疾病都源于慢性铅中毒。起因是贝多芬长期喜爱饮用‘苦艾酒’。”[①]因为19世纪的西方人喜欢喝葡萄酒，而葡萄酒的酿造过程会存在铅化处理，长期饮用会出现腹泻、腹痛等症状。在对贝多芬的相关史料进行研究的过程中发现，他非常喜欢喝这种葡萄酒，因此，最后的检测报告中尸体中的含铅量很高。

之后，又陆续发现了一些更让人吃惊的事，人们在贝多芬的头发中发现了止痛药的成分，如鸦片、吗啡等，这足以说明他之前所做的手术并没有进行麻醉处理，但贝多芬在这一段时期内始终坚持着音乐创作，直到去世前最后一刻，这让人非常震惊，思考在去世前他到底经受了多少折磨，

① 罗素·马丁. 贝多芬的头发［M］. 邹海伦，蔡曙光，译. 北京：中国友谊出版公司，2002.

又是怎样度过重重的困难并始终坚持自己的音乐创作的。

在美国的贝多芬研究中心，威廉·梅雷迪特主任认为，贝多芬在1826年至1827年接受的所有治疗方式都是不人道的。那到底为什么贝多芬在接受治疗时没有进行麻醉？在罗素·马丁的讲述过程中，有一处细节的描写，提到贝多芬非常喜欢喝苦艾酒和香槟酒，而在他准备工作的前一天晚上，为了让自己在创作中时刻保持清醒的头脑，都会刻意控制饮酒量。贝多芬认为过度饮酒会让他的思想无法集中，进而影响创作的精力，因此，虽不情愿，但也在尽量克制自己想要喝酒的欲望。一方面是因为艺术创作的需要，另一方面是出于自己身体的需要。贝多芬属于前者，因为他不希望外界因素影响到自己的创作。在经过进一步的分析之后，贝多芬认为既然喝酒能够节制，那也不需要通过药物的方式帮助自己缓解疼痛，他不想因为药物的麻醉影响自己的创作思路，尤其是贝多芬拥有普通人不具备的坚强意志。在创作方面，始终都在严格要求自己。

多数时间里，贝多芬都在与病魔抗争、相关资料中也有显示，在这样的情况下，贝多芬不可能保持一个愉悦的心情展开创作。他日常生活中情绪化非常严重，会经常突然暴怒，如果将贝多芬孤僻的性格和艺术家的视角抛开，他的内心状态肯定不会稳定，更何况他还是一位艺术大师。1806—1810年，贝多芬与女友订婚，订婚之后他的脾气有所收敛，而且对个人形象也更为注意，情绪相较于之前也更为稳定，有时也会忘了自己生理上的疾病，但婚姻失败之后又对他的生活造成了打击，他的脾气也变得更加暴躁。

英国著名风湿病学家托马斯·帕尔弗曼曾指出：“疼痛和绝望能够增强艺术的创造性。”我们或许可以理解为如果贝多芬没有经历过这些生活中、身体上的苦难，就没有办法创作出这么多经典的作品，我们可能就无法听到《英雄》《命运》《合唱》等让人肃然起敬的作品了，因此，他所经受的所有磨难都让他更深刻地感受到了生命最深处的情感体验，最后在作品中呈现出来。他的作品影响了很多人，这种影响力也并没有因为贝多芬生命的终结而结束。他以自己独特的方式表达自己的世界观，讲述着自己对世间很多事物的理解，将自己的观点通过作品表达出来。虽然他一生始终被痛苦与悲伤围绕，但内心却保持着对生活与未来的希望，这正是英雄主义的体现，我们也可以认为，正是这些不幸的遭遇造就了贝多芬的这种英雄品质。

综上所述，贝多芬对英雄有着很高的崇敬之情，甚至会想要效仿英雄，他在人们心目中的形象也是天才与英雄的共存体。结合贝多芬当时所处的环境，也可以看出时代对他的创作的积极影响。“时势造英雄”，英雄的出现本身就是在某一特定历史背景下，不同因素共同作用的结果。他是启蒙运动和狂飙运动的支持者，受到了当时运动思潮的影响，并通过自己的创作实践突破了时代的框架。启蒙思想将人们内心“平等”“自由”“博爱”意识唤醒了，人们对于内心情感的表达与追求也更加坚定。也有人曾指出，英雄和天才都拥有超凡的创造力，具有超群的才智与胆识，敢于同封建势力抗争，并且拥有足够的智慧帮助自己判断自身所面临的局势，可以掌握自己的命运。贝多芬正是这样一个人，勇于和命运抗争，他在世界文化史中的地位不亚于歌德、卢梭等。

贝多芬的作品在当时也打动了很多人，包括很多贵族阶级的人，因为很多人都被他作品中流露的勇于拼搏的精神所折服，虽然他的作品涵盖了更丰富、更广泛的内容，而且也包含着很多的对立点，如生与死、幸福与苦难、光明与黑暗等，这些都是现实中容易遇到的问题，但都被贝多芬战胜了，人们会从贝多芬的作品中了解他追求光明的决心，并告知广大的群众，所有人都有追求自由的权利。因此，贝多芬在《英雄交响曲》中所呈现的并不单指具象化的时代英雄，而是塑造了一个有理想、有信念和坚定意志的属于他自己的英雄。贝多芬也一直浸染在他塑造的英雄形象中，通过作品将自己的理念传达出来。贝多芬就是一位“有胆有略，敢于向罪恶的封建制度发出冲击，有能力足以果断地掌握自己的命运”的英雄人物。

4.《英雄交响曲》中对英雄形象的塑造

（1）创作背景与思想表达。

《英雄交响曲》是贝多芬在1802—1804年创作的，该阶段属于作曲家创作中期，贝多芬的创作多以古典时期的交响乐创作理论为基础，在作品的呈现形式与篇幅上进行了延伸，在和声与内容方面也做了调整。因此，贝多芬在该阶段的创作也被认为是从古典主义时期向浪漫主义时期过渡的标志。在此期间，法国经历了政乱，欧洲的封建势力进一步影响了法国的很多城市，正是在社会环境非常动荡的阶段，法国的一位英雄力挽狂澜，拯救法国人民于水深火热之中，这位英雄就是拿破仑。贝多芬将拿破仑视为偶像，《英雄交响曲》原本是贝多芬为偶像拿破仑创作的，因此，为了更好地完成作品，贝多芬花费了很多的时间和精力，创作中围绕自己对法国资产阶级革命的崇拜，以及对拿破仑作为革命家的敬仰之情，因此，将该作品命名为《波拿巴大交响曲》，在该作品中，贝多芬倾注了他对革命的热情。作品创作完成后，得知拿破仑竟然违背自己当初的诺言并在1804年称帝，贝多芬十分生气，导致其在贝多芬心目中的形象也瞬间崩塌，于是贝多芬认为拿破仑的做法不仅辜负了自己，更是辜负了全部法国人民的期望，最后，贝多芬也将作品的名称改为《英雄》。

（2）创作思路。

《英雄交响曲》的创作基本确立了贝多芬未来音乐创作的整体思路，在音乐风格上更加偏向英雄性、群众性。很多音乐评论学家曾对该作品的创作做过不同的解读，第一乐章主要是贝多芬面对自己的耳聋的勇气，第二乐章更多传达的是贝多芬内心的无助与绝望，第三乐章是带有“起义”性质的谐谑曲，最后一个乐章中包含了巨大能量的宣泄。从某种程度上来说，整个作品塑造了一个英雄形象，准确地说是一位内心充满悲剧色彩又顽强不屈的英雄。在呈现上可以是两个人，或者更多的人，也正因为如此，该作品才被称为“公民的戏剧”。作品中呈现的四个乐章就像戏剧作品的表达，每个环节的安排都非常紧凑，共同构成整部作品。每一乐章之间的情绪转换都与作品情节的发展非常贴合。最后，英雄是为和平而战，为人民奋起抵抗，取得了最终的胜利。这种观念也是启蒙运动带来的结果，贝多芬在创作时将思想转化为艺术情感，激励了更多追求自由、试图反抗封建势力压迫的革命者，也为他们带来了反抗的动力。

例如，在第一乐章的表达中，贝多芬就将自己的思想观念呈现出来，作品开始便以主和弦来模拟号角声，衬托英雄的气质，在音调模式的使用上也采用了当时非常普遍的创作方式，在贝多芬的创作中，展现出了英雄独有的气势。主题音调在音乐中多次出现，尤其是大提琴旋律声部的呈现，突出了英雄性的表达，之后运用半音音阶的持续下行，突出了旋律中不安分的因素。贝多芬在乐曲的开始部分，就将英雄的伟大，以及对胜利的渴望表现得淋漓尽致；之后在主题的第二次陈述时，标志性的英雄音调也在逐步推进，达到了乐曲情绪的小高潮，呈现方式也由原本的二拍子转变为三拍子，表现上出现冲突，情绪上也代表着英雄的命运开始出现转折，开始努力奋战、突破重围。

之后，音乐主题开始第三次呈示，加上交响乐团的烘托，增强了音乐氛围感的表达，情绪表达也更为强烈，体现了英雄的豪情壮志。通过对前三次主题呈示的分析，情绪的表达是层层递进的，由大提琴声部呈现，之后弦乐器、管乐器作出呼应，乐器的丰富也使整体的音响效果变得更为丰满。乐队编制中的所有乐器一起奏响，低音弦乐声部、木管声部与铜管声部相隔四个八度呈示主旋律，乐曲的情感也在此处达到一个高潮。

在副部的第二主题中，内声部逐渐转向高声部，之后在这一部分呈现的两个表现主题的作品依然保持着英雄性的表达，但在音乐表达上呈现了一动一静的对比模式；在动态呈示部分，第一主题在第一小提琴与三个不同的木管声部一次呈示，之后以减七和弦的跳跃式表达，展现英雄内心的心潮澎湃之感。音乐主题在第二次陈述时运用了切分节奏，强烈地表达了英雄突破重围的景象，节拍上也由二拍子转向三拍子，让我们感受到了英雄勇于抗战、不惧失败的心态与表现。

在展开部的创作中，由一开始的导入部分，到三部性结构的首次呈示，之后连接到主部主题的展开部分，再到第一副部主题的呈示，使音乐的发展达到一个高潮。其中主部主题和副部主题之间相互影响，这种影响在后续的音乐发展中也有具体的表现。作曲家在e小调的六和弦上加入了五度音程，使音乐中带有不和谐因素，同种乐器反复演奏四次之后，会让听众产生一定的抵触心理，这也是作曲家有意为之，目的是为了更好地呈现英雄在经历过激烈的斗争后，内心备受打击。之后情感表达转向抒情，音乐也开始带有一定的鼓舞性，让英雄努力抗争，并给予他们迎接胜利的勇气。

（3）作品中“英雄观”的体现。

贝多芬的《英雄交响曲》在结构形式与内容表达方面都有创新性的表达，与贝多芬前期的作品相比较而言，作品的内容更加丰富，音乐创作手法也进行了一定的创新，因此，《英雄交响曲》有其独特性。在创作模式上，贝多芬也进行了一定的突破，带有很强的戏剧性表达。以往作品中严谨的结构与乐章之间程式化的表达都被带有展开性质的音乐形式替代了，和声与调性的安排也更为复杂。《英雄交响曲》向我们呈现了一种新的音乐结构与形式，这种改变影响了之后音乐家的创作，使得作曲家的创作变得更有深度。

《英雄交响曲》是贝多芬1802年开始创作的，到1804年创作完成，也标志着他的创作开始进入到成熟阶段，因此，《英雄交响曲》是一部具有里程碑意义的作品。不管从作品的形式表达还是内容呈现上，都远远超过了古典主义时期交响乐作品的创作，贝多芬创作风格的特征确立也是因为该作品。由于受启蒙运动的影响，贝多芬在《英雄交响曲》的创作中将自己对英雄的崇拜之情，淋漓尽致地表现在对英雄伟大形象的刻画方面，主要是对英雄意志的坚定，以及在革命斗争中的英勇无畏。作品中并没有直接描写战争的场面，更多的是以刚健的英雄主题来揭示英雄的精神生活、崇高的理想等。同时，作品中还饱含了对英雄的悲痛悼念。因此，《英雄交响曲》既是一首赞美英雄的颂歌，又是一首悲伤的英雄葬礼曲。

贝多芬在不同的创作时期，作品的音乐风格也不尽相同，但在作品内容的表达上依然贯穿了创作的统一性原则。虽经历了很多磨难，但通过自己的不懈努力与斗争，最终在身心上都得到了解放。对其后世的作曲家，贝多芬的引领作用非常重要，他苦难的人生经历也在不断震撼着所有人的心灵。德国诗人维兰德曾表明：“德意志文学的目的在于点燃每一个德国人心中隐藏着的爱国主义火焰，在散乱的日耳曼尼亚人中只有伟大、高尚、勇敢和进步的人民，才具有那种共同体精神。”①时至今日，贝多芬依然受到人们的尊敬，这不仅因为他创作的音乐作品中呈现的辉煌的音响效果，而且他的作品中包含了自己“悲壮性”的人生经历，他的生命也在他的作品中得到了“新生”，呈现出了“磨难—抗争—新生”的精神模式。很多人将贝多芬比作古希腊神话中的普罗米修斯，认为他所遭受的一切都

① 罗素·马丁. 贝多芬的头发［M］. 邹海伦，蔡曙光，译. 北京：中国友谊出版公司，2002.

源自为人类盗取火种，因此，有人认为，贝多芬如果出现在神话作品中，也应该是普罗米修斯一样的存在。

在我们的认知中，英雄常常受到人们的敬仰，而在《英雄交响曲》中，贝多芬以音乐呈现了这个词的最高表现形式，在音乐创作中，英雄这一词汇是极具影响力的存在，因为英雄唤起了人们内心最深处对自由的渴望及奋勇向前的状态，让人们更加期待光明的到来。我们通过贝多芬的音乐创作，可以了解他作品的创作方向多为从黑暗到光明，从苦难到幸福，包括其作品中蕴含的英雄色彩，时刻提醒着人们要勇于奋斗才能换来美好的明天。贝多芬的作品内容表达较为深刻，结构较为宏大，多样的形式与旋律的创新性表达将其作品推向了古典音乐创作的巅峰，同时为浪漫主义时期的音乐创作树立了很好的典范。他的创作不仅影响了当时的作曲家，对后世作曲家的创作也产生了非常大的影响，贝多芬在众多古今中外的音乐家中也占据着非常重要的地位，还被恩格斯称为“革命英雄主义艺术的典范”。

关于《英雄交响曲》呈现的对人道主义的理解，与贝多芬的生活息息相关，关于人道主义观点的表达也由生活渗透到音乐创作中。因此，贝多芬的作品中也带有人文主义气息。著者认为，在《英雄交响曲》中，人道主义表达主要体现在法国民族大革命运动中运动宣扬了“自由、平等、博爱”的口号，作品中所刻画的并非只有拿破仑的功绩，还有很多资产阶级的知识分子，以及他们对法国大革命的理想化成果。

无论资产阶级社会中的氛围怎样，所有英雄形象、英雄气概的诞生都需要英雄行为、民族战斗，以及自我牺牲。贝多芬音乐作品中呈现出来的雄伟、壮丽，将人们的思想提升到了一个新的高度。同时，因为贝多芬作品中呈现的就是人们对战争及对苦难生活的状态，以及战争胜利之后的欢笑与喜悦，因此，大众对于作品的接受程度较高。在某种程度上，贝多芬的作品也在激励、鼓舞着人们直面困难、勇往直前。德国哲学家费希特曾得出一个结论：“他的音乐存在着一种不可磨灭的‘德意志精神’，一种较之其他民族更加高尚的德意志民族性格。”这些学说在德国人心中产生了巨大的反响，使他们认识到自己有责任为德意志的复兴进行义无反顾的斗争[①]。

贝多芬在创作中还大量借鉴了法国大革命时期常被运用的英雄性元素与音调，同时，以德、奥两国的音乐为素材展开，体现了作品的民族性特点，这也是贝多芬作品除时代性之外，另一重要特点的体现。从作品的创作手法上，贝多芬运用了辩证的创作方式，使作品中带有社会含义，贝多芬在乐曲的标题形式上也进行了发展，为西方19世纪音乐的发展奠定了坚实的基础。

贝多芬的音乐作品就如同他本人一样，优秀、坚定且让人敬佩，因此，我们要在创作中继续发扬贝多芬的音乐精神与意志，用舒曼的方式表达就是“要宣扬贝多芬的遗嘱”，延续贝多芬优秀的品格。

二、交响诗《我的祖国》

1. 作曲家与作品介绍

斯美塔那是捷克古典乐派的奠基人，他一生的创作都致力于发展捷克民族音乐，他的努力实践为捷克的民族音乐的发展拉开了新的篇章。他的代表作交响诗套曲《我的祖国》在音乐史中有着非常大的影响力，被认为是捷克民族交响乐的起点。作品中包含六首交响诗，结构庞大，从第一首交响诗开始，至最后一首创作完成，斯美塔那花了七年时间。《我的祖国》创作的这一阶段也是斯美塔那创作生涯中最艰难的时期，但同时迎来了创作生涯的高峰。本作品创作于斯美塔那人生的最后一个阶段，这也是斯美塔那对生活感触最深刻的阶段，捷克长期所处的社会环境对斯美塔那的创作生涯甚至一生都产生了极为深刻的影响。交响诗套曲《我的祖国》也是他所有作品中思想最具高度、情感表达最丰富的作品。作品中带有鲜明的爱国主义色彩，实践中也在不断地推广、发展本民族音乐文化，让更多的人了解到了捷克的民族音乐。《我的祖国》是斯美塔那晚期的代表作品，在创作手法与结构安排上已渐趋完美，作品的取材非常广泛，情感的表达

---

① 卡尔·艾利希·博恩，马克斯·布劳巴赫，泰奥多尔·席德尔，等. 德意志史：第三卷（上）[M]. 张载扬，张才尧，黄敬甫，等译. 北京：商务印书馆，1991.

与思想内容的呈现非常深刻，还对交响诗这一体裁的发展带来了非常深远的影响。

作为一部纯器乐作品，《我的祖国》代表了斯美塔那创作的最高水平，他在作品中赞颂了祖国的大好河山，赞颂了祖国的光辉历史，同时给予了长期被奴役的捷克人民巨大的精神力量，帮助人们树立对未来的信心。每当捷克人民遭遇困难时，人们就能从《我的祖国》中获取力量，这正是源自斯美塔那在作品中塑造的民族英雄。斯美塔那以神话传说、历史事件为题材，创作了很多与民族英雄有关的故事，六首作品中有四首是与战斗的英雄形象相关的。在内容的传递上，纯器乐作品不像歌剧作品或者声乐作品、舞蹈作品那么重要，由于纯器乐作品缺少了文字解释的环节，所以观众仅凭借对作品意境、情感的表达了解其具体内容。当然，虽然是纯器乐作品，作曲家在创作时也不能完全摒弃音乐之外的其他因素。音乐作品本身就是作曲家主观意图的表达，这些表达与他们的生活经历有着直接的关联性。作品中对于英雄形象的塑造占据了很大的篇幅，这并非斯美塔那的突发奇想，而是与整个捷克音乐发展所处的环境、氛围息息相关。斯美塔那自小受到民族音乐的浸染，创作时自然有所表露，包括之后对李斯特等作曲家的影响也存在不同程度的联系，这些都是斯美塔那在作品中塑造民族英雄的基础。

2. 英雄形象的塑造基础

（1）民间音乐的影响。

在18世纪捷克繁荣发展，曾被称为“欧洲的音乐学院”，因为很多捷克作曲家在德国的影响力较大，他们对古典主义时期的音乐创作做出了很大贡献。古典主义时期的音乐也因为之后的海顿、莫扎特、贝多芬成为音乐发展中的经典，尤其是之后出现的持续了很长时间的德意志与波希米亚之间的相互影响。在斯美塔那之前，捷克还有很多优秀的音乐家，在音乐发展史上有着重要地位，他们的创作经历与经验对斯美塔那的创作也产生了非常重要的影响。斯美塔那对捷克早期的音乐家都有较为深入的研究，他的作品中也综合了古典主义与浪漫主义时期的风格特点，如在《我的祖国》的创作中，对于和声的运用就继承了古典主义时期作品的表达方式。

除了众多杰出的音乐家，捷克人民也非常喜欢民间音乐。曾有人评价捷克人民是全欧洲最喜爱音乐的民族，整个捷克境内的人民学习音乐的氛围非常浓厚，从孩童时期，他们就接触并开始学习音乐，这种现象不仅存在于大城市中，也存在于一些中小城市中；在捷克的学校教育中，文化知识与音乐是同时开始学习的。到过捷克的其他国家的音乐家也曾对捷克的音乐风气做出过描述，如俄国音乐评论家乌雷贝谢夫曾提及：曾经在经过捷克驿站时遇到农闲时的农民正在演奏海顿的四重奏作品，旁边也有很多人认真聆听。由此可见，捷克人民学习、喜爱音乐的氛围确实非常浓厚，捷克人民对音乐的喜爱直接体现在日常的生活与学习中。斯美塔那生活在这样一个音乐氛围浓厚的国家，也就不难理解他为何可以取得如此高的音乐成就了。

通过上文对捷克音乐的了解，我们可以发现捷克音乐的发展并不亚于我们所熟知的其他西方国家。伊·马丁诺夫曾说过：艺术中的国际主义并不是在民族艺术的狭小和贫乏的基础上产生出来的，恰恰相反，国际主义产生在民族艺术兴旺的地方。不管处在任何领域的艺术家、学者都积极参与民族文化的发展与传承，通过民族化的表达方式去表达现实社会的现象。从某种程度上说，斯美塔那也是这一群体中的一员，在作品的创作中，他在作品中通过对民族英雄角色的塑造，以民族化的表达方式来揭露当时捷克的社会现实，通过作品中呈现的高大、英勇的英雄形象来激励捷克人民勇于追求幸福，在作品中融入这样的思想奠定了整部作品的表达方式，这种创作思想在捷克其他作曲家身上得到了延续。

捷克当时处在被强国欺凌的境地，因此，政治环境非常复杂，这影响了捷克人民各个方面的生活。从17世纪，捷克经历了长达三百多年的被奥地利哈布斯堡王朝统治，捷克丧失了国家的主权，在政治、经济被控制的同时，哈布斯堡王朝在试图摧毁捷克人民的信仰与民族意志。斯美塔那就是生活在这样一个时期，当时列强已经强势到让捷克人民丢失掉了自己的语言使用权，这已经影响了捷克的文化发展。在这样的背景下，时代因素也成为斯美塔那选择以民族英雄为主题创作的最重要的动机。

民间音乐的熏陶对斯美塔那的创作产生了非常重要的影响，他从小对民间音乐文化有着浓厚的兴趣，听周围人讲述捷克的历史故事、传说等，因为当时说捷克语是被禁止的，但依然有很多捷克人在家里使用捷克语交流。由此可知，斯美塔那小时候也会受到捷克文化的触动，周围所接触到的人都热爱自己的国家和民族文化，在这种影响下，他的创作才能逐渐显现出来。

从1834年起，斯美塔那开始深入地了解捷克的乡村生活，他观看当时的乡村音乐会并参加表演，当他看到乡村美丽的景色，看到热情快乐的人民时，他感受到了民族文化的力量。他也从自己的父亲与父亲朋友的口中听说了很多关于捷克的历史故事，了解了历史上出现过的英雄人物。读书时的老师瓦兹拉夫·基沃克也对斯美塔那产生了重要影响，通过言传身教让斯美塔那更加认识到民族文化的重要性。他的堂兄还向他介绍了捷克的民族解放运动与反天主教运动，并对他进行爱国主义教育，这些都从思想上影响了斯美塔那，让他更深入地了解了很多为民族独立而拼搏的英雄。斯美塔那自己还曾在日记中写道：“我们想要成为爱国主义者，不是由于威力而是由于权力，不是由于热情而是由于理智。我们要求正义，我们也不拒绝给予人正义。特别是我们捷克人必须注意适度，在爱国主义道路上大步前进时我们必须具有远见卓识，以便在热情过分高涨时使我们的破坏不超过我们建设的愿望。”①

显然，斯美塔那在少年时期了解到的关于捷克民族英雄的事迹对他之后的音乐创作产生了非常重要的影响，也成为他在创作《我的祖国》时直接的素材来源，很多的革命故事为捷克民族音乐的发展提供了强大的动力。

十五岁的斯美塔那在布拉格观看了李斯特的表演，李斯特演奏了很多音乐家的作品，当然也包括他自己的创作。当时的李斯特给斯美塔那留下了极为深刻的印象，因为这也是斯美塔那第一次如此近距离地欣赏这样伟大、辉煌的音乐作品，他非常向往这样的音乐，认为这应该是令全人类都非常神往的艺术。当时捷克正处于复兴时期，整个民族被贵族统治，人们为此不断进行着斗争，尝试了很多不同的方式追求自由，获得解放。斯美

① 库尔特·霍诺尔卡. 斯美塔那［M］. 关惠文，译. 北京：人民音乐出版社，2005.

塔那想要顺从自己的内心，想要追寻这样的音乐，但这一时期的斯美塔那虽然对音乐抱有非常远大的理想，但对于民族音乐的发展并没有深入的了解与规划。他对音乐的远大理想是在后续的创作中，随着自身阅历的增加、思想的成熟逐步建立起来的。

之后，斯美塔那在钢琴音乐创作中融入了波尔卡舞曲，想要通过一种较为原始的捷克民族舞曲来展现这个民族人民的生活，运用简单的节奏、质朴的音调，将带有鲜明的捷克民族风格特征的作品形式呈现了出来。在斯美塔那创作的早期阶段，就开始使用捷克传统的音乐元素，从而也能够看出斯美塔那对本民族音乐已经有了一定的创作构想，虽然该阶段更多的是技术层面的表达；直到《我的祖国》完成之后，我们可以看出，斯美塔那的作品中对捷克民族音乐的运用已经开始上升到塑造“民族英雄”的层面，这与斯美塔那在少年时期所接受的捷克民族文化的影响是分不开的，这种影响也伴随着斯美塔那创作生涯的始终。

直到1848年，斯美塔那的创作视野才真正转移到反抗民族压迫方面，也就是革命风暴的开始，这也成为斯美塔那创作生涯中至关重要的转折点。斯美塔那在此之前对国家、民族事务并不关心，他日常所接触的也大多是与音乐创作相关的内容。1848年，布拉格出现暴乱，斯美塔那受一些爱国知识分子的影响也有参与。当时，捷克还成立了国民近卫军，在参与活动期间斯美塔那创作了一系列与革命活动相关的作品，如钢琴曲《国民近卫军进行曲》《布拉格大学学生军进行曲》、歌曲《自由之歌》等。

“战争！战争！战旗飘扬。起来，捷克人，上帝宠爱我们……

“只要是捷克人，就应该拿起剑……”[①]

歌词的表达非常直白，也让我们了解了捷克革命事件对捷克人民解放斗争类作品中所起到的重要的鼓舞作用，这些战争对作曲家的创作产生了深远的影响，创作了很多富有爱国主义思想与情感的作品。

任何形式的音乐生产生活活动都是在一定的社会环境下诞生的，绝不可能脱离社会而孤立地存在[②]。在捷克生活的这些年，捷克的文化对斯美塔那的音乐创作产生了非常重要的影响，让他了解了民主、自由和爱国主

① 库尔特·霍诺尔卡．斯美塔那［M］．关惠文，译．北京：人民音乐出版社，2005．

② 张梁．试析捷克的社会音乐创作生产［J］．大众文艺，2012，286（4）：10-11．

义；他喜欢音乐，希望通过自己的艺术创作为国家、民族做出贡献。他也通过作品来表达自己对捷克的热爱，将民族元素融入音乐作品中，结合爱国情感的表达，为捷克民族音乐的发展奠定了基础。

（2）创作中英雄形象的发展。

斯美塔那共创作了四首交响诗，《我的祖国》是其中最经典的一部。1856年，在反动统治的压迫下，斯美塔那被迫离开捷克，在瑞典的哥德堡生活，在四年半的时间里斯美塔那完成了三首交响诗的创作。因为交响诗这一体裁是由李斯特首创的，与李斯特之间的密切交往也使得斯美塔那的艺术思想更加丰富。斯美塔那在音乐创作风格上的转变要归功于李斯特的影响，这也是斯美塔那之后音乐创作与发展的重要基础。在他们的创作观念中，音乐并不是单纯的不受约束的声音游戏，而是最具个性的表达，通过讲述与赋诗的方式表达主题。乐曲中除融入了很多技巧性的表达，还有对传统创作形式的继承。李斯特想要通过诗意主题的表达将作品的思想性置于音乐的标题性之上，他希望通过现实主义手法表达音乐，即使没有标题，也依然要保持作品的纯粹性。斯美塔那等年轻一代的作曲家在创作时也很好地遵循了这一原则。斯美塔那在创作前三部作品时都或多或少带有李斯特的音乐风格特点，这都表明了斯美塔那对交响诗这一新形式的探索与实践尚处在摸索阶段，音乐风格也处在重要的转型时期，而且从作品创作时所运用的民族历史素材分析，斯美塔那对历史中的英雄已经在创作中开始了艺术化的表达。

斯美塔那以莎士比亚的历史剧《理查三世》为素材创作了《理查三世》，作品中主要围绕理查三世展开，理查三世是英格兰国王爱德华四世的弟弟，他为了王权杀害自己哥哥后登上王位，但最后却付出了生命的代价。对于作品的结构，斯美塔那曾分析道：“首先，我想在音乐中表现我对理查形象的观念。它表现在第一主题中，这主题在后来的叙述中不止一次地重复出现……交响诗的中间部分描写理查的胜利，然后走向没落，转移到悲剧的结尾……在乐曲结束之前我想用音乐表现出理查的恐怖的梦境，最后描写他的灭亡……”① “完全由那段魏玛经历决定的《理查三世》

① 伊・马丁诺夫．斯美塔那的生活与作品．［M］．许承真，译．北京：音乐出版社，1956．

只从莎士比亚的剧本里摘取了变得更有英雄光彩的标题含义，其实它根本就是一首三个乐章相互渗透的交响曲。”[①]

通过作曲家对自己创作的分析我们可以了解，斯美塔那仅选取了《理查三世》中英雄性的标题展开创作，哪怕作品的脚本中记述的主角与历史记载中的人物形象之间存在差别，有着差异化的评价。我们从莎士比亚的作品中可以了解，作品中塑造的理查三世的形象较为丑陋，但斯美塔那另辟蹊径，从人物的其他方面入手，分析这一角色中有勇有谋的一面，并对这种带有英雄特质的人物非常向往，斯美塔那当时可能是受理查三世政治地位改变的影响，让他联想到自己的祖国，希望自己的国家也可以出现像理查三世一样的英雄，领导人民战斗并获得自由。

《哈孔·亚尔》是斯美塔那以丹麦诗人奥伦施拉格戏剧诗《哈孔·亚尔之死》为素材创作的，诗剧本身是一部悲剧题材的作品，讲述了挪威正统的王位继承人圣·奥拉夫被哈孔·亚尔篡位并驱逐后反抗获得胜利，最后哈孔·亚尔被随从谋杀的故事。从1883年斯美塔那与指挥家阿道尔夫·柴赫的信中可以了解，他每年都会在不同的国家观看这部作品的演出，而且对于作品所带有的深刻的情感力量给予了很大的肯定，因此，斯美塔那想要通过交响化的表达手法去呈现这样一个悲剧性的故事，献给日耳曼人民。

《华伦斯坦营地》也是取材于德国诗人席勒的《华伦斯坦》三部曲中的一部作品，主要是对华伦斯坦营地中发生故事的描写，与《理查三世》相比，该作品的呈现方式更像是一部修饰之后的交响曲作品。经过一个短小的序曲之后，由一个三连音的主题呈现乐章，之后是一首戏谑曲，其中长号声部的表达与呈现则带有席勒创作中具有的传统风格。之后的行板多采用印象主义的创作手法，来描绘军营的夜晚，“作为终曲的进行曲则使农奴显现某种英雄般的理想形象”[②]。在作品的总谱上，斯美塔那标注了该作品的创作灵感来源，是以席勒的同名戏剧作品中的序曲部分创作的；但正如聂德勒院士所说：“与其说是席勒的题材的正确体现，毋宁说是描写捷克人民生活的画面，描写在市场上或是在庙会时的广大的人群。”[③]在

①② 库尔特·霍诺尔卡．斯美塔那［M］．关惠文，译．北京：人民音乐出版社，2005．

③ 伊·马丁诺夫．斯美塔那的生活与作品［M］．许承真，译．北京：音乐出版社，1956．

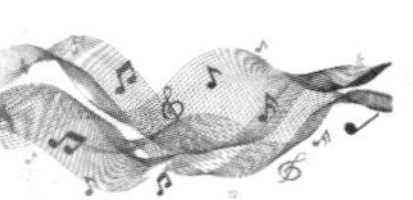

历史记载中，华伦斯坦其实是一名捷克人，但当时捷克被罗马帝国统治，因此，当时的华伦斯坦也在为罗马帝国服务。按照常理分析，一个人效忠于欺凌自己祖国的国家，应该是国家和民族的叛徒，但作曲家反其道而行，选择这样一个看似“反面”的人物为原型创作，另外，很多资料中对此也没做过明确的解释。我们可以结合《理查三世》与《哈孔·亚尔》分析，斯美塔那创作的交响诗作品在选材方面都存在一个共同点，即作品中出现的“英雄”都是为满足自己的利益而选择掠夺他人。从斯美塔那的认知中，我们可以了解这样的人物形象在他眼中也是“英雄”，他关注的是这些人物的英雄气概，因此，我们可以理解为斯美塔那这样创作的意图还是希望捷克人民可以像这些人物一样可以奋起反抗，早日取得祖国的独立。

三部交响诗作品中的主人公哈孔·亚尔、理查三世、华伦斯坦都是以悲剧结束生命，从作品的选材，到剧中人物角色的设定分析，三部作品有着异曲同工之妙。虽然，从某些方面分析，这些都属于反面形象，但在斯美塔那心目中，他们也是“英雄”，而且人物中反面因素丝毫没有影响斯美塔那对这些人物的喜爱与创作的热情。

在这三首交响诗作品的选材方面，虽然都已经开始具备“英雄”的雏形了，但这些人物都是其他国家出现的“英雄”，并非捷克本民族的英雄人物。虽然斯美塔那想要表达的是鲜明的爱国主义精神，但与之后创作的《我的祖国》相比，对于“英雄”形象的塑造还是缺少了深刻性。我们无法否认，斯美塔那对同类作品题材的选择已经表明了他的创作追求与倾向性，前期的创作积累也为之后的音乐创作奠定了坚实的基础。

如果说对捷克民族音乐处于探索萌芽阶段的斯美塔那在交响诗的创作中已经初具“英雄”形象的雏形，那么他在后续创作中，对捷克本民族中“英雄”形象的塑造已经标志着他开始向创作的成熟阶段迈进了。

至19世纪60年代初，受国际战争局势的影响，捷克颁布宪法，在民族革命运动中被囚禁的人们重新获得了自由。这时，国内的爱国情绪高涨，很多爱国活动也相继拉开序幕。斯美塔那对于捷克民族歌剧的发展非常关心，还曾在报刊上发表过相关的乐评类文章，指出捷克的民族歌剧应该坚定地走民族路线，而且歌剧的剧目多来自经典的古典与浪漫主义的作品。他认为捷克歌剧的创作必须根植于民族文化的土壤中，一部好的歌剧作品必须具备民族性。在斯美塔那的认知中，“歌剧不能只是为唱而唱的……以指挥棒为主的音乐产品。歌剧必须被提高为戏剧，在听它的时候我们必须忘记指挥及舞台装置的存在。”①他还经常与很多小说家就戏剧作品讨论歌剧的文学脚本，但很多文学家都拒绝与斯美塔那合作。最后作家卡雷尔·萨比纳同意为斯美塔那撰写脚本，也成为第一个为斯美塔那撰写脚本的作家。

（3）斯美塔那的英雄情结。

大多数捷克人都有着非常浓烈的英雄情怀，1415年，捷克民族英雄扬·胡斯牺牲后，激起了全国人民的反抗情绪，大家纷纷投入反抗德国统治的运动中，开展的胡斯战争不仅震撼了整个欧洲，也给予德国统治阶级沉重的打击。不仅如此，此次革命对于捷克的社会生活和文化生活都产生了非常深远的影响，这种影响也反映在文学、音乐、戏剧等领域，为很多民族题材作品的创作提供了主题。虽然，最后胡斯运动以失败告终，但革命所传承的英雄斗争精神与革命理想始终影响着捷克人民，包括在之后捷克被哈布斯堡王朝统治期间，捷克人民也始终坚持与恶势力作斗争，不轻易屈服。因此，捷克人民世代都有胡斯党人情怀，也就是民族的英雄情结。

斯美塔那从小身边就有很多捷克人，受到了很多民族传统文化的熏陶，少年时期，他更是听到了很多关于战争的故事，其中就有关于胡斯战争的故事。该战争中所传达的精神也是代代相传的。通过斯美塔那的艺术创作也可以了解，他的很多影响较为广泛的作品多以民族英雄题材为主，很多记录斯美塔那生平的传记作品中也多以“英雄”形象的塑造展开。这足以说明在斯美塔那的心中，英雄情结体现得十分鲜明，他的作品之所以受到大众的喜爱，也足以说明在捷克民众内心同样会有英雄情结。斯美塔那的歌剧作品中，同样是以民族英雄为题材，《布兰登堡人在捷克》《达里波》《里布舍》的上演在当时引起了很大的反响，在当时也是捷克剧院中上演频率较高的作品。莱奥什·亚纳切克对斯美塔那有着清晰的记忆，他

① 库尔特·霍诺尔卡．斯美塔那［M］．关惠文，译．北京：人民音乐出版社，2005．

回忆中提到了儿时对斯美塔那的印象就像看到敬爱的神，站在云端被大家仰望。1874年，斯美塔那在索非亚岛举办了一场音乐会，当时莱奥什·亚纳切克距离乐队很近。在乐曲结束之后，人们呼唤斯美塔那的声浪达到顶峰。伴随着夜幕降临，人群也开始聚集起来，情绪随着斯美塔那拾级而上。他的面孔极具记忆点，容易出现在人的记忆中。通过莱奥什·亚纳切克回忆中捷克人民对斯美塔那作品中表达情感的共识性可以了解，英雄题材的作品容易引起观众情感上的共鸣。

在前文的论述中，涉及了斯美塔那早期创作的三首交响诗，都是在作曲家李斯特的影响下完成的，但有一点与李斯特不同，李斯特创作的交响诗作品题材更为多样化，带有浓郁的浪漫主义气息。很多人也曾疑惑，为何斯美塔那受李斯特的影响，但创作中对题材的选择与作品的构思却与李斯特存在很大的差别。虽然三首交响诗作品在内容表达方面较为相似，都是带有反叛心理的“叛国者”，如果以当下的眼光看待作品中的主角，可能并不能将他们称为“英雄”，但斯美塔那在早期创作阶段对捷克本民族英雄的取材还没有进行深入的思考，因此，他从更为宏观的角度分析人物的英雄气概，他也丝毫不担心这样的角色身上存在的争议，只要最终是“英雄”获得胜利，不管采用何种方式，斯美塔那都通过作品肯定了这样的“英雄”。之后也有很多的歌剧作品，如《布兰登堡人在捷克》《达里波》等，还有《我的祖国》的创作都是取材于捷克本民族的历史传说与神话故事，这些作品中表现出的英雄都是积极正面的形象。因此，斯美塔那的英雄情怀在创作中得到了淋漓尽致的体现，不管是捷克的民族歌剧还是交响诗的创作，都渗透了斯美塔那的英雄情怀，这不仅是一种情感的寄托，也代表了国家、民族对未来的美好期望。

另外，从文学创作领域能了解当时捷克的文学家在写作中塑造了很多经典的英雄形象，很多文学家、戏剧家对这一类体裁的作品非常喜欢。《扬·日什卡颂》是捷克戏剧家、诗人瓦茨拉夫·特哈姆创作的一部优秀的作品，作品中主要歌颂了胡斯军队中出现的英雄人物。

捷克著名诗歌作家弗朗基谢克·拉迪斯拉夫·切拉科夫斯基非常喜欢俄罗斯文化，以俄罗斯历史上的勇士形象为素材创作了很多经典的作品，如《伏尔加人伊利亚》等，通过这些作品让更多的人了解了俄罗斯的民族英雄，因为在他眼中俄罗斯也是捷克民族坚强的后盾，是人民的精神支柱。大型叙事诗《王室手稿》与抒情诗《绿山手稿》分别创作于1817年和1818年，两部作品都是捷克音乐家创作完成的，作品讲述了捷克古代民间的传奇故事与人物，之后经过考证，证实了作品中讲述的内容多为虚构。因为处于民族思潮复兴的影响下，一些学者发现在捷克古代的文学作品中并没有出现过类似德国、俄罗斯那样的英雄叙事歌曲、英雄史诗、民间史诗等，因此，他们通过虚构的方式创作了很多这样的“英雄”形象来增强本民族的自尊心与自信心。虽然作品的内容是虚构出来的，但在当时的捷克引起了很大的轰动，对捷克之后文学、艺术等领域的发展产生了深远的影响。因此，不管是文学家还是音乐家，他们都会通过本民族或其他国家民族文化中带有的民族文化来创作英雄题材的作品，借以抒发自己的情感，从而影响本民族人民的思想、行为等。

归根结底，英雄情结属于人特有的一种精神喜好，不管地域、文化甚至种族之间存在多少差异化，人们都有着不同程度的英雄情怀。只是文学家与音乐家会在各自的领域通过自己所擅长的方式展现这一种精神特质，从而达到影响大众的效果。

从15世纪初期开始，捷克就处于动荡之中，长期受到其他国家的统治，捷克人民长期生活在水深火热之中。捷克人民一直想要获得国家、民族的自由，也为此进行过很多次斗争，因此，不管处在任何一个历史阶段，英雄的存在都是捷克民众内心的精神寄托，这也在不断地激励着捷克人为国家解放与民族独立不断奋斗。

3. 作品中对“英雄”形象的具体塑造

《我的祖国》创作于1873年，直到1879年最终定稿，作品完成时斯美塔那的身体和精神状态每况愈下。1874年，斯美塔那的听力开始逐渐下降，最后听力彻底丧失。但也正是在这样的情况下，斯美塔那完成了该作品的创作。作品《我的祖国》向我们展示了斯美塔那优秀的创作才情与丰富的情感表达，既有他爱国主义情感的表达，也有他艺术情怀的体现。作品结构华丽，音乐意境的表达富有诗意，他将自己毕生的心血都倾注于该作品中，也为后世作曲家的创作树立了非常优秀的典范。

在前文中，著者还简要介绍了斯美塔那创作的其他类型的作品，其中，多数作品都是以英雄形象的塑造为主题展开的，而这些英雄故事也都是该题材作品创作的灵感来源。他笔下的每一个英雄形象都是高大无畏的，都饱含了他对民族能早日脱离专制统治的殷切盼望，如在作品《我的祖国》中，他有力地呈现了作品中的英雄形象。我们可以从以下四个方面分析斯美塔那是如何在创作中塑造英雄形象的。

（1）昔日辉煌。

作品中第一首交响诗是作品《维谢格拉德》，结构为复三部曲式，1874年9月完成。在作品前，作曲家写下了这样一段话：“先知的竖琴响了：歌唱维谢格拉德的光辉、荣誉及比武、战斗直至最后衰亡等事迹的先知之歌。全曲结束在哀伤的音符上（行吟诗人之歌）。”

作品的呈示部属于三段式结构，引子部分由竖琴呈示，维谢格拉德的主题动机第一次出现，之后经过琶音的交替，塑造了西方吟游诗人弹奏竖琴的形象，也由此引出之后的故事。随后维谢格拉德主题动机又在大管和圆号声部出现，紧接着在长笛、双簧管、单簧管声部中也出现了，音乐以柔和、悠扬的风格奏出，氛围感十足，好像古老的捷克古堡已经隐隐约约浮现，矗立在沃尔塔瓦河上，这一部分呈现也为之后开始展现英雄的光辉岁月拉开序幕。

中段部分的维谢格拉德主题动机在弦乐声部出现，此时的音乐表达力度增强，与之前在木管、铜管声部的呈示相比，这一段的音乐表达更为明朗。如果我们将呈示段的主题比作被迷雾笼罩的城堡，充满神秘感，那弦乐声部的音乐呈示更像是在阳光冲破迷雾之后，城堡的轮廓更加清晰，在阳光下熠熠生辉，音乐形象的呈示也更加明晰。

综上所述，呈示部的音乐进行较为缓慢，具有抒情性，和弦式的进行增强了音乐中的庄重感，之后小号和定音鼓进一步丰富了乐曲的表现力。小号宽广的音色极具号召力，让人联想到英姿飒爽的骑士整装待发的场景。

再现段的维谢格拉德主题是以乐队齐奏的方式出现的，音乐也在发展中逐步增强，音乐效果更加宏伟，作曲家在这一部分对主题动机做了相应的变化，结合了两个主题中的材料，并将其扩展，将音乐推向了高潮。小号则以三连音的形式出现，高亢、明亮的音色就像战斗的号角，军队也由远及近，这些英雄的士兵精神振奋、情绪高涨，迈着坚定的步伐走向胜利。大调式的进行与铜管乐队庄重的音乐风格相互映衬，之后铜管乐队的演奏展现了士兵的视死如归，整体上描绘了一幅壮丽的音乐画卷。

英雄精神在赋格段中也有体现，作品的结构为复三部曲式，其内部结构较为复杂，尤其是中部段落充满了戏剧性的表达，也突出了战争年代的残酷；最后以悲剧性的形象作为结束，留给观众充足的回味空间。

展开部的音乐与呈示部存在强烈的对比性，在展开部中变为强有力的快板，弦乐也在齐奏的模式下行二度模进发展。这一部分中作曲家运用了赋格的形式，旋律则是经过维谢格拉德主题变化发展而来的，之后的主题在发展中又先后经历了五次变化。

第一次变化是在长笛与第一小提琴声部，之后在双簧管和第二小提琴声部做了下行四度模仿，中提琴以震音的方式与主题进行呼应。在第二次的主题变化中，单簧管与中提琴齐奏展开，之后大管与大提琴延迟出现，依然以下行四度的形式模仿发展，小提琴声部的震音与之前的音色形成对比。在第三次主题的变化中，多以音程的形式展开，弦乐组与木管组交相呼应，在赋格乐段，我们也看到了主调音乐的表达特点。在第四次主题变化中，与前三次变化不同，前三次主题变化均发生在赋格段，体现主调音乐的特点，在第四次变化中，力度加强，作曲家标注了六个“sf”，还加入了定音鼓，渲染了作品整体的音乐氛围。在第五次主题的变化中，乐音的时值被延长，乐队以齐奏的形式呈现，管乐器也在模仿军号的音效，以增强作品整体热烈的氛围感。欢乐的鼓号声伴随着将士备战操练，战士的盔甲在阳光下熠熠生辉，维谢格拉德对胜利的欢呼响彻云霄；第五次的主题变化所呈现的就是这样一个画面感极强的音乐场景，操练的将士怀揣着不畏艰险、勇往直前的豪情壮志，他们满怀着对胜利的渴望，将所有的情感融入作品之中。

之后，新的音乐材料开始出现，极具抒情性、歌唱性，将英雄铁汉柔情的一面体现在作品中；或许是因为他们想到了远在家乡的亲人、朋友，也许想到了祖国的大好河山，使他们必胜的信心更加坚定。

接下来，乐队都以齐奏的方式出现，音乐的表达也更加热烈、欢快。之前的赋格乐段在177小节再次出现，弦乐声部以连续下行模进的震音形式出现，之后音乐再次上行，随后在184小节又回归到下行模进发展，增强了音乐的戏剧性表达。与前五次的赋格主题相比，音乐表现力得到前所未有的增强，作曲家连续使用了三个“sf”。可以想象，英雄在战斗过程中遭遇了敌军的袭击，但他们依然奋勇杀敌，始终坚信最终会走向胜利。

从第191小节，音乐的调性转向C大调，力度加强，音响更加热烈，音乐形象也更加宏伟。弦乐组在这一部分全都以震音的形式表达，木管与铜管大量使用了调音与三连音，推动了音乐的进一步发展，将士兵英勇无畏的形象展现出来。士兵满怀着对祖国的热爱与和平的向往，都化为坚定不移的精神力量，坚信战争必将获得最终的胜利，让听众感受到乐曲中真挚的情感表达。在音乐进行到高潮部分时，突然钹一声巨响，音乐开始发生变化，在降E大调下音乐充满不安、紧张因素，这预示着战场上的士兵已经不幸牺牲。之后音乐逐渐变得缓慢、微弱，为维谢格拉德主题动机的再次出现做了铺垫。

再现部中，维谢格拉德主题再次出现，这一主题在整部作品中象征着捷克民族的胜利之光，在同套曲中其他作品中也出现过，能够看出斯美塔那对这一主题的重视程度。与呈示部的主题相比，再现部中的主题在振奋的情绪上做了减法，更偏向于抒情性的表达。弦乐组、铜管组与木管组之间形成呼应，音乐在表达上也更加柔和。之后回到现实，人们站在现今的废墟上回顾历史，吟游诗人的演奏回荡在耳畔，极具画面感的表达配合扣人心弦的琴声，使作品的表现力大大提升。在整首乐曲中，维谢格拉德主题动机多次出现。最后，整个景象也在音乐的烘托下渐行渐远，逐渐模糊，但那些为国家自由、民族独立做出牺牲的英雄始终在人民心中，也在时刻提醒人们所肩负的历史使命。

斯美塔那创作《维谢格拉德》是对捷克民族历史的追忆，歌颂了这一民族曾经的荣耀与辉煌。作品中英雄形象的塑造不仅表达了他的爱国主义情怀，而且希望捷克人民可以铭记曾为国家荣誉而战的英雄，捷克民族可以出现更多的英雄，通过自己的努力捍卫自由的权利。

（2）英雄的反击。

《莎尔卡》是套曲中的第三首作品，完成于1875年，作品中充满了戏剧性与悲剧性，与套曲中其他作品不同，斯美塔那在创作时以古老的捷克娘子军的传奇故事为素材，以7世纪末8世纪初这一时期为背景，讲述了一群被遗忘的妇女，为了夺回属于自己的权利而拿起武器对抗男性。当时有一位武士茨狄拉德想平复这群娘子军，便带军向布拉格进发，为了引诱茨狄拉德的军队进入峡谷，娘子军将最漂亮的莎尔卡当作诱饵，导致茨狄拉德中计并将莎尔卡带回营地。当天晚上，军中大摆宴席，当众人醉酒毫无防范之时，莎尔卡同战友一起消灭了所有的武士。莎尔卡也成为捷克民间知名度非常高的女性代表，虽然莎尔卡在传说中非常冷血无情，但这一形象在不同作曲家的作品中也有着不同的处理方式，如在捷克作曲家李奥·杨纳切克（1854—1928）的歌剧作品中，当莎尔卡目睹茨狄拉德的尸体被战友焚烧时，自己也纵身跳入火海；而在菲比赫的歌剧作品中，莎尔卡则放走茨狄拉德，自己跳下悬崖①。

斯美塔那在作品的标题下还写下了这样一段文字：“被欺骗的莎尔卡发誓报复所有的男人。骑士茨狄拉德同随从愉快地驶过，被莎尔卡的美貌迷惑，同时热烈地爱上了她。所有的人们喝着蜜糖水，唱着歌和游玩乐，最后困倦入睡。这时莎尔卡的号角响起，从四面八方奔来了许多女武士杀死了熟睡的男人。”②从这段文字中能够看出，该作品通过叙事的方式展开，其逻辑性与条理性非常强，因此，作品的结构较为特殊，是交响诗中首次运用无序的自由曲式贯穿发展，这种曲式结构独特、无章可循。

贯穿曲式又叫链式曲式（chainform），这种结构中带有自我重复的部分，如结构“A-B-C-D-E……”或带有乐段自我重复“A-A-B-B-C-C-D-D……”，但很多作曲家在创作时会选择以作品中出现的某一部分或者该部分的重复作为结束，如结构“Int，A-B-C-D-A（Coda）”，而对作品主要的功能分析通常不包含引子和尾声，整部作品中不存在某一部分重复出现的曲式结构，如“A-B-C-D-E-F”，这种结构模式属于无序自由曲式的分支，也就是贯穿曲式。因为结构中不存在重复出现的部分，所以在作

①② 列维克．斯美塔那［J］．翟学文，译．交响·西安音乐学院学报，1984（4）：48-56．

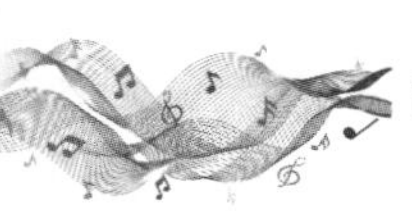

品的主要功能中很少存在平衡因素。在浪漫主义时期的作曲家创作的标题音乐中，贯穿曲式运用得较为广泛，但在交响诗这一体裁中，并没有对此加以运用，斯美塔那作为李斯特交响诗创作的第一位响应者，也是首位在交响诗中运用贯穿曲式的作曲家，在他早期创作的交响诗《华伦斯坦营地》中，就运用了“引子-A-B-C-D-小结尾E Coda”的结构[①]。

通过对《莎尔卡》总谱的分析，可以了解该作品共由五部分构成，分别是莎尔卡主题、茨狄拉德主题、莎尔卡与茨狄拉德的爱情主题、宴会欢庆主题和复仇的战斗主题。

斯美塔那在乐曲开始前没有做任何铺垫，以两个f的八分音符进入，之后又以非常强的力度奏出之后的乐音，如旋律中出现连续的sfz、重音记号，以及快速的上行音阶。由于运用了大量的休止符，旋律发展带有切分音的效果，之后旋律线发生转变，起伏的旋律线与莎尔卡被欺骗、夺权之后内心的愤怒之情相吻合，音乐的情绪表达变得更为强烈，可以让听众很直观地感受到莎尔卡的愤怒，也更容易感受作品所营造的氛围感。

铜管声部的号角声像是莎尔卡在指挥战友行动，为夺回自由与权利进行抗争。之后号角声转变为小提琴，缓慢、抒情的旋律把莎尔卡性格中柔情的一面展现出来，作为女性，哪怕性格再刚强，内心依然会有柔弱的一面，这一部分的小提琴旋律表达了莎尔卡在面对失去自由和权利之后的悲伤之情。该段旋律表达的温情的乐思及女性特有的柔美，为之后音乐的主题发展埋下了伏笔。

柔美的旋律仅持续了八小节，之后力度回归，从作品的取材与斯美塔那给出的标题来看，《莎尔卡》塑造了一个典型的女英雄形象。我们从作品开始就清楚地感受到这一角色的性格特点，她是一位英勇、果敢的女英雄，在角色设定上与男性英雄形象的塑造存在一定的差异，在情感表达上也更加丰富。

第二部分中的主题呈示是由和弦齐奏的方式展开的，相较于第一部分中强有力的表达方式，这一部分的风格更为轻快，虽然力度较弱，但强弱之间的对比非常鲜明，节奏明确，也显示出莎尔卡的娘子军得知茨狄拉德

① 钱亦平. 音乐分析 学海津梁：钱亦平音乐文集［M］. 上海：上海音乐学院出版社，2007.

军队越来越近了。斯美塔那对于这一部分的音乐构思非常巧妙，乐队分两部分呈示，一部分是和弦式音程表达，主要包括铜管、木管和打击乐声部；另一部分是弦乐声部，两部分之间存在鲜明的对比，分别代表了不同的音乐形象，铜管、木管和打击乐声部节奏清晰有力，就像茨狄拉德的军队，中间还穿插了军号声，军队在激昂的音乐中昂首阔步走来。弦乐声部则始终追随着茨狄拉德军队，与其旋律中的和弦音程相比，不安的因素愈加明显，面对敌人不断靠近，显示出了主人公内心的担忧与惊慌。

斯美塔那在作品中对于女性英雄形象的塑造极为精妙，在大众的认知观念中，英雄代表着坚强、高大，甚至是无坚不摧，但他在莎尔卡这一角色的性格塑造中并未将这些特质赋予其中，不管在哪一个主题的呈示中，他都融入了更多的女性色彩，通过带有人情味的表达方式，使这一女性英雄的形象更加饱满、生动。

在主题发展进入高潮时，单簧管的旋律突然进入，从整齐有力的步伐节奏中流出。“从炎热和死寂的峡谷传出了一个人的呼声——不知是在呻吟，还是在祈祷求援。”①

柏辽兹曾说，单簧管的音色非常特殊，能够营造空谷回响、缥缈深远、余音缭绕等不同的音响效果，在这一部分的音乐中，单簧管明亮、饱满的音色中又带有一丝胆怯，像是听到莎尔卡发自内心的呼喊后，茨狄拉德也为之动容。莎尔卡动情地讲述着自己的身世，将自己为何出现在此处的原委向茨狄拉德讲明。之后茨狄拉德内心对莎尔卡说话内容的怀疑也在铜管与木管声部得到体现。单簧管独奏后，弦乐采用了上行的旋律进行，铜管和木管则以和弦音程的方式呈现，带有疑问式的音乐表达与角色的心理活动相一致。第一大提琴与乐队声部交替出现，好像是茨狄拉德给出的回应，或许他早已经倾心于莎尔卡，此时内心有很多的疑惑。在主题的结束部分，单簧管与第一大提琴依次独奏出现，好像是在对话，这也为之后两个人之间爱情故事的发展做了铺垫。

在莎尔卡形象的塑造中，茨狄拉德主题运用得不明显，从开始弦乐声部营造的不安氛围，到之后单簧管对角色中胆怯性格的塑造，都表现出了

① 杨民望．世界名曲欣赏［M］．上海：上海音乐出版社，1987．

莎尔卡作为一个女性角色的性格特点，也使得情绪的塑造更为丰满、有趣。

在第三部分的表达中，莎尔卡和茨狄拉德的爱情主题是整首作品中最著名的音乐场面，代表着莎尔卡的主题旋律在双簧管、单簧管、长笛和第一小提琴声部均有出现，代表茨狄拉德的主题旋律则是在大提琴与大管声部呈示，在音乐上存在着对应关系。

这一部分的莎尔卡主题一改之前的胆怯与愤怒，旋律变得流畅、轻快，像是情窦初开的少女，愉悦之情溢于言表。虽然这一部分的音乐是以乐队齐奏的方式表达的，但从听众的角度分析，这一部分的主题音乐相较于茨狄拉德主题更容易获得听众的情感反馈，温柔、热情的莎尔卡主题在表达上也更为丰富，但这一部分的音乐更突出的依然是茨狄拉德内心的疑惑。至于莎尔卡对茨狄拉德情感的真实性，在不同作曲家的作品中也做了不同的诠释。但既然作曲家在这一主题的呈示中运用了多种乐器塑造音响效果来突出这一主题，不论情感的真实性如何，在对两人之间情感主题的刻画上，情感都是真挚的。两个主题之间存在鲜明的对比，作曲家也在对角色内心情感的刻画上逐渐掌握了角色的复杂心理。

宴会欢庆的主题由乐队齐奏的方式呈现，音乐欢快，斯美塔那在这一部分还运用了一些不谐和的旋律动机来体现欢庆场面中士兵的舞蹈场面；音乐在表达上也稍显笨拙，三角铁的加入好像是士兵舞蹈过程中铠甲碰撞的声音，使音乐的表达更为生动，艺术表现力大大增强。从这一段舞蹈中我们可以了解，莎尔卡已经完全取得了茨狄拉德的信任，之后，音乐逐渐减弱，士兵纷纷进入梦乡，此时，大管的加入开始增强音乐中的不安、紧张，预示之后暴风雨的到来。

圆号的音色非常饱满，在这一部分，圆号是莎尔卡的号角声，也是她对娘子军的召唤，弦乐声部以震音的方式，增强了音乐氛围中的不安和紧张。“复仇的战斗”主题随之奏响。单簧管这时以独奏的方式呈现与之前表达的胆小的情绪不同，这里所表达的是莎尔卡内心的矛盾与痛苦，她看着熟睡的茨狄拉德，想着他被自己的谎言蒙骗却全然不知，内心非常矛盾。单簧管的旋律在这一部分显得非常悲伤，但莎尔卡又无法放弃自己的使命，在爱情与复仇中，她放弃了前者。

之后弦乐以齐奏的方式演奏震音，达到了整首乐曲的高潮部分；在莎尔卡的带领下，娘子军冲入茨狄拉德的营地，木管声部的和弦式进行，加上铜管声部连续八分音符的演奏，配合力度的表达使音乐的风格更加奔放、热烈。之后再现了莎尔卡主题，但相较于之前主题的呈现情绪表达更加激烈。在作品的尾声部分，乐队以齐奏的方式演奏连续的跳音和弦，来表达莎尔卡一方取得了这次战争的胜利。

与整部作品中其他交响诗作品相比较而言，《莎尔卡》的篇幅较短，但要求必须要具备流畅的情节发展，带有戏剧性的同时要体现浪漫主义色彩。在爱情的影响下，莎尔卡这一英雄角色在塑造时也变得更为生动，不同的主题之间存在鲜明的对比，也丰富了作品的音乐表达。有的学者认为斯美塔那对《莎尔卡》的主题表达脱离了爱国主义的核心，但著者认为，莎尔卡作为女性角色，能够与男性一样具有一定的领导能力，能够征战沙场，为自由与独立而战，就显示出了巾帼不让须眉的风范。然而在爱情与家国仇恨面前，虽然内心非常矛盾，但依然选择了后者，更能显示出莎尔卡作为英雄的坚强、果敢的气魄。在国家危难时刻，不关乎性别，任何人都应该为国家、为民族贡献自己的一份力量，这与斯美塔那所弘扬的爱国主义精神高度契合。因此，著者认为斯美塔那作品中对莎尔卡的人物形象设定并未脱离爱国主义的核心。

（3）英雄的赞歌。

《塔波尔》是交响诗套曲中的第五首作品，完成于1878年，以捷克历史上真实的事件胡斯战争为素材。中世纪时期，捷克受德意志帝国压迫，很多德国居民大量向捷克移民，到13世纪，德意志人民在捷克占据了一定的比重，捷克受到教皇与德国的双重压制。14世纪末15世纪初，布拉格大学校长兼牧师扬·胡斯（Jan Hus，约1369—1415），因为反对天主教会的统治与外族压迫，参与当时的宗教改革中，提出的主张都是直接反映当时捷克社会中亟待解决的问题，这也代表了当时很大一部分市民、农民和骑士的愿望及要求，这些主张是当局不能接受的。1415年，被天主教会以挑起异端为由判处死刑。胡斯遇难之后引起捷克人民的强烈不满，由此爆发了捷克历史上非常著名的胡斯战争。当时反抗的人群主要分为两个派别，一派是相对温和的圣杯党，另一派是较为激进的塔波尔党。塔波尔党以塔波尔城堡为据点，通过战争顺利击退了德国皇帝与教皇发动的五次十字军征讨，并给予了敌军有力的反击。从此之后，保持良好战绩的吉士卡与塔波尔城也成为捷克人民心中反抗力量的象征，斯美塔那的创作也为这场著名的战争树立了一座音乐纪念碑。

在作品的标题中斯美塔那写道：“胡斯建立的坚固城池，在这里进行过保卫战。《神圣之歌》这首歌曲鼓舞了捷克人，使敌人闻风丧胆。这是捷克民族精神的高涨时代，捷克力量的高涨时代。”①

该作品的独特之处在于它的内容与表达方式，不是简单的情节性叙述，也没有赞颂祖国的山川大河，更没有直接描写历史事件，而是以民族历史中一首古老的战歌《神圣之歌》（也就是众赞歌《上帝的战士，你们都是谁》）为切入点，来表达捷克人民心目中对历史的缅怀，以及对胡斯战争的记忆，让更多的人了解战争中勇士英勇无畏的形象。斯美塔那也说过：“不应该去寻找音乐的细节描写，因为作为一个总的构思，作品只是在赞颂胡斯党人在战斗中所表现的坚忍不拔的精神。”②因此，从作品内容呈现的角度，《塔波尔》所歌颂的正是胡斯战争中英雄英勇无畏的气概与精神。

《上帝的战士，你们都是谁》结构短小，只有13个小节，但斯美塔那却以此为素材将其创作成一首结构宏大的交响诗。这一点非常让人敬佩，《塔波尔》的结构为再现的单三部曲式，但对中部乐段进行了扩展，其结构严格来说是介于单三部曲式与复三部曲式之间。其曲式结构表示如表3-3所示。

表3-3 《塔波尔》曲式结构

主结构	次结构	对应众赞歌部分	小节	调性
引子	引子1	A	1-62	d
	引子2	B	63-67	
	由引子1展开	A	68-84	

① 列维克．斯美塔那［J］．翟学文，译．交响·西安音乐学院学报，1984（4）：48-56．
② 杨民望．世界名曲欣赏［M］．上海：上海音乐出版社，1987．

表3-3（续）

主结构	次结构	对应众赞歌部分	小节	调性
呈示段	A	A	85-93	d
	B	B	94-97	
	C	C	98-107	t
中段	C1	C	108-133	d
	B1	B	134-136	
	C2	C	137-289	
	A1	A	290-331	t
再现段	A2	A	332-336	d
	B2	B	337-341	
	C3	C	342-344	t
Coad	—	—	345-408	

（4）英雄的胜利。

《布朗尼克》是交响诗套曲中的第六首作品，属于《塔波尔》的延续，但从创作的角度分析，《塔波尔》取材于捷克历史中的真实事件，《布朗尼克》则是捷克民间的传说。在该作品的标题中，斯美塔那同样给出了解释：“胡斯教徒战争中的英雄们长眠在布朗尼克碧绿的群山之中，在他们的上面展开一片和平的牧场，畜群在那里漫步，散布着牧人的笛音，困难和悲苦笼罩着捷克的土地，似乎已经是没有人能给予捷克人民以救助了。但是在最困难的时刻，布朗尼克的英雄从睡眠中苏醒，走出深山再为祖国捷克的自由挺身而战，他们赢得了这个斗争，给人民夺回了失去的幸福和自由。无论是谁，无论在什么时间都剥夺不了人民的幸福和自由！”[①]正如斯美塔那所说，这一传说在捷克有很高的知名度，胡斯战争中的将士并没有真正牺牲，而是长眠于布朗尼克深山中，每当捷克人民遇到危难时，他们就会奋不顾身地出现在战场上为人民而战。很多人都愿意去相信这样一个传说，也能体现捷克人民对胡斯战争中牺牲的将士的怀念之情，他们并

① 列维克．斯美塔那［J］．翟学文，译．交响·西安音乐学院学报，1984（4）：48-56．

没有放弃争取和平生活。

两首作品的曲式相似，均采用贯穿手法，整首作品由五部分构成，分别为A，B，C，D，E，Coad，《布朗尼克》作为《塔波尔》的延续，旋律中也出现了众赞歌《上帝的战士，你们都是谁》的素材，并将其进一步发展。

就像在捷克民间流传的那样，胡斯战争中的将士并没有逝去，而是隐匿在布朗尼克的深山之中。因此，在作品一开始就通过乐队强有力的齐奏展开，依据故事情节的发展，向听众展现了一位位身材高大魁梧的战士形象，他们迈着整齐的步伐，昂首阔步地向布朗尼克山走去。

众赞歌A部分的旋律率先在弦乐组奏出，随后，木管组也演奏了这一部分的旋律，《布朗尼克》中的A部分就是在众赞歌旋律的基础上发展而来的。虽然音乐风格较为轻快，但音色非常饱满，演奏时弦乐组也运用了断音的方式展开，更像是战士稳健有力的步伐，如众赞歌“你们都是上帝的战士，维护上帝的法律的”所描写的那般，虽然并没有取得战争最后的胜利，但内心依然怀揣着不屈服的战斗精神，因此，音乐也通过演奏力度的对比来表现作品中蕴含的力量。随着力度的递减，音乐的表达也由强变弱，表明勇士已经在布朗尼克山中隐没。因此，后续的音乐营造了一种宁静的氛围，旋律悠扬，带有静谧、和谐之感。

C，D两部分主要是对战争场面的描绘，上一乐段中延续下来的宁静的音乐氛围突然被大提琴与低音提琴打破，以低沉的音调，使音乐从明朗转向阴暗，音乐的速度也在不断加快，弦乐声部以十六分音符连续跳音演奏呈示，营造了一种紧迫的音乐氛围，预示着布朗尼克山中的将士听到了捷克人民在危难时刻的呼喊，他们再次为人民而战。

D部分共65小节，弦乐组是快速的三连音跑动，铜管组与木管组则穿插使用了八分音符与三连音的演奏形式。通过休止的使用，丰富了音乐的表达，斯美塔那还多次使用离调，增加了音乐的紧张感，也显示出人们内心的慌乱、不安，符合音乐作品中对战争场面的刻画，透过音乐的表达我们仿佛能够看到将士奋勇杀敌的场面。这样的场面描写也显示捷克长时间受外族统治时所遭遇的不幸、灾难，这些战场上的勇士正是捷克人民的期望，他们为人民的自由而战，更为今后的美好生活而战。

《布朗尼克》第一部分的音乐表达充满着戏剧性因素，英雄从沉睡状态转换到激烈的战场上，在乐曲的谱写设定中斯美塔那并没有使用过渡，让听众有措手不及之感。但这样的设定是斯美塔那的有意为之，他想要通过这样的表达方式让人们知道，英雄不会一直沉睡下去，他们会始终关注着国家、民族的发展，当民族处在危急时刻，英雄必定会挺身而出。虽然历史上胡斯战争没有取得最后的胜利，但斯美塔那却通过艺术化的表达手法让这些英雄永存。因为胡斯党人在捷克人民心中本身就是英雄般的存在，世代捷克人民都受到了这些英雄的精神感召，正因为如此，才会使这样美好的传说流传至今。斯美塔那也希望通过该作品的创作可以从精神层面影响人民，应该像历史上的胡斯党人一样，为祖国独立和民族自由而战。

E部分是《布朗尼克》的高潮部分，刻画了将士取得胜利的欢庆场面，热闹非凡。因此，作曲家采用了回旋曲式，再次运用众赞歌中的旋律素材展开创作，对主题A进行了两次变化发展。具体如表3–4所示。

表3–4　《布朗尼克》高潮部分结构

结构	主题A	插部①	主题A②	插部②	主题A③
小节数	230–270	271–286	287–314	315–361	362–388
调性	F	^{b}D	D	F	D

主题A开始以单簧管独奏呈示，选用众赞歌C部分的旋律展开，音乐由弱变强，之后由木管组、铜管组共同演奏，力度的增强丰富了音乐的表现力，弦乐也开始以欢快的三连音形式出现在伴奏声部。从独奏再到齐奏的转变也预示着将士内心状态的变化，由之前的不安变得镇定，他们也通过高唱“相信自己，最后总会胜利”来激励自己和战友，战争一定会取得最终胜利。

主题A的第一次变奏（主题A②）也是通过乐队齐奏的方式，表达上变得更加明朗，好像马上就能迎接胜利的到来，他们一直吟唱这首古老的歌谣，也使得必胜的信念更加坚定了。

主题A的第二次变奏（主题A③）同样以乐队齐奏的方式呈现，弦乐组以众赞歌C的旋律为素材，通过三连音的方式展开。其实，从音响效果上分析，主题两次变奏的区别不大，第二次变奏的情感表达相较于第一次更进一步，因为这时英雄已经取得了战争的胜利，他们依然在热情高歌，但这次是为了自己庆祝，在他们自己的努力下，国家获得了和平。E部分是一首进行曲，结构宏大，作为整首作品的最后一部分，斯美塔那在回旋曲结构中将主题A做了三次变化发展，最终对胜利场景的刻画中，又将军歌《上帝的战士，你们都是谁》再次呈现，加深了人们对这首歌曲的了解，也可以看出斯美塔那对历史英雄的崇敬之情，认为捷克终将会迎来自己的胜利。

最后是《布朗尼克》的尾声部分，斯美塔那将套曲中第一首作品中出现的维谢格拉德主题与众赞歌的音乐融合在一起，这也成为该作品的点睛之笔。其实，这个尾奏具有双重功能性，既代表着《布朗尼克》的结束，又代表了整部交响诗套曲的结束，维谢格拉德主题与众赞歌分别代表了不同的含义，前者所代表的是历史上为国家、为民族而战的英雄，众赞歌则代表了捷克历史上誓死守卫捷克的反抗力量，斯美塔那在创作中将这两种形象融合在一起，将捷克人民心目中历史与传奇中存在的英雄形象重新呈现在人们眼前。两首作品的关联性强，斯美塔那花费了很大的篇幅去描写胡斯战争，在整部套曲的结束部分又再现了英雄内容，足以看出斯美塔那对这场战争中的英雄有非常浓烈的情感。通过音乐的表达方式将捷克的历史再现了出来，将捷克人民心中的英雄情结唤起。斯美塔那也想通过作品告诉人们：捷克历史中为国家、为民族浴血奋战的英雄是我们的精神支柱，国家的解放需要在我们这一代实现，抗争是获取自由的唯一途径，只有抗争才能获得真正的自由。

斯美塔那将自己最深厚、最浓烈的情感全都融入在作品《我的祖国》之中，他在音乐中表达了捷克人民对外族统治者的愤慨与不满，也将捷克人民心中想要解放、自由的心愿表达出来，作品的创作对整个捷克民族有着非常重要的意义，我们从作品中真切感受到了斯美塔那心目中的"英雄"形象，也感受到了斯美塔那深厚的爱国情感。

4. 作品中"英雄"形象蕴含的审美价值

在斯美塔那的作品中，交响诗套曲《我的祖国》无疑是最具代表性的，从李斯特创作出交响诗这一艺术形式，到最后斯美塔那凭着对这一体裁的创作成为“捷克音乐之父”，他将这一体裁形式进行创新发展的同时，又将捷克的历史文化、人文地理、传说等元素融入作品中，为世界民族音乐的发展贡献了自己的力量。

其实，斯美塔那在早期创作中就体现了对英雄题材的偏爱，但以捷克本民族英雄为素材创作是在斯美塔那的创作后期。《我的祖国》就以捷克历史上或传说中民族英雄的事迹为主要创作方向，在表达自己对历史英雄缅怀的同时，通过套曲的形式，将六首作品整合在一起，打破了观众接受的单一性，从听觉上给观众以震撼，六首作品中分别塑造了不同的英雄形象，也引起了更多人的情感共鸣。不论是作品传达的爱国情感，还是作曲家塑造的英雄形象，都是作品艺术价值的重要体现，这些价值的表达也需要我们认真去探讨。

（1）文本的审美价值。

首先，英雄题材的广泛性。交响诗是标题音乐的重要体裁，题材多来源于文学、戏剧、诗歌、绘画等不同形式，带有哲学性、宗教性的特点。在前文的论述中曾提到，斯美塔那在早期的创作中刻意模仿李斯特的风格创作了三首交响诗，分别取材于莎士比亚、席勒，以及奥伦施拉格的戏剧诗，当时斯美塔那的创作还带有一定的局限性，多以国外戏剧文学中出现的英雄为素材创作。直到创作《我的祖国》，他才准确找到了属于自己的定位，对交响诗的创作内涵也有了更为深刻的理解，因此，他的创作视角从世界主义转变为捷克的民族主义、爱国主义。斯美塔那非常满意自己的这次创作：“我敢说在这些诗篇里我大胆地确定了一种个人的形式，一种全新的形式。从根本上说它只有一个名字，那就是交响诗。因此，对于那些不想听到半点艺术的进步，永远只愿走老路的人来说，这些交响诗简直就像怪物一样可怕。”①

从英雄题材的选择上来看，整部套曲中有三首作品都取材于捷克的古老传说，《塔波尔》是以捷克历史上真实发生的事件为素材，作曲家对作品题材的选择也开始带有现实主义色彩；《维谢格拉德》中通过吟游诗人

① 库尔特·霍诺尔卡．斯美塔那［M］．关惠文，译．北京：人民音乐出版社，2005．

鲁米尔的讲述，呈现了一位古代骑士与战斗的故事；《莎尔卡》则从女性英雄形象的塑造方面，凸显了祖国的形象。《塔波尔》中选择使用众赞歌的旋律展开创作，体现了捷克历史上胡斯战争中体现出的光辉的英雄主义精神，《布朗尼克》中刻画了沉睡在布朗尼克山中的勇士挽救人们于水深火热之中。斯美塔那对套曲中的六首作品的创作都赋予了深刻的艺术内涵，对于每一首作品的题材选择也都带有一定的深意，这也需要联系当时整个民族所处的政治与历史环境，当然还要联系斯美塔那的个人经历。斯美塔那整个创作生涯的方向有很大的转变，从最初对政治的漠不关心，到成为一名名副其实的爱国主义作曲家，他在思想上的转变非常鲜明，对于创作而言，他更多的是为他所处时代的人民而创作的。有人曾评价斯美塔那的音乐是隐藏在人群之中杀伤力非常大的武器，可以通过这些作品影响人们抵御外族侵略。因此，斯美塔那创作的英雄题材的作品具有极大的社会功能性，具有很强的现实性。

其次，英雄形象的继承性。整部作品中的六首作品是经过多年创造积累而成的。“作曲家一气呵成完成了前四个乐章的创作，后两个乐章关联性较强，但也是在不同时间里创作的。第一批手稿的完成可以追溯到创作《里布舍》的年代，如果当时乐队指挥莫里茨·安格尔的话值得相信，那么，作曲家是在1867年开始萌生了创作这部著名交响诗套曲的想法。当时作曲家亲眼看到了伏尔塔瓦河的两条源头溪流之后，便制定了具体的创作计划。毫无疑问，套曲中的作品是逐渐积累的，就连作品的标题也是在第四首交响诗完成之后想出来的，当时作品的题目被暂定为《祖国》，‘我的’这两个字也是在后两部作品创作完成之时加上去的。”①

套曲中的六首交响诗具有一定的独立性，每一首作品单独拿出来依然是一部非常完美的作品。但斯美塔那将它们组合为一部套曲，从作品的艺术形象与音乐主题表达方面联系在一起，这也是整部套曲结合的必然。整部套曲先后花了五年时间创作完成，虽然每首作品的标题不同，但作品的立意与主题具有一定的统一性，由此构成了一部结构庞大的作品。除了作品的表现形式，该作品也是同类作品中篇幅最为宏大的一部，在创作题材

① 库尔特·霍诺尔卡. 斯美塔那［M］. 关惠文，译. 北京：人民音乐出版社，2005.

的选择上，运用了很多音乐以外的元素展开创作，这是对斯美塔那创作能力的认证，他非常擅长运用音乐之外的主题进行创作，通过特定的形式将这些元素组织在一起，并以音乐的方式将它们的特点表达出来[①]。

“英雄”形象内涵具有一定的继承性，在作品中的具体体现是斯美塔那对六首作品以套曲的方式进行了整合，从作品内涵表达的层面营造了一种“英雄”形象的连续发展。首先，通过对套曲中六首交响诗作品的了解，主题的再现增强了音乐表达的统一性。六首作品的结构都非常庞大，其统一性具体表现在《维谢格拉德》的主题动机在第二首《伏尔塔瓦河》，以及第六首《布朗尼克》的尾声中，通过首尾呼应的方式让观众可以感受到主题之间的呼应。

《维谢格拉德》中描绘了捷克历史的光辉时刻，其主题动机出现在整部套曲的结束部分，与开始的音乐表达形成呼应。斯美塔那这样处理的目的在于从情感层面引导观众理解作品的表达，作品开始部分出现的辉煌将听众拉进回忆之中，最后的再现是想表达祖国终将会迎来荣耀时刻，他希望捷克人民可以始终保持着必胜的信念，就如作品中呈现的捷克民族英雄一样。

从套曲中六首作品的内容分析，我们也能发现交响诗之间的关联性，首先，《维谢格拉德》带有庄严的交响效果，史诗性的表达拉开了整部套曲的序幕，作品的主题动机代表了历史上的勇士通过战斗为捷克赢得的辉煌，斯美塔那对民族的独立与自由给予了美好的希望。第二首交响诗《伏尔塔瓦河》在表达上极具诗意化，以捷克秀丽的风景与有关母亲河的传说为素材，通过温婉动人的旋律，表达对祖国大好河山的热爱。从前两首作品的创作模式可以了解，如果将整部套曲比作一篇文章，那这两首作品更像是文章的开头，既饱含了对以往辉煌经历的回忆之情，也赞颂了祖国的大好河山。从听众的角度分析，这样的情节设定是想要了解祖国的历史与现在的河山。但是，再好的回忆都已经成为过去，人们需要行动起来保卫眼前的一切。第三首《莎尔卡》中所呈现的英雄气概和戏剧性表达与之前两首作品之间存在着鲜明的对比，斯美塔那试图将人们从虚幻拉回到现实

① 王婷婷．斯美塔那交响诗结构研究［D］．上海：上海音乐学院，2009．

中，美梦被惊醒之后便同娘子军一起反抗压迫。再往后《捷克的田野和森林》中又描绘了捷克秀丽的风景，还加入了在田野中劳作的人民，整首作品充满了愉快、欢乐，想让人们忘记悲伤，哪怕时间很短暂。但作曲家创作时更多是想要通过作品提醒人们，这样欢乐和谐的氛围也是不存在的。这为那之后战争场面的描写做了一定的铺垫，以暗示的方式表达人们需要为了自由与幸福而不断奋斗。第五首交响诗《塔波尔》以捷克历史上真实存在的胡斯事件为素材展开，以捷克古代著名的军歌《上帝的战士，你们是谁》为重要创作手法。

第六首作品中加入了传说故事，但众赞歌在作品中占了很大的比重，斯美塔那对众赞歌的旋律也进行了发展。如果说第三首交响诗只想将活在自己美好幻想中的人们拉回现实，最后两部作品则直奔主题，告诉人们要向历史上的英雄先辈一样，不能坐以待毙，要有必胜的信念、勇往直前的精神，团结起来才能捍卫国家、捍卫民族的权益。

从作品主题的呈现到六首交响诗作品所表达的内容分析，斯美塔那将“英雄”形象的塑造贯穿始终，不管是辉煌的历史还是古老的传说，乐曲中通过对民族英雄的赞颂引起人们情感的共鸣，甚至在歌颂祖国河山的《伏尔塔瓦河》与《捷克的田野和森林》这一类抒情作品中，也暗含着斯美塔那的家国情怀，除了对捷克景色的赞美，也从侧面表达了正是因为依靠着这样有生机的国家，才培养出了这么多英勇顽强的民族英雄为保卫国家和民族而战。

（2）情感的审美价值。

“英雄”形象具有抗争性，斯美塔那从创作《维谢格拉德》开始便承受着极大的精神负担。“我有时感到耳朵给塞上了，同时脑袋里直打转，好像我得了眩晕症似的。这种恶劣的状况开始于一次小规模的猎鸭之后，因为正是猎鸭时天气突然起了变化。”[①]直到1874年10月19日，他彻底失聪，当时的斯美塔那承受着令人难以想象的痛苦和打击。而且很多老捷克人还对他进行言语上的攻击，但这也并没有让他屈服，“在我看来，正是这些谎言和无耻的诽谤使我觉得更有责任不屈服，相反，应该更加

① 库尔特·霍诺尔卡．斯美塔那［M］．关惠文，译．北京：人民音乐出版社，2005．

坚持……”[①]

彻底失聪后的斯美塔那离开布拉格，搬到了布拉格附近的一个小村庄，《我的祖国》后四首作品，以及之后的几部歌剧作品都是在这里完成的。他曾在日记中写道：“一定会拿出自己所有的勇气与男子汉气概，避免让绝望的情绪摧毁自己，也不会试图通过暴力的方式结束自己的痛苦，要为了家庭、人民、祖国继续工作。当时身体上的疼痛尚可接受，最难以忍受的是脑子里持续存在的轰鸣声，有时还会是震耳欲聋的鼓声、尖锐的叫喊声，容易让人产生恐怖的联想，始终让斯美塔那处在一种地狱般的喧闹之中，非常影响日常的创作，最后只能绝望地放弃自己热爱的创作，甚至自己都不知道最后能落到何种结局。”[②]

万物皆起源于非理性意志，这也是宇宙中存在的最高法则，其中包含了强大的斗争性与不协和性[③]。作品中英雄形象带有的审美效果与斯美塔那当时的生活状态之间存在密切的关联性，他对生活采取的抗争、不屈服的态度都融合到了英雄形象的塑造中。例如，《塔波尔》是以捷克历史上真实发生的事件为素材，讲述了胡斯党人反抗德意志政权发动的战争，刻画了努力维护人民权益的英雄形象，战争持续了十五年后以失败告终。斯美塔那又选择了《上帝的战士，你们都是谁》这首古老的军歌，作品也体现不畏艰险、勇往直前的英雄气概。胡斯战争的持续就像是斯美塔那与自己的病痛抗争一样，他没有选择向病魔屈服，因为对他来说，痛苦与疾病都是他的敌人，在与病魔抗争的过程中，就像是上阵杀敌的勇士。从战争的角度分析，在危难时刻为国家、民族挺身而出的就是英雄，勇敢、正直、坚强等特征性名词也是英雄形象塑造中必不可少的。因此，坚韧性与抗争性也属于英雄的特征属性，斯美塔那在创作中将自己对人生的体会再次灌输到作品中，赋予了英雄形象更为深刻的含义。正如作品中呈现的那样，他依靠坚强的意志与病魔斗争，没有胆怯，选择继续以创作的方式体现自己生命的价值，这是值得敬畏的。

从斯美塔那早期的交响诗作品可以看出，同样是英雄题材作品的创

①② 库尔特·霍诺尔卡．斯美塔那［M］．关惠文，译．北京：人民音乐出版社，2005．

③ 闫博．尼采生命美学研究［D］．西安：陕西师范大学，2009．

作，但最后都以悲剧结束。而在交响诗套曲《我的祖国》中，结尾并没有采用悲剧化的处理方式，其实不仅《我的祖国》，斯美塔那失聪后创作的很多作品，如歌剧、钢琴曲、弦乐四重奏等都采用了积极、明朗的情绪表达，有的还是喜剧化的处理，由此可见，斯美塔那在这一阶段对人生的感悟也提升到了一个新的高度，创作中也多体现了积极乐观的心态，这也是强大生命精神的体现。斯美塔那在创作中也将这种精神融入英雄形象的塑造中，因此，《我的祖国》所表达的情绪都是乐观、积极的。这种形象不仅体现在作品中，也是斯美塔那内在情感的体现，之后捷克历史上的民族解放斗争也受到这种精神的鼓舞。

“凡音之起，由人心生也。人心之动，物使之然也。感于物而动，故形于声。”自古以来，对于音乐的产生都有不同的观点，从唯心主义的角度出发，音乐的产生源自人的内心，对于英雄形象的刻画源自作曲家强烈的爱国情感，这也是作曲家在作品中一直想要传达的内容。

斯美塔那还创作过很多其他音乐题材的作品，在这些作品中也有对英雄形象的塑造，但作曲家为何还要选择结构如此庞大的一部交响诗套曲去塑造英雄形象，必定有他的深意。从作品中呈现的不同的“英雄”形象分析，如《维谢格拉德》代表的是传说中为捷克而战的英雄形象；《莎尔卡》刻画的是为权利与自由而战的女英雄形象；《塔波尔》中塑造的是胡斯战争中出现的反抗压迫统治的英雄形象。将不同的英雄形象集合在同一部套曲作品中，就是为了体现深刻的爱国主义精神，这是作品之间最紧密的关联性。通过这样的形式能更好地丰富英雄的形象表达，让更多的人了解捷克民族的爱国主义精神。

斯美塔那曾说：“我们的民族一向以音乐民族著称”“为爱国主义精神所鼓舞的艺术家的任务，就在于巩固这一光荣传统”。斯美塔那的音乐创作主要受到捷克传统民族元素的影响与爱国情感的感召，甚至在整个音乐发展史中，很难再找出一位像斯美塔那这样的作曲家如此热衷于歌颂本民族的文化，他是在交响诗领域与民族乐派领域中传承民族精神的重要开拓者与实践者，也正是因为斯美塔那热烈的爱国主义情怀，才更好地赋予了作品中“英雄”形象更崇高的文化内涵。

斯美塔那所取得的艺术成就与他所经历的艰苦、波折是分不开的，他的爱国主义精神也影响了很大一批同样有着爱国情怀的捷克人民，这样的精神随着斯美塔那作品的创作得到传播。斯美塔那是捷克人民公认的民族文化的创造者，他的创作理念被越来越多的人所理解，他的精神一直激励着捷克后世作曲家的创作。

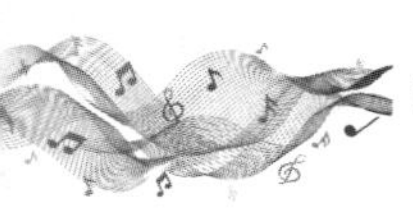

第四章 京剧作品中对“英雄”形象的塑造

京剧作品中塑造的角色都带有中国传统戏曲的特点，总体分析，剧中的角色塑造除了像其他文学、戏剧作品中的创作手法之外也有其独特的表达方式。

首先，京剧中角色塑造体现个性化与类型化的结合，京剧舞台上的人物表达都非常具体，还有明确的行当划分。在京剧的剧本创作时，不管道白、唱词、行为动作都能归入京剧的某个行当。在剧本写作时，无论人物的唱词、道白还是角色的动作行为都要符合角色的形象表达与所属行当的表演方式。传统戏曲中的行当依据角色的年龄、性别、性格与社会地位进行划分，然后通过服饰、化妆、表演区分。能够让观众以此为依据判断舞台上人物的大体性格，一些特殊行当的造型、唱念与表演又能强化角色的特色表达。

其次，京剧的角色呈现往往不拘泥于角色的外形，而会侧重于对角色内心世界的揭示，以更好地体现这一角色的气质、性格、意志等，这是京剧作品中塑造角色的特点。京剧中通过歌唱、舞蹈、诗词等程式化的表达手法揭示人物，有时会采用自报家门的方式简单交代一下角色的定位与性格特点，让观众直观地了解人物的基本性格。

京剧剧本中，不需要像写实主义话剧那样，在一个非常实在的地点和环境、非常具体的时间里，非常符合现实地表现人物的要求。它用歌唱、诗词、舞蹈化的程式动作等虚拟手法直接揭示人物的精神世界。例如，京剧剧本往往以极其凝练的方法，在人物刚刚出场时，用引子、对子、定场诗或自报家门等办法，几笔就勾勒出人物的性格特点，让观众一下子直接进入，快速地了解人物的基本面目。又如，京剧剧本常常使用独唱、旁唱，以及幕后伴唱等形式，直接抒发人物此时此刻的内心世界，不受空间时间的限制。

对于英雄题材作品的创作，很多历史题材与革命题材的作品中都有出现，但创作时间、创作观念也显示出不同的作品内涵。因此，本章将选取两个较具代表性的京剧作品，从传统历史题材的作品到革命题材作品的创作，了解剧作家在京剧作品中对英雄形象的塑造。

第一节 历史题材

在中国艺术发展史中，不管从历史的角度还是从当代艺术的审美角度，戏曲是一颗璀璨的明珠。在古代戏曲作品中，英雄群像一直都是大家赞颂的对象，如杨家将、岳家军等，这些作品显示人们对英雄的崇敬之情，因此，是戏剧作品在舞台上能够永葆鲜活生命力的重要原因。而杨门女将凭借着全新的女英雄形象初次登上了戏曲音乐的舞台，这为我国戏曲音乐的创作与发展注入了新鲜的血液，成为戏剧史上非常重要的一部作品，这些女将智勇双全，为了国家和人民的利益做出了巨大的贡献。因此，本书试从创作的角度，分析作品中对这些女性英雄形象的塑造是如何展开的。

一、戏剧来源

杨家将的故事最早出现在北宋时期，主要讲了杨家一门忠烈，为抵御外族侵略，征战沙场，保家卫国的英雄事迹。之后杨家将的故事出现在很多文学作品与戏曲作品之中，随着不同时期的文化发展逐渐创作出更多样化的戏剧形式。历史典籍中记载的杨家将的故事大家都不陌生，杨家祖孙三代都是宋朝的将军，历史上都是真实存在的，这些英雄故事被记录在了戏剧作品中传颂至今。

南宋时期，开始出现“说话”这一艺术形式，大家熟知的杨家将的英雄故事逐渐被说话先生编入话本。发展至元代后，有些说话先生在原有故事基础上加入了很多虚构的成分，杨家将的故事在民间广为流传。元代杂剧发展起来之后，杨家将的故事出现在戏曲舞台上，很多知名的杂剧作家都以此为素材创作过。至明代，我国的小说得到了新的发展，很多民间故事和文学作品不再简单地以口口相传的方式传播，开始更多的在知识分子领域流传。很多的文本为之后戏曲作品的创作提供了非常丰富的素材。

本节主要的研究对象是杨门女将，杨家将抵御外敌入侵，开始并没有出现女将，之后女将的产生也是因为当时特殊的政治背景与文化背景。

二、杨门女将形象产生的背景

杨门女将在历史发展中，以及在文学作家的笔下，从最初的稍有提及到成为鲜明女英雄的代表，离不开当时的社会历史背景与文化背景。杨门女将的出现也是在宋元时期这一特殊历史背景下，社会矛盾、民族矛盾不断激化的产物。从北宋时期开始至明代初年，民族之间战争不断，中原地区面对契丹的入侵无力抵抗，为求安稳，宋朝每年还会向契丹进贡大量财物，人民一直生活在水深火热之中。正是处在这样的历史背景下，人们希望能够出现可以抵御外族侵略、保卫国家的民族英雄。因此，这一时期的很多文学戏剧作品中会被赋予人民的精神诉求。这一类体裁的作品在金元时期的戏剧作品中大量涌现。

每当有外族侵略时，杨门女将就会挺身而出承担起保家卫国的重大责任，女英雄的形象自然被大众所认可与接受，这些巾帼英雄的代表受到了人民的热烈追捧，同时开创了女性英雄形象的先例，丰富了杨家将故事的戏剧性表达，自此杨门女将受到了越来越多的关注与喜爱。明中期之后，社会思潮发生转变，开始出现一些反封建色彩的作品，这些作品倡导人的自我发展，肯定了男女平等观念，有了这一系列进步思想的铺垫，杨门女将有关作品获得了很大的发展，这些女英雄的出现也反映了当时社会的进步。在这些进步思潮的影响下，女将获得了更多的认可，使这样的形象更多地出现在了戏剧作品之中。

从文化层面分析，杨门女将在宋代之后逐渐发展成为一个相对完整的巾帼英雄形象体系，除特殊的社会政治环境外，文化在历史发展中所留存下来的信息也是至关重要的。

在文学发展史上，戏曲在明代的发展较为突出，戏曲的繁荣发展为杨门女将在戏剧作品创作中的形象塑造产生了非常重要的作用。尤其是明代的统治者对民间戏曲的喜爱，大大提升了戏曲音乐的社会地位。

戏剧的创作与表演获得了统治阶级的提倡与推广。明嘉靖、隆庆年间，剧作家魏良辅将“平直无意致”的昆山土戏改成了“细腻婉转”的水磨腔，但在当时也没有立刻推广到舞台表演中，直到传奇作家梁辰鱼创作的《浣纱记》，配合新的昆山腔，一经上演便得到了大众的喜爱，不仅使杂剧在明代生存下来，南戏也获得了进一步的发展。随着这一艺术形式的发展，出现了很多剧作家，如王国维的《曲录》中就记载了298位作家，仅明代就有128人，作家数量之多、分布之广，高过任何一个历史阶段。由此可见戏曲在明代的繁荣发展。在元代到明代的历史发展中，社会经历了一场大变革，剧作家摆脱了外族的统治，得以在一种相对轻松的氛围中进行创作，尤其是创作了很多宫廷题材的作品。与此同时，以女性形象展开创作的戏剧作品也得到发展，《杨门女将》就创作于该时期。

另外，很多传统的古典文学作品中也有反剥削、反压迫、反礼教的作品，这些作品中塑造了一些追求爱情自由、个性解放的妇女形象，她们有勇气向当时的社会喊出自己的声音，这本身也是一种英雄行为的体现。

花木兰替父从军的故事众所周知，取材于乐府民歌《木兰诗》，同样以女性角色为中心，讲述花木兰替父从军征战沙场的故事。整个故事的主题表达得非常鲜明，首先，是对男女平等关系的肯定；其次，表达了英雄情结不分性别，也是《木兰诗》中所体现的：“双兔傍地走，安能辨我是雄雌。”整部作品都体现了深刻的爱国主义精神与英雄气概，通过花木兰替父从军的故事展现巾帼英雄的英勇，是对封建社会男尊女卑现象的蔑视。很多剧作家选择以该作品为题材创作也是对这一典故中的内涵表达认同，显示出人们对爱国精神的继承与发展，花木兰也成为鼓励封建社会中女性追求自己幸福的形象代表，为京剧《杨门女将》中女性英雄形象的塑造奠定了基础。

三、女将英雄群体在作品中的具体呈现

多年来，杨门女将的英雄形象多次登上我国戏曲音乐的舞台，深受观众喜爱。很多作品从不同的角度刻画了巾帼英雄所具有的智慧与胆识，除了具有同男性一样的英勇无畏外，还有着女性独有的性格魅力。从中国戏剧发展史分析，杨门女将，既有共同的群体特征，又有各自不同的个性，宛如群芳争艳，精彩纷呈。不同的戏剧作品中不仅将她们征战沙场的飒爽英姿表现得淋漓尽致，而且作为一种戏曲表达形式，唱词、表演与服饰化妆等体现了女将的柔美之感，这也是女性英雄角色独有的魅力。

1. 智勇双全

在中国古代社会中，会分别用"阳""阴"和"强""弱"代表着男女的不同属性。但在戏剧作品中，在角色设定上打破这了这一传统的世俗偏见，没有出现"男强女弱"的表达，这些女将以"武"为美，在战场上表现出了丝毫不逊色于男性的英勇，救国家于危难，奋勇杀敌。在很多地方戏曲中，杨门女将中的佘太君、穆桂英等不仅武艺高强、英勇善战，还非常善于排兵布阵，以谋略取胜，在不同的戏剧作品中这些巾帼英雄的形象都有不同程度的呈现与表达。

杨门女将中，佘太君是贯穿整个故事始终的一个角色，当杨家的男将相继在战场英勇捐躯之时，有谋略有担当的佘太君便成为统帅，带领杨家将奔赴战场。很多地方戏曲中，也从不同角度塑造了佘太君这一形象，如在《七星庙》中，既展现了佘太君年轻时候的飒爽英姿，也从故事情节的发展中感受到了她的智勇双全。在《昭代箫韶》中，佘太君的形象开始出现阶段性的变化，更多的是作为母亲的形象出现，也能看出她是一位足智多谋的武将，在"破天门阵"时，她的带兵能力与智慧得到了淋漓尽致的体现。

在上党梆子《三关排宴》中再次展现了佘太君的大将风范，作品中讲述了她作为宋朝代表与辽议和，虽然在表现上只是两个国家中的一次普通外交，但实际情况要复杂得多，谋略上的较量也将剧情推进得格外激烈，

两个人各怀心事，佘太君多年浴血奋战、出生入死才争取到了如今的局面。佘太君是以战胜国的代表参加，而对方还是自己在战场上的对手，她内心很难做到平静，但为了国家社稷，她选择顾全大局，以礼相待，这也是她智慧的体现，友好中带有外交时的庄重与严肃：

想当年贵国兵频频进犯，只落得国不宁民受颠连；从今后结盟约罢兵息战，萧国主堪称得女中英贤①。

这一段是佘太君在谈判时面对萧银宗演唱的，曲调缓和深沉，将佘太君在外交时的智慧很好地显示了出来，同时佘太君提到了“民受颠连”，以此为切入点将谈判的重点转移到人民群众的利益上，使自己占据了谈判的上风，并以此为契机提出休战。之后又表达了自己对萧银宗的赞赏，使对方不得不接受自己的谈判条件，这也正是佘太君谈判智慧的体现，且直接促成了这次谈判的成功，使她整体戏剧形象的呈现更为丰满。正是在佘太君的英勇领导下，敌军节节败退，这让佘太君威名远扬，杨门女将也被大家所熟知，为后世戏剧作品中女性英雄形象的呈现奠定了基础。

穆桂英是杨门女将中另一位非常重要的代表，她机智勇敢、武艺高强，其“神箭飞刀”达到了无人能及的程度，凭借着战场上的沉着冷静，让敌军望而生畏，她英勇无畏的气概与随机应变的能力更是为人们所称道。就像民间流传的那句话：“七十二座天门阵，阵阵离不了穆桂英。”

在京剧《杨门女将》中，“智取葫芦谷”让众人对穆桂英的智慧大加赞赏。杨宗保身亡之后，穆桂英悲痛万分，但她清楚，需要保持清醒，仔细了解杨宗保的死因之后，便冷静下来仔细分析个中原委，分析敌军的动机及双方的优劣势，最后提出采取速战的方式。经过周密的谋划，以智取的方式发动进攻，当敌军使用诱兵之计时，穆桂英佯装提醒众将需要严加防范，之后“将计就计”：

葫芦谷口有暗算，要将文广困绝山；诱兵计，将我赚，我将计就计来

① 中国戏曲研究院．戏曲选：第六卷［M］．北京：中国戏剧出版社，1963．

周旋；顺水推舟虎穴探，险中智胜把敌歼[1]。

之后，穆桂英还使用了一系列的连环计策，待一切安排妥当，穆桂英亲自挂帅出征，这让连年征战沙场的佘太君也不禁对自己孙媳妇的英勇和胆识发出感叹：

桂英儿真是个英雄虎胆！闯虎穴入龙潭气壮河山；此去绝谷把路探，边关安危一身担[2]。

整场戏将穆桂英的英明、果断、聪慧表现得淋漓尽致，也使得整部作品在表达上更加丰富，使穆桂英这一角色的形象更加丰满。

杨八姐也是《杨门女将》中让人印象深刻的角色，很多地方戏曲中也有以杨八姐为对象创作的，如《杨八姐盗刀》中，讲述了杨八姐为盗取定宋宝刀，将自己装扮成受伤的小道士多次进道观偷刀的故事。但当时的装扮正好被银花公主撞见，公主对杨八姐一见钟情，非常喜欢，于是想要让“他”当自己的驸马。杨八姐面对银花公主的成亲要求，灵机一动，想试图通过卦象让公主改变主意，便占了一卦，说要想成亲需过完冬天，否则就会短命夭亡，需要等百日之后才能成亲。在获取萧太后与银花公主的信任之后，便找借口进入封锁宝刀的阁楼，之后成功拿到了宝刀。得知萧太后命银花公主出兵支援前线，杨八姐计上心来，认为这是一次带走宝刀的绝佳机会，于是带刀出征，路上找机会得以顺利逃脱。这场戏中杨八姐不仅用自己的智慧完成了盗刀的任务，还让自己毫发无伤地回到了营地。

杨排风原是杨家的烧火丫头，之后受到佘太君的赏识，开始出现在女将中，是出现比较晚的女将。京剧《雏凤凌空》中，杨八姐、杨九妹被困于绝谷，孟良回朝找援兵，在佘太君的推荐下，杨排风率兵前往，最后获得了胜利。因为杨排风自小就在天波府长大，不管在品行还是武艺方面都受到了很大的影响，因此佘太君便向皇上举荐了杨排风：

---

①② 中国戏曲研究院．戏曲选：第六卷［M］．北京：中国戏剧出版社，1963．

排风生在天波府，文韬武略学老臣；练就一条青龙棍，两膀臂力举千斤；我杨家又出了破敌小将，烧火丫鬟改作栋梁；长江后浪推前浪，我定保排风下边关杀退辽帮[①]。

上述唱词是佘太君向皇上推荐杨排风时演唱的，评价了杨排风骁勇善战的能力与精湛的武艺，当很多大臣质疑甚至阻拦时，杨排风与谢庭芳现场比试，目睹了杨排风的武艺之后，大家也都给予了佘太君和杨排风肯定。当杨排风抵达三关之后，首先打探内部的虚实，了解谷中的风向，之后又提出了“以毒攻毒，以火攻火”的锦囊妙计，对杨延昭说：

现在多数粮草都在敌军大营堆积，想要攻下双龙谷就需要借助南风的势头，当地民谣中唱到“双龙谷，立双龙，双龙脾气大不同。白天风往谷里灌，夜晚谷里冒黑烟”。我们何不报信二位姑娘，明晚火烧敌营，这时我军立即南北夹击，这就叫火马穿营计，他人备柴我点火，以少胜多定成功[②]。

之后杨排风又通过书信的形式与杨八姐等人里应外合，火烧敌军军营，最终取得胜利。整部作品的创作融合了很多作品的素材改编而成，杨排风的机智勇敢表现得非常鲜明，她有胆识、有谋略，性格豪爽，但行事并不鲁莽，是一个细心周全的人。

作品中除了前文提到的女性代表之外，还有杨七娘、杨娥坤等很多女将，通过不同的剧目表现出她们作为出征女将的担当与谋略，给观众留下了非常深刻的印象。

2. 反抗精神

中国古代封建社会中有很多思想对女性非常不公平，如“男尊女卑”“三纲五常”等，杨门女将中塑造的这些戏剧形象无一不在对这些封建思想进行冲击，这在很多的剧作中都出现过，是她们反抗精神的重要体现，

①② 陶君起．京剧剧目初探［M］．北京：中国戏剧出版社，1963．

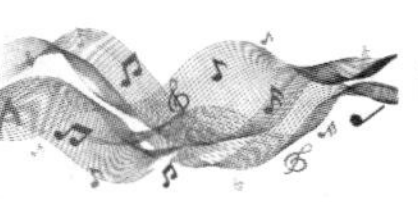

尤其是在清末明初时期，故事经过改编加工之后，这些杨门女将的形象更是在戏剧作品中有了更丰富的表达。

最具反抗精神的代表就是穆桂英，在《穆桂英》第二场中主要讲述了穆桂英与杨宗保之间的爱情故事：穆桂英是山寨之女，从小在山寨中长大，对于封建社会中束缚女性的很多枷锁她都不屑一顾，对自己的感情非常主动，为了争取和自己喜欢的人在一起可以和封建礼教抗争到底。因此，她为自己的感情做了很多努力，当她见到杨宗保时，演唱道：

挽丝缰勒战马偷眼观看，
杨宗保确是个英雄少年；
只见他枪尖若雨锐气盛，
果然是武艺高强不虚言；
……
山寨上下齐欢笑，
桂英我缠人的烦恼解不开；
他阵前骁勇似猛虎，
他跨马挺枪有气概；
他不愧杨门忠良后，
他不愧三关先锋才；
原只想打他的傲气杀他的威，
谁料得一缕痴情系满怀[①]。

当穆桂英见到杨宗保时，早已芳心暗许，在喜欢的人面前，她也有自己的考虑，害怕如果自己不及时表达心意，机会就没有了，因此，“门当户对”“父母之命、媒妁之言”等封建礼教思想早已不重要，想明白了之后就立刻付诸行动，跟杨宗保表明自己的心意：

真人面前不说假，
我开膛剖腹倾诚心。

① 中国戏曲学院．京剧选编：第四集［M］．北京：中国戏剧出版社，1980．

我看你少年英俊武艺高，
更羡你是杨门忠良一脉根。
阵前一见我心爱，
故而请你入寨门；
我愿与小将成伉俪，
明日送粮结伴行[①]。

可以想象，在古代社会封建思想的影响下，尤其是在感情方面，女性一直都没有得到公正的待遇。在这段唱词中，体现出了穆桂英的思想并没有受到封建礼教的禁锢，对爱情她敢于主动追求，这是她追求女性情感自由最直接的体现。

在京剧《辕门斩子》中，当杨宗保与穆桂英成亲的消息被杨宗保父亲得知时，命人将杨宗保押至辕门，穆谷英得知后并未顾及辈分观念，前去与自己的公公理论，正如她在公公面前所表达的：“夫之不幸，即妾之不幸。夫为我囚，彼即也。乃我之仇敌矣。”[②]“老公公若不把人情准下，宋营中杀一个寸草无芽”[③]表达得非常大胆，也体现了穆桂英对传统婚姻观念、家长专制的反抗，在作品的细节中穆桂英的反抗精神也得到了充分的体现。

在豫剧作品《穆桂英挂帅》中，文广兄妹在比武中刀劈王伦，最终得到帅印，回家后却被穆桂英责备，甚至逼他们交还帅印，之后通过演唱，向佘太君表达了自己的情绪：

非是我贪生怕死不挂帅印，
恨只恨宋王昏庸叫人伤心；
穆桂英十年未曾离鞍马，
咱杨家世代是元戎；
磨坏多少鞍和蹬，
才穿破了铁甲无数身；

① 中国戏曲学院．京剧选编：第四集［M］．北京：中国戏剧出版社，1980．
②③ 杨家府演义［M］．上海：上海古籍出版社，1980．

闯江山来争乾坤，
安享荣华是那昏君[1]。

通过这些唱词，将穆桂英愤怒的情绪刻画得非常饱满，她对朝政中的奸臣非常痛恨，但她并没有选择向权贵屈服，依然体现了她鲜明的反抗精神。

在杨门女将中，杨八姐也是具有反抗精神的角色代表，很多著名的剧目，如“射雁”“挡马”“游春”“晋阳斗武”“闹馆”等，都体现了杨八姐不屈的精神。在“游春”中，她更是将不畏权贵的性格表现得淋漓尽致，公然反抗皇上提亲，蔑视皇权也为角色本身带来了很强的戏剧性表达。与杨八姐相关的很多故事都受到了观众的广泛喜爱，这在很大程度上也取决于这一角色本身的性格魅力。

在作品中，杨八姐与杨九妹在未经佘太君允许下，私自春游闯入皇宫“禁地”，不巧被宋仁宗撞见，见杨八姐容貌不凡，顿起好色之心。于是，奸臣刘文晋在知晓皇上心意之后怂恿皇上并想要在皇上面前邀功，因此，宋仁宗不顾杨家一片赤诚忠心，命人到杨家提亲。杨八姐得知此事之后大骂皇上昏君，甚至说这样的昏君根本不值得杨家誓死捍卫，完全无视皇族权威与朝廷纲常，态度非常强硬。在封建社会中，皇权是不可侵犯的，杨八姐的行为是对皇权及封建礼教最直接的反抗。但杨家的大家长佘太君有着非常浓厚的忠君思想，虽然呵斥了杨八姐的行为，但也暗自骂了一声“无道君”，并且以“彩礼”为由，来劝诫皇上想要迎娶杨八姐的想法，也表现出一定的反抗精神。之后当皇帝派刘文晋带兵前去杨家问罪之时：

只听得咚咚咚咚战鼓响，
忽拉拉闪出来杨门女将一大群；
只见那穆桂英银杆枪枪挑日月，
杨排风烟火棍棍扫风云；
九妹的七星戟戟光耀眼，

① 马金凤．穆桂英挂帅（豫剧）［J］．剧本，1956（10）：55-63．

杨八姐绣绒刀刀不饶人；
一把抓住刘文晋，
是谁让你来抢亲；
……
姑奶奶我先杀你狗官刘文晋，
再杀上金殿去成亲[①]。

从这段唱词中，能够了解杨门女将个个骁勇善战、武艺高强，面对不辨是非的昏君与奸臣，表达出了自己的不满，即使面对着朝廷派出的精兵强将，依然无所畏惧，是反抗精神的体现。

对于以杨排风为对象创作的作品中，原本是杨家的烧火丫头，虽然地位不高，但凭借着自己的胆识与智慧，成为杨门女将中非常重要的存在，这一角色一改传统社会中尊卑观念非常明确的丫头形象，蔑视封建传统与性别歧视，会公然以下犯上，这样的性格特质在作品中也被表现得淋漓尽致。

在《昭代箫韶》中，就讲述了她不畏权贵、以下犯上与孟良比武的情节，因杨六郎被困辽国，在传令点将时杨排风主动请缨，但却被孟良无情嘲笑，杨排风用激将法与孟良打赌，并进行了比武，直到将孟良打得无力还手，依照原本的约定，孟良给杨排风磕了三个响头。

在三关之上，杨排风在战场上将敌军打得落荒而逃，她的勇猛震惊了杨延昭。当杨延昭问她是哪房丫头时，她也没有怯懦而不敢回复，而是以调笑的方式回复了杨延昭，不但将杨排风角色中调皮可爱表现出来，也增强了剧情的丰富性，使得整个剧情的发展更具趣味性。正是因为杨排风不受封建礼教束缚的性格，也使她成为众多女将中较受欢迎的角色。

杨金花在杨门女将中是不畏强权的代表，在很多戏剧中都表现出了这种反抗精神。如河北乱弹《杨金花夺印》，奸臣狄青仰仗着和皇上的关系夺得了帅印；之后挑衅杨家，但佘太君不愿过多追究，当杨金花得知此事

① 中国戏剧家协会．中国地方戏曲集成：辽宁省吉林省黑龙江省卷（上）［M］．北京：中国戏剧出版社，1963．

时，内心特别气愤，“咬牙切齿骂狄青”，而且换装去校场与之一较高下。但在校场看到狄青儿子连发三箭都未中时，杨金花丝毫没有掩饰，哈哈大笑，这也引起了狄青的强烈不满。然而，杨金花并未胆怯，反问道：“三箭一箭未中，如何叫我不笑？”不仅没有受封建教条的束缚，而且从细节中表现了杨金花不畏强权的反抗精神，同时她的行为也彻底粉碎了狄青父子的阴谋，因此，杨家又多了一位性格鲜明的女性。

前文中提到的具有反抗精神的女性形象，不仅为男女的性格平等奠定了基础，也为之后戏曲作品的创作提供了丰富的素材。

3. 女性英雄魅力

对于京剧作品中女性英雄形象的塑造，既带有女性独有的柔和之美，又带有男性性格中刚强的一面。整个杨门女将群体中所呈现的戏剧形象不仅仅是女性独有的大方、温柔的魅力，也有战场上骁勇善战的刚强美。虽然都是女性，但不同年龄段的女性所表现的性格魅力也大不相同，其中既有少女的青春活泼、古灵精怪，又有为人母之后带有的母性魅力。这些形象的差异都在不同的作品中以丰富的表现方式呈现出来，刻画细致入微，让观众更全面地了解了杨门女将中的角色形象塑造。

《四郎探母》中着重刻画了佘太君与杨四郎之间的母子情，在佘太君和杨四郎会面之时，将佘太君母性的一面刻画得非常深刻，整个故事以杨四郎表达对母亲的思念开始：

被困幽州思老母，
长挂心头。
高堂老母难叩首，
怎不叫人泪双流。
想老娘，想得儿，肝肠痛断；
哭老娘，哭得儿，泪洒在胸前；
想老娘，思得儿，茶饭难咽；
想老娘，想得儿，昼夜不眠[①]。

① 王钝银．戏考大全：第一册［M］．上海：上海书店出版社，1990．

唱词表达了杨四郎对佘太君的思念与孝敬，也间接表达了佘太君深受子女的爱戴。除了作为杨家的大家长，也表现出了佘太君作为母亲的亲切和蔼的一面。当佘太君见到分离十五年的儿子时，重逢之际，情不自禁，潸然泪下：

一见娇儿泪满腮，
默默珠泪洒下来；
沙滩赴会一场败，
只杀得杨家将好不伤怀。
我的儿啊，那一阵风把儿吹回来①。

这场戏将一位母亲对孩子的思念与牵挂表达了出来，当得知杨四郎已经结婚之时，就如同所有的母亲一般，会关心自己孩子的家庭幸福，夫妻关系和睦，公主怎么样等。在得到杨四郎肯定的答案之后，佘太君也非常欣慰，甚至希望可以见一下这位贤德的儿媳，但因政治原因无法见面，深感遗憾。这场戏非常细致地刻画出作为母亲，佘太君性格中非常柔情的一面，一改往日天波府大元帅的形象，展现的是一位有血有肉的母亲形象，在情感表达上也更加平易近人，为此收获了观众的喜爱。日本著名学者青木正儿在其文章中曾描写近代以杨家将为题材创作、演出的盛况：“近时所行之京戏中演其一门事迹者多，《李陵碑》之外，《四郎探母》《穆柯寨》《辕门斩子》《雁门关》等各出，极受台下欢迎。”②

在《穆天王》中，面对提亲问题时穆桂英一改以往的勇敢果断，显示出她性格中小女人的一面，让人耳目一新。此时，穆桂英不只是征战沙场的女将，而是即将步入婚姻的娇羞女儿，如作品中有一段穆桂英与手下穆瓜的对话，她想让穆瓜去探听杨宗保的口风：

穆桂英（白）：哎，穆瓜你告诉他，可是活着好的多呀！
穆瓜（白）：哎哟，人家愿意死，拿刀把他杀了就得啦，费这么些话

① 王钝银．戏考大全：第一册［M］．上海：上海书店出版社，1990．
② 青木正儿．中国近代戏曲史［M］．王古鲁，译．北京：商务印书馆，1936．

干什么！

穆桂英（白）：哎哟，闹了半天你不明白我的心事啊？

穆瓜（白）：哎哟，我哪儿又知道您的心事啊！

穆桂英（白）：无用的东西，躲开这儿！我自己说去。

穆瓜（白）：早就应当这么办①。

这段对话以略带喜剧色彩的形式将穆桂英作为少女的娇媚之态以轻松的方式刻画了出来，也将她在爱情中所采取的积极主动的态度与这一过程中的真情流露表达了出来，体现出角色中带有的女性的矜持之美。

在《穆柯寨》中，孟良、焦赞奉命盗取降龙木，与打猎的穆桂英恰好相遇，作者借焦赞之口赞美了穆桂英的美貌。

穆桂英生来真好看，
好似嫦娥月里仙；
柳叶眉是杏核眼，
头上青丝挽着云环；
走道儿好像风拂柳，
金莲不过三寸三②。

在京剧《杨门女将》中，穆桂英的身份已经不再是少女，她具有妻子、母亲、儿媳、孙媳等多重身份，在角色的形象表达上更为丰富，且性格中的成熟与稳重也增加了。例如，在戏曲作品中寿堂一场中，穆桂英为杨宗保办寿辰，气氛喜乐，她以幸福、甜美的形象示人，如梳“大头”、穿“腰包”、甩着水袖，这都体现了穆桂英性格中妩媚动人的一面。为杨宗保布置寿堂时，当着年轻丫头的面，内心依然非常欢喜，面带笑意唱道：

可笑我弯弓盘马巾帼将，
传杯摆盏内外忙。

---

① 中国戏曲学院．京剧选编：第四集［M］．北京：中国戏剧出版社，1980．

② 王钝银．戏考大全：第三册［M］．上海：上海书店出版社，1990．

想当年结良缘穆柯寨上，
数十载如一日情深意长。
瞩目边关心向往……[①]

穆桂英的戏剧形象在表达中也变得更加丰满，把之前征战沙场、屡建战功的女英雄形象与一个幸福的妇人形象融合得恰到好处，又把巾帼英雄的豪情转化为女性独有的柔美，丰富了角色本身的戏剧性表达。

而在豫剧《穆桂英挂帅》中，更是突出了穆桂英身上的母性美，她也会和所有的母亲一样疼爱自己的子女。当穆桂英得知文广、金花兄妹要被佘太君派去打探辽东安王祸乱朝廷一事时，内心非常焦急，直呼“太君，使不得”，特别着急地阻拦了文广他们，将母亲对孩子的担忧表现得淋漓尽致，体现了母性的伟大，唱词如下：

文广年轻少识见，
怕只怕平地起祸端；
他兄妹进京去打探，
怎不叫我挂心间；
无奈何在府中将儿等盼，
但愿得我的儿无事回还[②]。

该唱词将穆桂英对孩子的牵挂之情表达出来，带有母性的体贴细腻、温柔和蔼。在得知儿子要上前线时，她也不想让儿子以身犯险，因为她知道战场凶险，随时都会面临生命危险，但是儿子用几近哀求的方式，最终打动了穆桂英，这也是她性格中非常柔软的部分。这样的表达使角色的形象更具有层次。

除了前文提到的几位较具代表性的女将角色，还有很多性格鲜明的杨门女将，她们有着独特的魅力、出众的表现，在我国传统戏曲的发展中留下了浓重的一笔，对后来很多文学、艺术作品中女性英雄形象的刻画产生

① 马金凤，宋词整理．穆桂英挂帅（豫剧）［M］．北京：中国戏剧出版社，1959．
② 马金凤．穆桂英挂帅（豫剧）［J］．剧本，1956（10）：55-63．

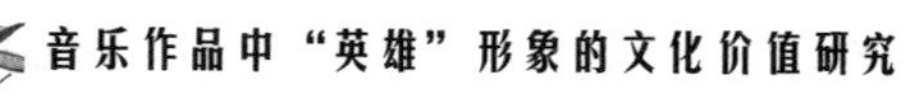

了深远的影响。

四、作品中所体现的文化价值与艺术价值

杨门女将作为中国历史上巾帼英雄的典型代表出现在戏剧舞台上，不但给受传统思想教育的女性以思想上的冲击，更带给她们全新的妇女观，这些女将身上所表现出来的爱国主义精神给人极大的震撼，激励、影响了后世的中华儿女。同时，作品本身带有的艺术内涵与戏剧感染力也为之后以杨门女将为主题创作的戏剧作品奠定了基础。可以说，杨门女将体现的价值是多方面的，且不断地激励着后人。

1.《杨门女将》中传达的新型妇女观

在我国封建社会，女性的社会地位非常低，有很多俗语也印证了这一现实，如“唯女子与小人难养也”①；在很多文人笔下，女子也曾被蔑称为“祸水”，将亡国败家的原因全都归结到“祸水”身上；甚至很多封建教条“三从四德”“三纲五常”等，也都是针对女性设立的。所有的封建思想像一座座大山一样，使妇女始终处在受压迫的地位，使她们的身心也受到了非常严重的毒害。

戏剧作品中的杨门女将也与以往其他文学或艺术作品中的女性形象不同，她们武艺高超、无畏强权、勇于抗争，而且敢于追求自己的幸福。这些戏剧作品通过不同的方式对女将进行了赞美，体现了作者提倡的男女平等的理念。中国传统社会流传下来的对女性不公平的社会理念也从根本上激发了女性的权利意识，新的妇女观对封建思想产生了一定的冲击，帮助女性挣脱封建思想的压迫，追求男女之间的平等，获得真正的自由。

在我国古代社会中，一直存在着男尊女卑等封建思想，如恩格斯所说：“……妻子则被贬低，被奴役，变成丈夫的淫欲的奴隶，变成生孩子的简单工具。”②中国古代一直都是男权至上的社会，很多人无视女性的价

---

① 朱熹. 四书章句集注［M］. 北京：中华书局，1983.

② 恩格斯. 家庭、私有制和国家的起源［M］//马克思，恩格斯. 马克思恩格斯全集：第21卷. 北京：北京人民出版社，1965.

值，女性始终被当作男性的附庸。古代的文学家也受到相关思想的影响，在他们的创作中对此思想也有不同程度的体现，如将商朝的灭亡归结到妲己身上，周朝的灭亡是因为褒姒，安史之乱源自杨贵妃等说法数不胜数。甚至在《莺莺传》中，作者还以“不妖其身，必妖其人”[①]的观点来评判女性，能够明显看出古代人对于女性持有的否定态度。

因此，杨门女将系列故事中塑造的女性英雄的形象给人耳目一新之感，中国古代的女性不再是文人口中所讲的惑乱国家的“妖孽”，她们个个骁勇善战、有勇有谋、胆识过人，是当之无愧的巾帼英雄。她们与男将一同并肩作战、击退敌军，不仅维护了国家的主权，也维护了整个家族的尊严，我们从杨门女将的身上也感受到了浓烈的民族精神与爱国精神。

在京剧《辕门斩子》中，杨宗保与穆桂英私自结亲惹怒了杨延昭，杨延昭命人将杨宗保捆绑欲将其斩首，穆桂英得知消息后，为杨宗保求情，请愿一人出征，破天门阵。

很多战功显赫的男将面对非常棘手的天门阵都束手无策，但是穆桂英凭借一己之力破阵，并且表示“一千一万阵”也不足为惧。针对传统社会中的教条束缚，这段情节所带来的冲击力无疑是非常巨大的，这也更新了女性在社会中的价值与意义。

除此之外，在京剧作品中，很多女将在与敌军、奸臣的斗智斗勇，以及对封建礼教的反抗过程中，都体现了她们对封建礼教的不满，以及对新女性价值观念的追求。她们不仅是历史上女性英雄的代表，也是对以往无视甚至贬低女性价值观点的否定与批判。就像马克思所说，通过了解历史，不难知道妇女对于历史的发展、社会的变革而言就像催化剂，社会的进步性就是以女性在社会中所处的地位来衡量的[②]。在剧作者的笔下，杨门女将以一种全新的形象与面貌出现在古代戏曲舞台上，让人耳目一新，也重新证实了女性在社会中的价值，她们是值得被羡慕、赞赏的。

恩格斯曾说过，“母权制的被推翻，乃是女性的具有历史意义的失

---

① 元喜．莺莺传［M］．上海：上海古籍出版社，1978．

② 中共中央马克思恩格斯列宁斯大林著作编译局．马克思恩格斯选集：第4卷［M］．北京：人民出版社，2012．

败”[1]。父系社会到来之后，男女在生理与素质等方面的差异化，呈现了男强女弱的局面。之后，社会文化的中心开始从女性转移到男性身上。在中国古代社会，受封建思想的束缚，女性是没有最基本的政治权利与人身自由的，更不允许参加当时的社会活动。没有经济来源，加上基本社会地位的缺失，女性在当时成为男性的附庸，社会价值没有获得肯定，而是被物化成了消费的对象。当时人们的意识中已经默认了男子中心主义，这也成为一种印记，留在了人类文明发展史上。在杨门女将系列作品的创作中，作家将自己的价值标准体系融入其中，肯定了女性在社会中的价值，让大家重新审视女性的闪光点，这也是进步妇女观的具体体现。

在《雏风凌空》中，朝堂之上佘太君力荐杨排风出征时，受到了奸臣王钦若的百般刁难，他认为杨排风就是一个烧火丫头，根本无法胜任出征的任务。杨排风却凭借自己的勇气与智慧回答了王钦若提出的问题，唱道：

说什么年幼难服众，
讲什么女流难领兵；
我自幼生长在天波府，
兵书战策耳濡目染也晓三分；
你挂在兵部掌大印，
赫赫名望庙堂臣；
庙堂臣惯吓人，
立朝班似天神；
此番边关遭围困，
破辽兵，还要看我这卑贱之人[2]！

这充满斗志的歌词将杨排风内心反对封建观念思想、追求性别平等的气概展现出来，为古代受封建压迫的女性唱起了一首解放之歌。

① 梁婷．论中国传统社会文化中女性的整体失落［J］．聊城师范学院学报（哲学社会科学版），1999（6）：60-63．

② 陶君起．京剧剧目初探［M］．北京：中国戏剧出版社，1963．

在京剧《杨门女将》中，文广、金花兄妹在校场比武赢得帅印后，二人就谁做元帅展开了一番对话。对话的内容说明杨金花内心也在追求男女之间的平等：

杨文广（白）：妹妹，有朝一日，要是出兵打仗，我要做了元帅，就点你为先行。

杨金花（白）：什么？你挂帅，我得先行？

杨文广（白）：是啊！

杨金花（白）：美得你！我挂帅，你得先行，那还差不离。

杨文广（白）：不成！我挂帅，你得先行。

杨金花（白）：这是为什么？

杨文广（白）：因为……我是个男的，你是女的。（杨金花“扑哧”一笑）

杨金花（白）：你等我问问你，想当年咱妈挂帅的时候，是谁得先行？

杨文广（白）：是爹爹得先行。

杨金花（白）：这不结啦①。

除此之外，在很多以杨门女将为素材创作的戏剧作品的情节设计中也体现了尊重女性及男女平等意识。很多剧作家在创作时就将杨令公、佘太君，以及杨家很多的男将、女将放在了同等重要的位置，甚至对女将精神的赞扬超过了男将。在战场上没有男女之分，敌人也非常忌惮杨家女将的名号，杨家的将领不分男女，共同抵抗外敌侵略，保卫国家。杨门女将所立下的战功是有目共睹的，女性的价值在这一部分也获得了更充分的体现，女性的尊严也开始受到重视。在破天门阵之后，宋真宗“宴犒征北将士”“杨门女将皆与其席”，在之后论功行赏的过程中，穆桂英、杨八娘、杨九妹等都被授予了将军的称号。男人能做到的事情，女人也可以做到，她们通过自己的努力赢得了别人的尊重②。作品对杨门女将形象的塑造，

① 中国戏曲研究院．戏曲选：第六卷［M］．北京：中国戏剧出版社，1963．

② 姜尧．试论《杨家将演义》作者的女性意识［J］．佳木斯大学社会科学学报，2005（5）：55-57．

让女子一改往日闺中淑女的形象，并出现“世间好事属何人，不在男儿在女子”[①]的观点，她们可以像世间的男子一样，承担起保卫国家的责任，成为国家不可或缺的人才。

综上所述，剧作家通过一个个鲜活的女将形象来表明，女性与男性一样可以征战沙场，肩负起保家卫国的责任与使命，成为国家需要的人才，而且通过很多具体的事件向人们展示了“女性真实的形象，看到了她们的潜在力量和意识的觉醒”[②]，这在中国传统社会文化环境中对平等人权等文化方面起到了很大的促进作用，也从另一方面体现着女权主义者的存在价值，对之后英雄类作品中女性形象的塑造与女性在社会中的地位都有非常重要的影响。

2. 作品中体现出的爱国主义精神

杨门女将奋战报国的事迹成为戏曲中非常重要的故事主题。从元代的杂剧作品，到近代出现的历史题材的京剧作品，很多的剧目都表现了杨门女将对杨家家风的传承。这些作品赞颂了女将的英勇善战，也因为爱国主义与民族精神的表达而在戏剧舞台上保持着非常旺盛的生命力，也使杨门女将的艺术形象得到传承。之所以能够流传千年，与这些巾帼英雄“怀赤心白意以报效天子，云仍奕叶世世相承”[③]的爱国主义精神有着非常密切的关系，影响了后世一代又一代人的发展。

在京剧《太君辞朝》中，佘太君考虑自己年事已高，穆桂英与多个儿媳也没有办法再像往日一般驰骋战场，想要跟皇上辞官还乡，在临走前，悲从心起，挥泪告别。唱词表达了佘太君无法再为国出征的伤感之情，将佘太君赤诚的爱国之心表达出来：

再不能秣马厉兵踏敌阵，
再不能挥鞭扬起塞上尘；
告归林非是我希图安静，
怕的是误战机误百姓，

①③ 罗宗强，陈洪．中国古代文学史（二）［M］．上海：华东师范大学出版社，2000．
② 徐文斗．关汉卿剧作中的妇女形象［J］．文史哲，1957（8）：24-33．

又误了国家我怎得安生[1]。

在豫剧《穆桂英挂帅》中也有类似的表达，佘太君年事已高，无法再如之前一样征战沙场，保卫国家，但她依然心系江山社稷，为外族侵犯国土而担忧，因此，当文广、金花兄妹经过武试赢得帅印之后，佘太君情绪非常激动：

国有事忠良将怎能得安，
安王贼子来造反，
为国勤劳无怨言。
咱不求高官和爵显，
为的是平狼烟国泰民安，
……
你不替文广去挂帅，
待老身我亲自去评番[2]。

佘太君，老骥伏枥，志在千里，时刻将国家的安危系在心上，这段唱词深刻表达了佘太君的豪情壮志和爱国主义精神。

在京剧《百岁挂帅》与《杨门女将》中，杨家的男将相继在战场上牺牲，佘太君内心十分悲痛、不舍，怀着沉痛的心情唱道“赛花两鬓如霜降，英勇不减在佘塘……看天下大事我承当。天波府十二女将同把战场上，不平外患不还乡”，[3]并主动请命率兵迎战，带领着穆桂英和杨七娘等人奔赴战场。这一系列情节将佘太君的英雄气概表现得淋漓尽致，也体现了杨家一门忠烈的豪情壮志。

在豫剧《穆桂英挂帅》中，穆桂英早已退出战场二十年，但国家有难，穆桂英毅然选择披挂上阵，挂帅出征，高唱“难道我竟无有为国为民一片忠心”。

---

① 北京戏曲编导委员会．京剧汇编：第三十四集［M］．北京：北京出版社，1958．
② 马金凤．穆桂英挂帅（豫剧）［J］．剧本，1956（10）：55-63．
③ 中国戏曲研究院．戏曲选：第六卷［M］．北京：中国戏剧出版社，1963．

穆桂英多年不听那战鼓响，
穆桂英二十年不闻号角声，
想当年我跨马提刀威风凛凛冲锋陷阵，
只杀得那韩昌贼丢盔卸甲抱头鼠窜他不敢出营。
南征北战保大宋，
俺杨家为国建奇功。
如今安王贼反边境，
我怎能袖手旁观不出征！
老太君她还有当年的勇，
穆桂英我就无有了当年的威风?!
我不挂帅谁挂帅！
我不领兵谁领兵！
怀抱帅印把衣更，
到校场重整旗鼓去把贼平！
佘太君为国把忠尽，
命我挂帅平反臣，
一不为官，
二不为宦，
为的是大宋江山和黎民。
叫那满朝文武看一看，
谁是治国保朝的人。
穆桂英五十三岁不服老，
不灭你贼人不回营门。
抖擞精神把大帐进，
见文广刚做先行就露骄形，
他是初生牛犊儿不怕虎，
他怎知将骄必然松军情。
今日里要把儿教训，
不管不教怎成人。
擂鼓三通宝帐进，

本帅将令你记在心。
此一番去到两军阵，
娘是元帅儿先行，
待兵要如同亲兄弟，
听候军令杀贼人，
叫你占你就占，
不叫你占休胡行！
此一番我率领人马平反寇，
我不平安王贼永不回家门[1]！

这一段唱词气壮山河，鲜明地表达了穆桂英誓死保卫国家的决心，也将她对国家的一片忠心表达出来。所有杨门女将所表现的爱国主义精神在不同的历史时期都具有非常重要的历史价值与现实价值，这种精神在不断鼓舞着人们奋进。

《昭代箫韶》是清代创作的大规模历史题材的作品，是现存有关杨家将题材的作品中长篇幅的代表，嘉庆皇帝亲自主持创作，宫中很多文人都曾参与了作品的编创，共同完成了这部10本240出的大型作品。作品不仅将杨家将的忠君爱国精神表达了出来，也表现出了很多女将的英雄气概。例如，作品中有以女将为素材创作的《女中杰》，还花了很多笔墨描写穆桂英破天门阵的事迹，同时杨家女将击退辽军的内容也有呈现。当时的嘉庆帝推崇这种带有忠孝节义的思想与观念，弘扬爱国主义精神，以更好地达到维护自己封建统治的目的，慈禧太后还亲自创作了《昭代箫韶》的105出。可见，不管是当时的嘉庆皇帝还是慈禧太后，他们对宣扬爱国主义精神的作品的支持已经与对待隋唐英雄、水浒等不同系列的作品的态度呈现了鲜明的对比。

在中国遭受日本与西方列强侵略之时，戏剧作品所传达的爱国精神给予了抗战时期的人们非常大的精神鼓舞。据资料显示，抗战时期，很多表演艺术家都曾深入广大农村地区表演戏曲作品，其中以杨家将为主题的作

---

① 马金凤．穆桂英挂帅（豫剧）［J］．剧本，1956（10）：55-63．

品占据了很大的比重，这在当时给予了抗战军民很大的精神动力，就像余嘉锡所言：“今戏剧之所搬演，除东汉、三国、水浒、说岳、封神、西游诸戏外，尤以演杨家将者为最多，大约无虑数十本，而四郎探母、李陵碑、洪羊洞诸剧，以为谭派须生所常演，尤盛行一时，虽妇人孺子，无不知有老令公、佘太君、杨六郎者。”①

随着近现代人们对戏剧作品主题的关注，更多的人关注作品所表现的爱国精神，很多戏剧作品正是高度弘扬了伟大的爱国主义精神，对人们维护国家统一、防御外敌入侵的意识产生了深刻的影响。作为中国国粹，艺术中的经典作品更是鲜明地赞颂了爱国主义与民族主义精神，如梅兰芳先生在晚年曾排演了《穆桂英挂帅》，最主要的原因就是作品中鲜明的爱国主义思想对国民有重要的教育意义；京剧作品《杨门女将》的编演同样是对杨家军为国为民精神的赞颂。

综上所述，作品中的杨门女将的爱国主义情怀，将巾帼英雄势不可挡的气势传承下来，不断地给予人们精神力量，从思想层面对人们进行教育，对人们的思想产生了潜移默化的影响。

3. 杨门女将形象的塑造对戏剧发展的影响

众所周知，中国戏曲的表演特点是戏剧感强烈、节奏感鲜明、载歌载舞、亦唱亦白，以及唱念做打，这些是我国戏曲艺术能够在世界戏剧艺术之林中占据一席之地不可或缺的因素。在京剧《杨门女将》中，正是这种绚丽多彩的艺术魅力将作品的戏剧氛围更好地呈现出来，达到了完美的艺术效果。

在《杨门女将》的“葫芦谷”一场戏中，穆桂英带领军队探路。舞台上白烟弥漫，随着紧凑有力的节奏，羊肠小道在雾中若隐若现，栈道也隐藏在迷雾之中，难以看清。虽然舞台上的表现手段有限，但整个场景被生动地展现出来，观众在观看的过程中不禁为演员的安全感到担忧。随着穆桂英一声“风萧萧雾漫漫星光惨淡”，其他演员也开始陆续登场，每个人都怀着满腔热情，脸上洋溢着自信的光彩；每个人在舞台上都通过特定的

① 余嘉锡．余嘉锡论学杂著・杨家将故事考信录［M］．北京：中华书局，1963．

表演设计表达人物的戏剧形象，伴随着鼓声、唢呐声等声音的烘托，穆桂英开始演唱自己的唱段。

舞台上的角色塑造增加了虚拟的成分，但观众能通过表演切实感受到这些将士在奔赴战场的路上穿越山谷，一路上披荆斩棘，历经风险，因此很容易将自己带入作品的情境之中，忘却了所有的这些都是在眼前舞台之上通过戏剧化的方式表演出来的。

在“寿堂”一场戏中，更是通过戏剧化的处理方式将穆桂英与佘太君内心情绪的大起大落细致地刻画了出来。为了给杨宗保办寿宴，穆桂英的穿戴、头饰经过精心挑选，因此，作品中的穆桂英梳着“大头”、穿着“腰包”、甩着水袖入场，配合舞台上的道具——蜡烛与红帐，营造了一种喜庆的气氛，观众在观看的过程中也受到演出氛围的影响。之后，音乐突然发生变化，紧凑的锣鼓点顿时增添紧张感，也让观众明白后续情节的发展可能会向不好的方向偏转。果不其然，焦、孟二人身穿孝服并将杨宗保在战场上牺牲的消息告知众人，一个晴天霹雳让穆桂英等人悲痛万分。尚不知情的佘太君开心祝酒，并将丫环献上的大红寿绒花戴在头上，穆桂英看见红花，手却不自觉地开始打颤，看着手中的酒杯却眼含热泪，所有的情绪都在隐忍，但也通过一系列的表演呈现出来。在这一部分，佘太君的开心与穆桂英欲哭不能的状态形象生动地呈现出来，帮助观众更直观地感受角色情感的变化，体现戏剧作品的魅力。

第二节 革命题材

一、革命题裁作品的创作发端

中国沦为半殖民地、半封建社会以后，很多有识之士也在探寻不同的途径以增强人们的爱国意识，于是一部分人的目光聚焦到戏曲的创作与改良方面，想要通过戏曲这一传统艺术形式来宣传爱国思想与先进理念。于是，革命题材的戏剧作品开始进入大众的视野。

1902年左右，梁启超、汪笑侬等人将当时的政治内容融入文艺作品的创作中，创作戏曲作品的主题多以爱国、变革、维新为主。通过这些作品，可以了解当时中华民族所面临的危机，如有的作品宣传当时的革命思想，以殉难烈士事迹为素材创作，很好地激发了民众的爱国热情，进一步宣扬了民族主义精神。当时编演的作品有介绍共和思想的，有宣传革命思想的，还有根据当时救国烈士的真实事迹改编的，痛斥政府腐败无能的作品比比皆是，也有作品突出爱国救民的主题。无论何种主题，所有的作品都共同体现了当时中国戏剧创作的总体方向——宣传革命民主思想，激发民众爱国热情。

之后，戏曲改良运动兴起，很多革命题材的戏剧作品得到编演机会。当时戏剧作品的创作主旨就是宣传爱国思想，激发革命精神，具体表现在以下几个方面：在作品形式方面，开始利用舞台布景、灯光；在作品的题材方面，创演的作品内容中有很多当时社会中真实的革命人物事迹；在作品表达的思想方面，用中国历史上或当时社会中做出杰出贡献的爱国人士的故事，对国人起到了很好的引导、激励作用。当时，京剧与一些地方剧种都体现了这一趋势，为了获得更好的宣传效果，这些作品也会在杂志、报纸上刊登，虽然题材丰富，但主旨依然是宣传民族思想与革命思想。

很多革命题材的戏剧作品所具有的教育功能与其本身所具有的审美功能并不矛盾。英国剧作家萧伯纳也非常重视戏剧作品的教育作用，他认为戏剧会传达思想，是解释社会行为，也是人们思想武装的重要武器。因此，教育功能与审美功能在作品中并不冲突。戏曲作为一种传统的民族艺术，所承载的教化功能、认知功能、审美功能之间是互为补充，而并非独立存在的。

二、新时期革命题材戏曲作品的主题特征

朱德曾说：“革命的英雄主义，是视革命的利益高于一切，对革命事业有高度的责任心和积极性，以革命之忧为忧，以革命之乐为乐，赤胆忠心，终身为革命事业奋斗，而不是斤斤于作个人打算；为了革命的利益和需要，不仅可以牺牲自己的某些利益，而且可以毫不犹豫地贡献出自己的

生命。”[1]这表明了革命战士与人民群众对共产主义的信仰是非常坚定的，他们在奋斗的过程中体现了勇往直前、不怕牺牲、顾全大局的精神，这种品质就像希腊著名文学家朗吉努斯在《论崇高》中讲到的，“是一颗伟大心灵的回声”。英雄主义精神不应该是简单的历史，也不是单一的赞美某个英雄的行为或事迹，而是每个生命在成长发展的过程中所发出的直击灵魂的回响。

新时期，以革命为题材创作的戏剧作品多以革命事件中出现的人物为主角，自然多以赞颂英雄的方式呈现。其实，这些作品之所以被创作出来，并能够激发观众的情感共鸣，最主要就是因为作品中呈现了崇高的英雄主义，这也是作品直击人心的地方；如果去掉作品中英雄主义的表达，也就失去了作品原有的审美价值。

戏曲作品中对英雄主义的表达有几个具体表现。

首先，是自我牺牲精神。革命者在紧急关头往往会顾全革命大局，在面临选择时会义无反顾地保全他人的性命而牺牲自己。在秦腔《枣林湾》的第三场，在余承的怂恿下，大猛的行动将原本的作战计划打乱了，需要重新将命令传达给游击队，但当时道路被敌人堵死，这项任务的难度大大增加，稍有不慎就会危及生命，但延国亮、雷文书等人都没有因此退缩，而是争相去完成传达命令的任务。不幸的是，延国亮在完成任务途中被打伤，但他还不忘叮嘱大猛完成组织交给的任务，这种将个人生死置之度外，不怕牺牲的精神正是革命英雄主义的特点所在。虽然作品中角色的表达机械、刻板，但他们身上体现的英雄主义特点非常突出。在评剧《戊戌喋血》中，谭嗣同为了唤醒当时的国民，不肯逃走，慷慨就义；在吕剧《石龙湾》中，彩螺为了保护革命者的后代，在封建礼制下，认孩子是自己的私生子，全然不顾自己的名誉，还险些为此丢了性命；在采茶戏《山歌情》中，明生、贞秀在保护情报的过程中，为了成全他人相继牺牲；在京剧《江姐》中，江姐察觉曾经的队友已经叛变之后，便想尽办法以信号暗示的方式保护组织机密和组织内人员的安全，但自己却遭受了牢狱之灾；在吕剧《苦菜花》中，冯大娘在女儿的生死与共产党的机密中选择了

---

① 中共中央文献研究室编辑委员会．朱德选集［M］．北京：人民出版社，1983．

后者，无论如何都没有将共产党兵工厂的地址告诉敌人，赵星梅不想因为自己而连累无辜的群众，便承认了自己的共产党身份，英勇就义。并不是每个人都可以做到牺牲自己保全他人的，只有拥有崇高信仰的革命战士与群众才能做到这一点，为了组织与群众，可以牺牲自己。

其次，是坚忍不拔的毅力与坚定的信仰。生活的磨难与战争的残酷折磨着战士的身心，但这都丝毫无法动摇他们的信仰。他们具备的坚强的意志与坚定的信仰是普通人难以想象的。评剧《红岩诗魂》也塑造了很多英勇无畏的英雄形象，剧中无耻的特务为了羞辱盛超群，将郑新梅的衣服当众脱光，想要通过这种方式摧毁盛超群的意志，但他们不了解革命者的坚韧，以至于所做的一切都是徒劳的。面对特务残酷的折磨，革命者没有丝毫退让，即使敌人用尽各种手段，革命者都不屈服。“说人的语言，穿戴人的衣冠，完全跟人类一个模样，却长着蛇与狼的心脏，当天真的生物学者去疑惑，唯有这种动物，这里的二百多个人，每一个都是活证，每一个的身上都永留着他们的爪痕。”[①]蔡梦慰烈士的《黑牢诗篇》就是对恶势力最铿锵有力的回答：“即使减了翅膀，鹰，在哪一刻忘记过飞翔。”京剧《江姐》中，敌人以为抓住了江姐的弱点，就能达到目的，并采取各种手段劝降：“事到如今也该回头为自己考虑考虑了，据我所知，你从小就失去父母，如今虽然才二十多岁，却又失去了丈夫，唯一剩下一个孩子，可咫尺天涯，根本不能见上一面。……为你凄凉身世表同情。莫将这幸福安乐轻抛却，为一念之差遗恨无穷。”[②]但江姐早已看透了特务的心思，革命信念非常坚定，之后特务开始使用各种酷刑，但江姐都不屈服。

最后，顾全大局的利益观。在《中原突围》中，马南牯为了顺利突破重围，决定让有孕在身的杏子留守，然而杏子不同意；李先念深知只要留下肯定没有活路，想让杏子跟部队通行；马南牯主要是考虑部队在行进的过程中需要照顾杏子，而连累大部队，他希望部队可以安全完成转移，作为一名普通战士，不想因为一己之私连累部队，甘愿舍弃家人；原本不

① 评剧音乐诗剧《红岩诗魂》演出视频，编剧：刘敏庚，总导演：张仁里，导演：顾成，主演：齐建波、宋丽等，于中国评剧院演出.

② 京剧《江姐》演出视频，编剧：阎肃，导演：谢平安，副导演：王德富，主演：周婧等，于中国京剧院演出.

愿留下的杏子，在了解自己可能会连累部队时，也改变了自己的主意。这种大局观是建立在个人利益之上的，即使是献出自己的生命也不迟疑，这就是革命者崇高精神的体现。京剧《华子良》中，为了完成党组织交给的任务，华子良多年来一直隐藏自己，以“疯子”的形象示人，日常被特务嘲弄，被同事欺辱，甚至遭受了身体上的伤害，但他依然坚持了下来，就是为了在组织需要的时候发挥自己的价值，这便是根植于内心的对革命的信仰。豫剧《魂系太阳河》中，五位红军战士被马匪追杀，谢琴琴去熟人家中为战友找吃的，但不料熟人告密，战友误会谢琴琴出卖了他们，彼此之间产生了嫌隙；但谢琴琴并未因此而放弃自己的革命信念和战友情谊，一路追赶战友，没有因为个人因素而影响大局。

英雄主义所具有的光辉不会因为时代的变迁与思想的发展而产生变化，革命者所具备的坚韧不拔的毅力、无比忠诚的信仰在任何时期都能够感染人。当人们开始更多地关注享乐的时候，这种英雄主义会以最有力的方式敲击人们的灵魂。

三、京剧《智取威虎山》中的英雄形象塑造

1.《智取威虎山》情节概述

1946年冬天，解放战争初期，中国人民解放军追剿队想要消灭威虎山上的顽匪。在参谋长少剑波的带领下，他们在前进的途中攻克了很多难关。杨子荣任当时的侦察排长，在他了解到以座山雕为首的匪帮下落之后，便向参谋长少剑波汇报自己获取的情报。为了进一步了解匪徒的详细情报，少剑波命追剿队在黑龙沟宿营，在与匪帮周旋的过程中，他们被迫退回威虎山。座山雕命人寻找联络图，寻找途中所经之地都遭遇了土匪的洗劫。座山雕还命人将身强力壮的青年村民强掳上山做苦工。在与土匪打斗的过程中，李勇奇的妻儿都被土匪残忍杀害，自己也被土匪掳走。

猎户常宝一直躲在深山生活，结果也没有逃过野狼嗥的扫荡，家里被洗劫一空。在常宝父女二人准备收拾东西离开之时，杨子荣等人赶到。通过交谈，他们了解到杨子荣等人是人民解放军，来此处的目的就是要为民除害，剿灭山匪。常猎户向杨子荣等讲述了座山雕的恶行，也将自己对土

匪的深仇大恨表达出来。在常猎户的帮助下，杨子荣获取了一条重要的信息，后山有一条险路可通往威虎山，由常宝父女二人带路上山。之后杨子荣又从野狼嗥身上获取了匪帮的联络图，匪帮的秘密联络点在图中都有标注，经核实确定了联络图的真伪，还从栾平处得知座山雕要办百鸡宴的消息。因为威虎山特殊的地理位置，不宜强攻，只能智取，所以需要派人先打入匪帮内部。杨子荣与参谋长共同设计了一套作战方案，他们为获取情报，杨子荣扮成土匪胡标，以献图为由，成功进入匪帮的核心位置威虎厅，面对座山雕的试探，杨子荣从容应对，并利用联络图获取了座山雕的初步信任。夹皮沟的群众生活困苦不堪，参谋长率追剿队进入夹皮沟后走访了很多乡亲家以更全面地了解情况。夹皮沟百姓长期受到土匪的迫害，开始对追剿队存有明显的戒备心，之后在参谋长耐心的讲解下，百姓的疑虑解除，逃回夹皮沟的李勇奇也有了阶级觉悟，于是在当地组织了民兵队伍，为后续攻打威虎山做好充足的准备。

因为座山雕生性多疑，仅献图并不能消除他对杨子荣的怀疑，于是联合手下共同设计，欲再次试探杨子荣。凭借机智沉着的应对，杨子荣顺利通过试探，并将计就计将情报传递到了威虎山下。夹皮沟众人也获知了杨子荣送回的情报。栾平逃跑，野狼嗥被打死，追剿队与民兵乘胜追击，最后夹皮沟的百姓得到了解放。栾平回到威虎山之后指认杨子荣的真实身份，但被杨子荣巧妙地化解，最终栾平被处死。在之后的百鸡宴上，杨子荣与追剿队里应外合，取得了威虎山一战的胜利。

2. 重要唱段分析

（1）第三场《深山若问》中唱段分析。

①《只盼着深山出太阳》分析。

常宝父女虽躲进深山，但也没有逃过野狼嗥的扫荡，家里被洗劫一空。在二人收拾东西想要离开之时，杨子荣等人来到了常猎户的家中。一开始常猎户对杨子荣一行人的身份有所怀疑，后经过交谈了解到他们是人民解放军，此行目的便是进山剿匪、为民除害。他还向杨子荣控诉了山匪的很多罪状，同时透露了一条前往威虎山的小路，因此，杨子荣等人在常宝父女的带领下开始搜寻土匪野狼嗥。

常宝父女在得知杨子荣的真实身份与来意之后，才将自己多年来积累计的对座山雕的满腔恨意全都表达出来。一直充当哑人、女扮男装的常宝也声泪俱下地控诉了土匪的诸多罪行，演唱了唱段《只盼着深山出太阳》。在这场戏中，小常宝声泪俱下的表达具有极大的感染力，催人泪下。

这场戏与小常宝这一角色都是该剧在1965年新增的。京剧样板戏在创作中并没有照搬照用传统程式，也没有一概摒弃，而是在传统程式的基础上加以创造，形成一种新的表现风格。京剧在改编过程中，尤其是革命题材的作品，行当问题是最先需要面对的，因为在传统的京剧作品中，不是所有行当都有自己的表达方式，演员在塑造角色时也会依据此进行。“样板戏”的创演团队在进行二度创作时，需要在与剧中角色相对应行当基础上把握角色的唱腔与表演方法，并依据作品展开二度创作。在《智取威虎山》中，小常宝的唱腔和表演方法与传统京剧中旦角与武小生相似。

在《只盼着深山出太阳》的创作中，为了增强作品的情感表达，作曲家在唱腔上做了相关改动。“座山雕杀我祖母掠走爹娘”一句，为了贴合角色的情感表达，演唱“座山雕”时声音要高，表达出情感中的恨意，“爹逃回我娘却跳涧身亡。娘啊……”最后的“娘啊”时值被延长，结合了哭腔的表达，使整体的情感表达更加悲壮，同时体现小常宝在面对亲人与仇敌时两种截然相反的态度，情感的表达更加鲜明。长短开始运用了反二黄垛板，之后转为快三眼，体现了常宝对匪徒的憎恨，情感上则呈现悲愤的状态。演唱“到夜晚爹想祖母我想娘”时，旋律表达上对之前唱腔做了重复，情绪也在延续，之后几个小节的音乐情绪逐渐高涨，为之后音乐情绪的表达做好了铺垫，如“盼星星盼月亮”这一部分的演唱，运用了反二黄垛板，连续出现的“盼”也非常贴近常宝的情绪表达。这个隐藏了八年心事的小姑娘一下将自己的秘密表达出来，同时也将自己在见到人民解放军之后的激动之情也表达了出来。

②《管叫山河换新装》分析。

常宝的控诉激发了杨子荣内心对父女二人的阶级情感，怀着对座山雕的满腔愤恨，杨子荣演唱了唱段《管叫山河换新装》，表达了自己与百姓之间的深厚情谊，唱段中体现的阶级情感也是唱段表达的重要内容。

杨子荣在该唱段中呈现的不同的阶级情感存在鲜明的对比。因为作曲家在创作时关注了音乐表达的对比，使角色形象刻画得更加丰满、鲜明，情感表达也更加深刻。杨子荣了解了常猎户一家的苦难遭遇后，想到了千万与他们遭受同样苦难的人民，唱出了“普天下被压迫的人民都有一本血泪账”，这是杨子荣阶级情感表达的体现。之后，怀着非常激昂的情绪，杨子荣坚定地演唱了“要报仇，要伸冤，要报仇，要伸冤，血债要用血来偿”，以反复出现的紧凑短句展现了杨子荣作为人民解放军的战斗情怀。在“要报仇要伸冤”和“消灭座山雕”两个乐句的表达上，作曲家吸收了现代作曲技法中层层递进的表达方式，增强了音乐的时代感。

整首作品共四个高潮，情绪上逐步推进，在戏剧表达上也越来越深刻；音乐中两个高潮为一组，前两个高潮主要是对杨子荣阶级情感中爱憎两面的表达，后两个高潮将革命理想、奋斗目标、前进方向等呈示出来。前两个高潮在力度、音域，以及情感表达方面较具表现力，之后两个高潮的表达思想性更胜一筹，同时，作曲家将节奏打散，体现了杨子荣对美好革命前景的向往及实现美好生活的信心。因此，后两个高潮在表达上更进一步，也达到了整首作品最深刻的顶点。

作品在板式上由开始的反二黄接西皮原板，这种板式在传统京剧作品中并不常见，具体变化也是由角色内心的情感变化决定的。这一乐段在呈现中以顶板开始，突破了传统京剧作品的演唱程式，其受到了作品剧情发展与内容的影响。

（2）第七场《发动群众》音乐分析。

夹皮沟人民一直在土匪的压迫下，生活非常艰难，李勇奇从土匪窟逃回家中后，与母亲重逢，想到曾经受土匪残害的亲人，心里五味杂陈。追缴队在参谋长少剑波的带领下来到夹皮沟，因为当地很多百姓都曾被土匪骗过，对于追缴队的身份也不明确，甚至还有人将他们当成了国民党土匪，大家的态度较为粗暴，因此，他们来夹皮沟之初并未受到善待。参谋长通过走访贫困户，了解人们生活的相关情况，还喊来卫生员救治生病的百姓。经过少剑波等人的耐心宣传，大家消除了疑虑，也更多地了解了党的政策，很多人的阶级觉悟因此得到启发。在少剑波等人共同努力下，夹皮沟顺利通车，他们还修建铁路，成立了民兵队。在这场戏中，重点刻画了李勇奇在心态方面的转变，他最开始误以为解放军是国民党匪徒，之后经过参谋长耐心讲解得到启发，之后决定跟随共产党的脚步，直到匪寇被消灭。本场戏中，李勇奇的唱段将他豪爽的性格与真挚的阶级情感表达得淋漓尽致。

①《这些兵急人难》分析。

李勇奇在剧中的身份是一位铁路工人，他的妻子和儿子被匪徒用残暴的方式杀害，因此，这个角色本身就与匪徒有深仇大恨。李勇奇好不容易从匪窟逃回到家中，正巧赶上追缴队来访，李母生病晕倒，少剑波还喊来卫生员施救。救治李母时，少剑波还用自己的粮食为他们母子熬粥，这也让李勇奇非常疑惑，随后演唱了这首《这些兵急人难》。

李勇奇的戏剧形象是一位憨厚朴实的铁路工人，性格直爽的他对于不同阶级有着鲜明的爱憎情感，深受国民党欺压，他痛恨兵匪联合欺压百姓的行径。当他发现解放军在煮白粥时非常疑惑，又看见他们为自己的母亲治病，随着音乐的发展，他目光迷离，开始陷入沉思，心态也在发生变化，之后略显深沉地演唱了《这些兵急人难》。当他演唱到“治病救命”，音乐由散板转向4/4拍，力度也随之加强。之后他的表情有所缓和，内心对他们的帮助也有感谢，但对解放军的身份依然存有疑惑。在演唱《自古来兵匪一家》时，他表情凝重，显示出内心非常痛恨国民党的行径。“欺压百姓”中的“压”字被突出，既表达了李勇奇对多年处于水深火热中的百姓的同情，也表达了对国民党统治的恨。李勇奇依然对于自己眼前发生的事感到十分困惑，内心非常纠结，因为这支队伍与之前队伍的所作所为存在着很大的差别，他想要确认这支队伍的身份，会不会真的是大家期盼已久的人民解放军。伴随着疑惑，演唱的力度也在慢慢减轻，到最后声音似断非断，表示李勇奇陷入了思考。

②《我们是工农子弟兵》分析。

李母在卫生员的救治下苏醒，参谋长也从李勇奇处大致了解了相关情况，李勇奇依然对面前的一行人充满疑惑；这时，少剑波演唱了《我们是工农子弟兵》。

这一段是非常典型的老生唱腔。在自己的军队被村民误解时，少剑波并没有急于表明自己的身份，而是先解决人民的困难。经过一番交谈，少

剑波也表明了此次的任务。此唱段没有使用过门，采用直接演唱的方式增加了一定的亲切感。少剑波在演唱第一句中“深山”时把控好演唱力度，做到干净利落，也暗示了本次任务非常艰巨；在演唱“要消灭反动派改地换天”时，以无比坚定的态度表达出要消灭匪寇的决心；之后演唱“共产党毛主席指引我们向前”时，眼神非常坚定。当李勇奇听到少剑波唱到“共产党毛主席”时，眼神中透露着惊喜，面带笑容，仿佛毛主席就是胜利的希望，他已经憧憬之后美好的生活了。

当少剑波向李勇奇介绍解放军的装扮时，李勇奇也通过对比确认了队员的解放军身份。在演唱“人民的军队与人民共患难”时，为了给予对方更多的安全感，少剑波还抓住了李勇奇的手臂，可以让他们信服自己解放军的身份；最后演唱“扫平威虎山”表明了解放军消灭匪寇的信心与决心，尤其是演唱“威虎山”几个字时，铿锵有力的表达，展现了少剑波的英雄气概。

（3）第八场《计送情报》音乐分析。

杨子荣为了成功进入威虎山内部，乔装成土匪，虽然借献图初步获取了座山雕的信任，但生性多疑的座山雕依然怀有戒备心，于是再次试探杨子荣，但被杨子荣巧妙地化解。杨子荣一次次获取了座山雕的信任，之后将计就计将情报顺利传至山下。整个过程不仅表现了杨子荣的勇敢机智，也显示出他将生死置之度外的英雄气概，整部作品中的矛盾也在这一场中发展到制高点，对于杨子荣英雄形象的呈现也有提升。此外，《胸有朝阳》是杨子荣角色表达的核心唱段，主要表达了杨子荣对党和人民的忠诚，以及角色本身的性格特点。

以下是对《胸有朝阳》的分析。

座山雕依然怀疑杨子荣的真实身份，并想要借机再次试探。杨子荣在后续勘察过程中发现异常情况，但依然克服困难将情报送出。该唱段是杨子荣极具代表性的唱段，前面的引子中带有杨子荣的音乐主题，之后开始演唱。第一句演唱之后杨子荣登台亮相，非常惊艳；为了展现对周围地形进行考察，杨子荣亮相后绕场一周。在参谋长的主题音乐奏出时，杨子荣的眼神发生了变化，由最初的严肃转向温柔，面带笑容注视着前方，表达了自己对战友的思念之情。充满斗志的演唱增强了情感表达的坚定性，

“斗志昂扬”的“扬”字在演唱时使用了甩腔，表现出曾经的战友给予杨子荣很大的精神力量。慢板的部分非常优美动听，深情的旋律也体现了杨子荣深厚的阶级情感。在这一部分结尾处，“胸膛”的“膛”字的演唱使用了拖腔，将杨子荣与战友之间的情感更细致地刻画出来。在演唱“要大胆，要谨慎”时，杨子荣神情严肃、紧握双手，显示出他对自己有着非常严格的要求。在演唱“毛泽东思想永放光芒”时，“芒”字的演唱用了二八拍，将杨子荣对战争取得胜利的坚定决心表达得非常鲜明，同时表现出他对人民未来当家作主过上美好生活的信念非常坚定。

在该唱段的原板部分，音乐非常紧凑，也充分体现了传送情报的难度，也显示出杨子荣性格中非常勇敢的一面。在演唱“趁拂晓送情报装作闲逛”时，杨子荣首先环视四周，这一方面表现杨子荣在探查情报，另一方面展现了角色非常谨慎的性格特点，时刻都会留意自己周边的情况，也为之后剧情的发展做了铺垫。之后座山雕的主题曲出现，杨子荣发觉情况有变，突然后退两步，戒备心有所增强。之后的表现也反映出杨子荣担心情报无法顺利送出，不想因为这次突发情况耽误原本的计划，错过最佳战斗时机。

第三部分中，唱腔以二六板式展开，节奏更加紧凑，表达出杨子荣的内心更为坚定，也体现出杨子荣必定会将情报及时送出的决心。在演唱“抗严寒化冰雪我胸有朝阳”时，整个部分达到高潮，表现出杨子荣在尽力排除万难，也显示出他对革命必将取得胜利的信心。

（4）第十场《会师百鸡宴》音乐分析。

《会师百鸡宴》是整部作品的高潮，在这一部分，戏剧冲突也达到了最高点。栾平逃回威虎山后见到杨子荣，并向座山雕指认杨子荣的真实身份。面对这种突发情况，杨子荣先发制人，通过一连串的质问，让对方无话可说，不得已只能承认杨子荣就是胡标。杨子荣再次凭借自己的机智勇敢获得了座山雕等人的信任，并借机除掉了栾平。之后，杨子荣假借为座山雕祝寿的名号，让山匪“厅里掌灯，山外点明子”，其实是为了给山外的追剿队发送信号，不仅如此，他还撤回了匪徒的游动哨，将大家全部集中到威虎厅，通过各种方式将所有人灌醉，这也为后续的攻打计划扫清了障碍。接到信号后，追缴队迅速往威虎山进发，将匪徒一网打尽。

《智取威虎山》中既保留了传统京剧的唱腔结构，又在作品结构、唱腔设计、表演形式及舞台呈现等方面做了创新，体现出现代京剧作品有别于传统京剧作品的风格特点。

在作品的结构安排上，较多地吸收了话剧的元素，剧中人物众多，角色之间的关系复杂，通过多变的情节与戏剧冲突来表现剧中人们的生活。在作品的唱腔设计方面，突破了传统京剧中行当的划分方式，为作品中很多重要角色设计了成套的唱腔。不同派别的角色在音乐主题的表达上也显示出鲜明的对比性，如杨子荣、参谋长等正面角色的主题多采用了色彩明亮的乐器呈现，而座山雕等反面人物的主题则运用了很多声音相对低沉的乐器呈现。此外，传统京剧唱腔中的过门长，是以中性的音乐表达，但在现代京剧中，过门较短，且音乐的表达与该唱段角色的性格有较强的关联性。现代京剧中，前奏使用的音乐有时也会结合角色的主题音乐素材创作。例如，在第七场《发动群众》中，李勇奇演唱的《自己的队伍来到面前》，在开始处就运用了李勇奇的音乐主题，引出之后的“二黄碰板”；在第八场《计送情报》中，杨子荣的经典唱段《胸有朝阳》，其前奏部分也运用了杨子荣的音乐主题。在作品的表达形式上，整部作品的伴奏突破了传统京剧的伴奏模式，选择交响乐队伴奏。在音乐主题中融入了《中国人民解放军进行曲》及《三大纪律八项注意》中的音乐素材，并对其做了变化处理，贯穿作品始终。在舞台呈现方面，一改传统京剧作品程式化的表达，运用了虚实结合的表现手法，更注重作品的写实效果，在舞台布景、服装，以及化妆方面更贴近人民的生活。

四、京剧《沙家浜》中的英雄形象塑造

1. 创作背景与戏剧主题

现代京剧《沙家浜》是一部带有鲜明时代特色的京剧作品，创作灵感源自著名的抗战歌曲《你是游击兵团》。歌曲讲述了1939年9月末，新四军第六团在叶飞的率领下抗击了国民党“忠义救国军”后撤离苏常地区，其中有三十六名伤病员被留了下来，他们在地方党组织与群众的积极帮助下，不畏艰难，坚持抗战的故事。1957年，新华社记者崔左夫进行了为期

两个多月的实地走访，之后以三十六名伤员的真实战斗生活为素材写了一篇名为《血染着的姓名——三十六个伤病员的斗争纪实》的报道。1957年，为庆祝中国人民解放军成立30周年，解放军的《红旗飘飘》杂志征集抗战老干部的革命回忆。三十六名伤员之一的刘飞，时任上海警备区副司令员，他也回忆了当时的抗战往事。但由于身体的原因，他只能口述，由其夫人和秘书担任记录与整理的工作，共同完成了他的长篇回忆录《阳澄湖畔》(最初定名为《火种》)。20世纪50年代末，编剧文牧根据这篇回忆录创作了沪剧《碧水红旗》，至1960年公演时，该剧改名为《芦荡火种》，之后被定为国内首批样板戏，后来经历四次修改，最终成为现在的《沙家浜》。

整部作品讲述了抗战期间，阿庆嫂作为革命地下工作者奉命掩护在沙家浜养伤的十八名受伤的战士，并在这一过程中与“忠义救国军”展开了一系列抗争，在阿庆嫂与当地群众的共同努力下，伤员逐渐康复并向敌人发起反攻，最终帮助沙家浜获得解放的故事。作品既将军民之间深厚的情谊表现出来，又展现了新四军的英勇，还体现了阿庆嫂的机智。这部剧既是对中国共产党的颂扬，也是对广大朴实劳动人民的赞颂。

2. 情节概述

抗日战争期间，在江南驻扎的新四军与日寇之间进行着激烈的战斗，新四军某部指导员郭建光在抗击敌军的过程中不幸负伤，在他的带领下，同样负伤的十八名伤员来到沙家浜镇养伤。沙家浜镇涌现一批积极善良的群众，如沙奶奶、沙四龙、阿庆嫂等，他们主动承担了照顾伤员的任务，细致地照顾着这些伤员。在养伤期间，战士也帮助乡亲劳动，彼此建立起了深厚的革命情感。日寇为了搜寻这十八名新四军战士，对沙家浜镇进行了地毯式的扫荡，为了躲避追捕，沙家浜镇的党组织安排伤员藏身于阳澄湖的芦苇荡中，这让搜寻的日寇一无所获。但日寇并未善罢甘休，为了找到这些受伤的战士，让胡传魁的“忠义救国军”驻扎在沙家浜镇。之后胡传魁与刁德一来到阿庆嫂的春来茶馆打探伤员的具体去向，阿庆嫂凭借过人的机智与他们周旋，并巧妙施技离间了二人。这时，沙家浜镇被敌军长期占领，阿庆嫂等人也依照党组织的指示将伤员转移。这些“忠义救国

军”找不到伤员又担心日寇的盘问，于是开始拷问沙奶奶。几个月之后，伤员痊愈，沙奶奶的儿子也加入新四军，指导员郭建光率领战士对伪军司令部进行了突袭，将日军的首领黑田及一众汉奸活捉，沙家浜镇人民获得了真正的解放。

3. 从重点唱段分析“英雄”形象的塑造

（1）《祖国的好山河寸土不让》分析。

当沙奶奶向新四军的战士诉说了自己悲惨的遭遇之后，沙奶奶与卫生员小凌一起去洗衣服，遇到了乘船赶来的新四军指导员郭建光。郭建光让叶排长帮助沙奶奶将稻谷储存好，之后，又亲自帮助沙奶奶打扫院子。劳动过后，面对眼前的景色，郭建光激动万分，演唱中既饱含了对战友的思念，也表达了自己希望早日在战场上歼灭敌人、胜利回到家乡的愿望。

唱段在板式上依次采用了西皮原板、二六板、流水板、快板、散板，速度为中速—原速—慢速，共14句唱词，从整体的表达上可分为三部分。该唱段的唱腔创新性地借鉴了西方浪漫主义时期作曲家常用的创作手法，音乐表达极具抒情性，色彩鲜明，并运用交响化的方式将中国江南地区的风土人情呈现出来，给人很强的画面感，让观众仿佛置身作品所描绘的风景中。

第一部分是前六句，最先由木管声部呈示，旋律亲切柔美，仿佛将观众带入江南的鱼米之乡，郭建光在沙家浜镇看着祖国的美好景色，用西皮原板演唱“朝霞映在阳澄湖上”，这部分运用了大段的前奏，这在以往的京剧唱腔中未曾出现。在“上”字的演唱上运用了拖腔，表达了郭建光内心的喜悦之情，同时表现出他面对祖国大好河山的自豪之情；之后在演唱“芦花放稻谷香岸柳成行”时一气呵成，在演唱情绪上延续了上一唱段的喜悦。在京剧作品中，每一种声腔的表达都有非常严格的规范。在《沙家浜》中，创作团队对作品的唱词进行了调整，唱腔做了改变，用普通话代替了原本的语言，更有益于观众接受。前两句的唱词非常工整，表达上韵味感十足，增强了音乐表达的流畅性。在演唱第三、四两句时，在“画”字的演唱上使用了拖腔，以更好地表达劳动人民的辛苦。之后，“祖国的好山河寸土不让”一句坚定、有力地表达出祖国领土神圣不可分割，也饱含着郭建光对祖国的热爱，同时体现了他内心的愤恨。最后“岂容日寇逞凶狂”的“狂”字坚定凝练，将郭建光长期以来内心对日军的痛恨表现出来。这一部分整体上塑造了一个满腔热血、保家卫国的英雄形象，在唱腔上使用了很多高音，以增强“英雄”形象的色彩性。

第二部分是第七至十句，运用了二六板，速度稍快。“养伤来在沙家浜，半月来思念战友与首长”，两句话将郭建光对战友的思念表达得淋漓尽致。之后演唱“也不知转移在何方”时，节奏加快，转为流水板，道出了郭建光对战友的担忧之情，同时为第三部分的快板做好准备。

第三部分情绪的表达更为激烈，运用了西皮快板，制造了整个唱段的高潮，将郭建光想要早日重返战场的愿望与决心演唱出来，尤其是“何日里奋臂挥刀斩豺狼”这一句中的“斩”字，格外坚定、高亢，表现出他立志杀敌的决心。

《祖国的好山河寸土不让》是郭建光在整部作品中的首个唱段，采用了西皮的唱腔结构，整体的抒情性表达既带有传统戏曲的韵味又带有鲜明的时代特征。在唱腔的设计上较多地运用了高音区，对郭建光这一“英雄”角色的塑造具有重要意义。

整个唱段将郭建光的爱国情感与仇敌情绪表现出来，音乐的表达上存在鲜明的对比，深刻的情感表达使得整体的戏剧形象更加鲜明、饱满，情绪的表达也开始由最初的爱国情感转变为对敌人的愤恨。

京剧“样板戏”在传承京剧文化的同时进行了一定的戏剧创新，如在作品中正面角色的形象塑造方面，遵循了“三大突出”原则，在戏剧形象的呈现上使用了“红、光、亮”“高、大、全”的创作手法。郭建光以在船上远眺的方式出现，进入优美的意境中，体现出他对祖国的热爱之情。等到了沙奶奶家之后，郭建光还亲自打扫院子、挑粮食，在演唱“全凭着劳动人民一双手”，以及“画出了锦绣江南鱼米乡”时，郭建光撸起袖子，眺望远方，并顺手将手里的毛巾挂在了脖子上，这一系列的动作让人印象深刻，他的举手投足之间都显示出他对人民群众的深厚情感。之后，他又以坚定的态度演唱了“祖国的好山河寸土不让，岂容日寇逞凶狂”，表情坚毅、眼神坚定，带有鲜明的色彩，之后在演唱“伤员们日夜盼望身健壮，为的是早早回前方”时，他皱紧眉头、捏紧拳头，显示出他迫切想要

加入战斗的心情。这一部分的呈现高亢嘹亮、铿锵有力，至今依然是作品中非常受欢迎的唱段。

（2）《要学那泰山顶上一青松》分析。

班长将芦根和鸡头米拿给指导员郭建光看，之后指导员用毛主席的话鼓励战士，让大家一起想办法克服困难，他鼓励大家再坚持一下，并告诉大家现在的战场就是芦苇荡，大家应该做泰山顶上的青松。这时风雨来袭，小虎喊道：“大风雨来了！”紧接着天空开始下雨，郭建光与战士一同在雨中操练，之后是一段齐唱的片段，展现了战士的英雄气概。

《要学那泰山顶上一青松》是《沙家浜》中唯一的齐唱唱段，这也是该作品中的创新之处，整个唱段中的节奏非常紧凑，气势宏大，板式上采用了散板转西皮导板的板式，速度由快速转为渐慢，富有战斗气息，表达出战士对于战争必将走向胜利的信心。

唱段开始前运用了锣鼓经的前奏，以及铿锵有力的伴奏，伴随着整个剧情氛围的推进，众将士亮相，第一句由郭建光演唱，运用了散板的板式。在演唱“要学那泰山顶上一青松”时，对于“上”和“松”的演唱同样运用了拖腔，尤其是“一青松”的演唱，慷慨激昂、铿锵有力，对战士的士气有很大的鼓舞作用，也引出了之后与战士的合唱段落。随着音乐的发展，旋律与速度同时发生变化，经过一小段过门，齐唱开始，在演唱“要学那泰山顶上一青松”时，从前三个字开始演唱力度增强，运用了上行的旋律，“那”字之后空出了半拍的时值，“泰山顶上一青松”一句演唱得非常干净利落，打击乐也在持续进行。整个第三句的旋律走向非常流畅，到后面两个乐句，“八千里风暴吹不倒，九千个雷霆也难轰”旋律持续上扬，音乐力度也达到了“ff”，打击乐的持续进行很好地烘托了雷雨的气氛，与唱词的内容形成呼应。两句中间有一个小停顿，同时具备相同的节奏性，在演唱“轰”字时，使用了一个四拍的拖腔，对战士的士气起到鼓舞作用。之后经过一段锣鼓经的过门，战士调整过后演唱了“烈日喷炎晒不死，严寒冰雪郁郁葱葱”，伴奏声部音响非常丰富，将战士的活泼表现出来。旋律线较为平缓，基本都在三度之内，接着“那青松逢灾受难，经磨历劫”一句的演唱之后，力度开始做减弱处理，其中节奏没有过多的变化，这样的方式让旋律变得更加整齐。从第十句“更显得枝如铁，干如铜"开始，演唱力度增强，每一句结束之后都会以打击乐作为间奏过渡，很有气势感。第十一句采用了活泼的表达方式，加上规整的唱词，为之后的唱腔出现做了铺垫。最后结尾处演唱的"要成为十八棵青松"中，"青"和"松"的时值有意拉长，力度也达到了"ff"，配合锣鼓伴奏，整首齐唱段落完满结束。

《要学那泰山顶上一青松》是一个齐唱乐段，在这一段的呈示中，战士的动作非常整齐，非常引人注目。开始部分电闪雷鸣，大家做好了迎接暴风雨的准备，郭建光与受伤的战士，以及卫生员一起变换动作，当小虎喊出"大风雨来了"时，郭建光开始演唱，他将右手举过头顶，目光中透露着坚毅，手指指向天空，雷声响起也无所畏惧，凸显了郭建光在部队中的领导作用，表明他可以带领战士渡过难关。之后他重新回到队伍的最前面，卫生员与伤员也回到队伍中，所有人都做出整齐划一的造型，这一场景将大家齐心协力共渡难关的决心表达出来，之后齐唱开始。演唱完第五句之后，有一个锣鼓经的过门，在锣鼓伴奏下，战士逐渐后退，目光转向远处，仿佛泰山上的青松就屹立在他们的前方。之后在班长的引领下，整体动作再次转换。在演唱第十句"更显得枝如铁，干如铜"时，郭建光被战士围绕在中间，突出了他在作品中的地位，符合其英雄形象，也符合创作中的"三突出"原则。之后郭建光举起左手，表情非常自信，再次统一了演唱时的动作。在整个唱段的最后，战士簇拥着郭建光，将其推至队伍的最高处，在最后一段演唱时亮相。整个部分的呈现慷慨有力，表达上充满气势，表现出新四军不畏艰难，对战争有着必胜的信心，与当时敌人之间出现的内讧形成了鲜明的对比，也为之后剧情的进一步发展做了铺垫。

（3）《定能战胜顽敌渡难关》分析。

暴风雨过后，很多群众都被"忠义救国军"抓去了，胡传魁与刁德一在茶馆打麻将。阿庆嫂趁机询问赵镇长与沙四龙的消息。刁德一与当时的刘副官勾结，准备从王福根处下手，打探新四军伤员的具体情况。阿庆嫂内心非常焦急，且赵镇长与沙四龙至今未归，同时她还担心战士在芦苇荡里缺少粮食与药品，但无奈胡传魁与刁德一在此处打牌，她无法脱身。

这一唱段由阿庆嫂单独演唱，篇幅中等，板式上使用了二黄慢三眼转快三眼，在音乐演奏过程中，速度也进行了多次变化。整个唱段旋律委婉

悠长，伴随着戏剧性的表达，将阿庆嫂内心的担忧表达出来。

整个唱段分三部分呈示。第一部分是前四句，运用了二黄慢三眼的板式，与阿庆嫂演唱时内心的担忧相对应，在一段念白之后，开始这一段的演唱。首先是第一句“风声紧雨意浓天低云暗”的演唱，运用了八个字的颤音，旋律虽没有很大的起伏，但可以充分表达出阿庆嫂内心对赵镇长与沙四龙的担忧之情，每个音对于其内心的焦虑与不安都表达得恰到好处。第二句的演唱沿用了之前的处理方式，演唱“不由人”时，同样使用了颤音与装饰音，演唱之后增加了一个乐器的过门，“坐立不安”的处理中也运用了颤音与装饰音，尤其是“安”字的表达。这两句的旋律创作运用了重复的表达方式，这是紧张情绪的具体表现，符合阿庆嫂此时内心的惴惴不安。第三句“亲人们粮缺药尽消息又断”的演唱中情感表达非常真挚，阿庆嫂将自己对战士的担忧与思念都体现在“亲人们”三个字的演唱中，体现出她对战士真挚的阶级情感。在演唱“粮缺药尽”时运用了很多的装饰音，之后稍加停顿，体现出阿庆嫂面对当前现状的无奈。下一句“芦荡内怎禁得浪激水淹”中对装饰音的运用，再一次将阿庆嫂内心的状态呈现出来。其中“激”的旋律与第二句中“立”字的旋律相同，从结构层面存在音乐的呼应。在最后的呈示中进行了十五拍的拖腔，力度在演唱的过程中逐渐减弱，但旋律不断上升，也为作品之后的演唱做了铺垫。

节奏紧凑的过门之后，阿庆嫂开始了下一段的唱腔，板式转为快三板，力度随音乐的发展变为中强，演唱第五句“他们是革命的宝贵财产”时铿锵有力，充满信心，表现了人民群众对战士给予了厚望。之后“十八个人和我们骨肉相连”的演唱非常自然，尤其是“相”字，力度加强，重点表达了新四军与人民群众之间深厚的革命情感。接着速度减缓，演唱“联络员身负着千斤重担”时，音乐情绪的表达由最初的轻松转向沉重，同时表现了联络员的使命感。第八句“程书记临行时托附再三”的演唱婉转，旋律悠扬，将阿庆嫂当下担心自己辜负党和人民的信任时窘迫的心境表现出来。之后速度不变，“我岂能遇危难一筹莫展”一句的演唱力度稍弱，与之后“辜负了党对我培育多年”的铿锵有力形成对比，也表现了阿庆嫂坚信革命必将取得胜利的信心。在后两句的演唱中，语调再次发生变化，力度减弱将阿庆嫂对侦察员战士的担忧表现出来。“我本当去把亲人来见”突出了“亲人”，表现了阿庆嫂内心的迫切心情。在第十四句时，节拍发生变化，转为1/4拍，与阿庆嫂无法脱身时内心的焦急与无奈相对应，“那刁德一他派了岗哨又扣船”透露出阿庆嫂的厌恶之情。之后节拍再次变化，转为2/4拍。第十六句中连续出现了三个“怎么办”，旋律不断升高，语速加快，情绪的表达更加强烈，表示阿庆嫂内心的情绪达到高潮；第十七句，三个“怎么办”的语速逐渐加快，旋律持续升高，力度也由中弱逐渐上升到中强，阿庆嫂对新四军和侦察员的担忧到了“事到此间好为难”结束之后才逐渐减弱。

在第三部分的唱段中，阿庆嫂始终处于内心焦灼的状态，担忧但想不出权宜之计。这时《东方红》的旋律出现，“东方红”主题便是“三突出”原则的具体体现。阿庆嫂听到这一主题，豁然开朗，激动地演唱了之后的唱段。“毛主席”是整部作品中的最高音，也与阿庆嫂内心激动的情绪相对应，歌词的表达情感真挚。最后“我定能战胜顽敌渡难关”，唱词的吐字清晰准确、铿锵有力，表现了阿庆嫂对革命的胜利有着足够的信心。

《沙家浜》中“阿庆嫂”这一角色的塑造，表现了人民解放军与群众之间的鱼水情，也体现了战时人民群众极高的思想觉悟。唱段体现了以阿庆嫂为代表的普通民众对革命的无限热情。开始演唱时，阿庆嫂眼睛望向天空，来回踱步，眉头微微皱起，开始进入唱段的情感状态。第二句“不由人一阵阵坐立不安”的演唱中，步调放慢，她双手环抱胸前，表情凝重，但想到“亲人们”，又有着掩饰不住的关心；演唱“粮缺药尽”时，内心的担忧使她的表情变得严肃；演唱“芦荡内怎禁得浪激水淹”时，她望着远方，似乎看到了远在芦苇荡中的伤员，不知道他们是否安全，是否还有食物。“十八个人和我们骨肉相连”的演唱中，音乐情绪出现转变，由原本的凝重变为柔和，并饱含了对未来生活的憧憬，之后随着情绪的进一步发展，阿庆嫂身上的力量也体现出来，又联想到赵镇长与沙四龙至今没有消息，她也有自己的担心。第十六句中的三个“怎么办”表达了当时阿庆嫂的艰难处境及面对现实情况的无能为力，她希望再次见到新四军的战士时，他们是平安的。

在唱段的最后，“东方红”的主题旋律响起，阿庆嫂仿佛看到了毛主席，也看到了胜利的曙光，顿时内心充满希望，开始展现出幸福的笑容。

为了表现对胜利的迎接，阿庆嫂先是后退，之后又握紧拳头，坚定地演唱了“我定能战胜顽敌渡难关”，至此，整个乐段结束。

（4）《沙家浜总有一天会解放》分析。

为获取情报，胡传魁对沙奶奶严刑逼供，但面对残酷的刑罚及阿庆嫂的劝说，沙奶奶的态度非常坚定。胡传魁欲对沙奶奶实施鞭刑时被刁德一阻止，他假笑着劝说沙奶奶供出阿庆嫂的身份，并许诺可以为沙奶奶以后的生活提供米和柴。但沙奶奶不但不为所动，还痛斥了他们的罪行，并唱出“沙家浜总有一天会解放”。

唱段采用了二黄原板的板式，中等篇幅，整个唱段的速度变化与情感表达紧密配合，沙奶奶通过演唱表达了自己的愤恨。演唱过程中，她将敌军的罪行一一细数，情绪激动，立场坚定。整个唱段也将沙奶奶对革命必胜的决心表达出来，共分两部分呈示。

当胡传魁质问沙奶奶，并对其喊道：“你说，新四军对你什么好？”沙奶奶听后非常气愤，扶凳而起连着说了两次“我说”，便开始了这一唱段的演唱。第一句采用了“mf”的力度，“‘八・一三’，日寇在上海打了仗”，沙奶奶开始有力地斥责敌人的罪行。在“江南国土遭沦亡”一句中，创作者对于“江南国土”四个字仔细斟酌，“遭”字运用了拖腔，使整体的演唱效果带有哭腔，从而表达了广大劳动人民对国家遭受侵略时内心的悲痛之情。随后演唱的两句情感表达更进一步，将沙奶奶内心的悲伤与心痛表达出来。第五句“新四军共产党来把敌扛”保持了之前的力度，并在演唱关键词“新四军”“共产党”时有意放慢了速度，更好地体现人民群众对于党组织和人民军队的感激之情。这一部分过后速度开始加快，为后面歌颂新四军的内容做好了铺垫。第六句的演唱力度有所减弱，拍子转为1/4拍，“历尽艰辛，东进江南，深入敌后”在表达上一气呵成；下一乐句节拍再次回到2/4拍，“解放集镇与村庄”中“与”字运用了拖腔的表达，同样是对人民军队的感激之情。第一部分的最后两句“红旗举处歌声朗，百姓才见天日光”节奏性较为相似，对于拖腔的运用也存在呼应，虽然没有采用戏剧性的表达手段，但将百姓因为新四军的到来后内心情感的变化演唱出来了。

在第二部分开始时并没有停顿和过门，沙奶奶开始严厉斥责胡传魁与刁德一，节奏转换为1/4拍，“你们号称忠义救国军”，每个字的表达清晰有力，每个字都体现了百姓对敌人的憎恶。之后沙奶奶演唱“为什么见日寇不发一枪”时，有意突出了“为什么”三个字，也是一种斥责的表现方式，在“发”字的演唱时使用了一小节的拖腔，表现出对他们行为的不解。第十二句沙奶奶依然在斥责胡传魁与刁德一，旋律的发展多控制在三度之间，但情绪依然不减。之后两句接连出现“为什么”，旋律向上发展，力度增强，且三组“为什么”都运用了相同的节奏与旋律，速度也在不断加快，并发出“你忠在哪里，义在何方”的追问，言语中也尽是对敌人行为的不屑一顾。在沙奶奶演唱到第十七句时，速度再次减缓，在“丧尽天良”的演唱中节奏转至1/4拍，仅“良”字就采用了九拍的拖腔，一方面表现她对敌人的痛恨与厌恶，另一方面也反映了非常坚定的政治立场。随后经过锣鼓经的紧凑过门，节奏逐渐加快，沙奶奶视死如归，“纵然把我千刀万剐也无妨”，语气非常坚定，显示出为革命事业牺牲的大无畏的英雄精神。之后的演唱依然沿用了之前的力度与速度，表现出沙奶奶对沙家浜镇的解放充满了信心。最后演唱“且看你们这些走狗汉奸好下场”时，速度减缓，一个乐句中包含了不同的板式变化，将沙奶奶内心对敌人的愤恨及对战争必胜的信心表现出来。

整部作品通过对沙奶奶这一角色的塑造，不仅表现出人民军队与劳苦大众的深厚情感，也反映出当时中国民众极高的思想觉悟，这使得整个角色的呈现非常贴合作品主题，也非常深入人心。

第五章

电影音乐对“英雄”形象的塑造

在电影作品中，人物是最主要的元素，而角色的造型则直观地呈现了人物的形象，结合戏剧化的表达与角色本身的性格构成了一个完整的人物。角色造型主要涉及着装、谈吐与表情等要素，在这些要素的综合影响下，人物的表达更加符合剧情需要，也更加贴近现实。从另一层面分析，角色在舞台上所呈现的造型在一定程度上反映了这一角色的内心，但仅靠画面观众是很难理解的，即使理解也缺乏深刻性，而电影音乐的加入很好地弥补了这一方面的不足。

在电影中，角色的穿着可能会最鲜明地表现出人物的性格与剧情的发展。此外，人物的情绪也可以非常直观地表现其形象。电影作品中的角色都是由演员扮演的，为了更好地体现影片的思想，演员通过表演呈现出来的所有特征都需要符合角色的设定，而电影音乐可以增强不同元素在角色中的标志性特点。很多动作场景的呈现中也会加入音乐，增强电影的氛围感表达，可以使人物动作变得更具特点。例如，在电影《黄飞鸿》中，黄飞鸿由李连杰扮演，影片中他的标志性动作配上《男儿当自强》的主题音乐，能够将黄飞鸿的英雄气概淋漓尽致地表现出来，让电影中角色的呈现更有记忆点。只要《男儿当自强》的音乐一出现，观众就会想到黄飞鸿的标志性动作，同样，每当看到黄飞鸿的动作，也会想到《男儿当自强》的音乐。可见，电影角色与电影音乐之间的影响是相互的，音乐的介入会使电影中的英雄形象更为鲜明。

电影中角色之间的矛盾是通过剧情发展决定的，会受剧中角色性格设定的影响。随着剧情的发展，与角色相关的各种元素进一步展开，仅仅依靠演员的表情、动作、造型，而缺乏语言或场景的烘托，电影的内容很难准确传达。电影音乐的加入，在很大程度上影响角色的塑造，因为音乐本身就承载着很多丰富的情感，每个角色都能找到与其性格相配的音乐。所以，在音乐的烘托下，抽象的角色性格具象化了。同时，电影音乐可以将角色的形象、戏剧的冲突更准确地传递给观众，也能将影片的思想更多层次地表达出来，触发观众的情感共鸣。

第一节　武侠电影音乐

一、谭盾电影音乐对“英雄”形象的塑造

在中国的武侠电影音乐的创作中，谭盾的“武侠电影三部曲”是非常经典的代表，可以根据其创作的三首武侠电影音乐作品，分析谭盾音乐对“英雄”形象的塑造。

谭盾在三首电影音乐的创作中，运用了很多极具民族特色的乐器，如竹笛、鼓、箫和热瓦普等，同时，在继承传统民族调式的基础上融入了很多先进的作曲技法。另外，在其作品中还能感受到传统禅宗文化和巫傩文化的影响，谭盾在音乐创作与乐队编制等方面还融合了很多的西方元素，如运用了大提琴、小提琴、钢琴等乐器，采用了现代性调式，融合了中西方音乐的特点与风格，形成了其武侠电影音乐的鲜明特色。

在电影作品中，配乐至关重要。谭盾依据不同电影的需求，在音乐的创作中，融合了武侠电影中的武侠元素，通过声画之间的配合强化了影片的整体呈现效果，突出了武侠电影的风格特点。在“武侠电影三部曲”中，电影与音乐完美结合，实现了电影音乐艺术效果的最大化。

电影角色的塑造是非常重要的，性格鲜明的角色往往能够让观众对电影留下深刻的印象。但有的内容仅仅依靠电影画面无法全面呈现，如影片中角色内心的情感变化等。电影音乐的加入对角色的塑造起到关键性的作用，它可以使人物性格更为鲜明，也可以烘托整部影片的情感，在有的影片中，它甚至可以成为某一角色的标志性符号，让观众再次听到该音乐时就会下意识地想到这个角色。谭盾的电影音乐能够烘托剧中角色的戏剧形象，从而更好地激发观众的情感共鸣。谭盾擅长将视觉艺术以听觉艺术的形式呈现，从而让观众感受到听觉与视觉的双重震撼。

电影《卧虎藏龙》的主要角色分别是李慕白、俞秀莲、玉娇龙和罗小虎，剧情包含了两条感情线，两条感情线的音乐风格形成鲜明的对比：一条是李慕白与俞秀莲之间心照不宣的爱情，他们的音乐主题非常轻柔动人；另一条是罗小虎与玉娇龙之间炙热的爱情，他们的音乐主题则极具地域特色，节奏鲜明、曲调轻快，将玉娇龙性格中敢爱敢恨的一面，以及罗小虎勇敢追爱的勇气表达出来。在一场戏中，玉娇龙与一些江湖人士在茶馆中打斗，这里的音乐节奏变化非常频繁，作曲家通过节奏的变化将玉娇龙所使用的招数全都呈现出来，快节奏的鼓乐与玉娇龙年轻气盛的角色形象非常贴近。电影中的配乐《南行》运用了我国传统乐器——竹笛，音色清脆婉转，与电影中所呈现的江南景色非常契合；在配乐《穿越竹林》中，又使用了带有浓厚传统色彩的乐器——箫，凄凉的音色为电影增添了一丝神秘感；电影中有很多打斗的场面，《交锋》就是打斗场面的经典配乐，作曲家用古筝模仿金属的声音，丰富了影片的整体呈现。另外，除了对我国传统乐器的使用，作曲家还多次使用大提琴等西洋乐器，因为“悲”是整部影片的基调，而大提琴的音色很好地渲染了影片的悲凉，在此基础上再加上不同乐器的融合，别有一番意蕴。

二、徐克电影音乐对“英雄”形象的塑造

徐克拍摄的《黄飞鸿》系列电影共六部，前两部作品塑造了黄飞鸿民族英雄的形象，但从第三部影片开始，影片的娱乐性与商业性更为鲜明。作曲家黄宿也因为创作了第一部《黄飞鸿》电影的主题曲与配乐获得了当时金像奖的最佳配乐奖。

因为处在特定历史背景下的黄飞鸿被冠以民族英雄的称号。而影片对黄飞鸿英雄形象的成功塑造，主题曲《男儿当自强》起到了非常重要的作用。该乐曲改编自琵琶古曲《将军令》，原曲在华秋苹的《琵琶谱》中出

现过，采用的是传统的变换拍子。而《男儿当自强》将原曲改成了4/4拍，整体风格更符合现代音乐的表达特点。改编后的旋律与原作品相似，歌曲开始部分以大鼓由远及近地拉开，之后加入了四拍十六分音符的琵琶演奏，虽然篇幅不长，但有力地加强了乐曲的感染力。之后进入乐曲的主歌部分，由琵琶担任主奏，中间穿插了唢呐、竹笛，与琵琶声部相呼应，还加入了男性的低吼声，增强了歌曲声音的力度。接着进入中间部分，旋律中的高音声部非常突出，电音鼓的加入增强了音乐的表现力，和声部分对主唱声部起到了非常强的衬托作用。最后的尾段部分，唢呐再次出现。尾声速度减慢，使音乐的表达更加稳重。除了精彩的演奏，这首歌的歌词也非常出彩。歌词“傲气面对万重浪，热血像那红日光，胆似铁打骨如精钢，胸襟百千丈眼光万里长，我发愤图强做好汉”，让观众感受到了男儿宽广的胸襟；中段的“让海天为我聚能量，去开天辟地为我理想去闯，看碧波高壮又看碧空广阔浩气扬，我是男儿当自强”，将男儿的英雄气概刻画得非常到位，前后呼应，增强了影片主题思想的表达；在最后的乐段中，“昂步挺胸大家做栋梁，做好汉，用我百点热照出千分光”淋漓尽致地表达了黄飞鸿欲挽救国家与民族于水火的志向，让观众感受到歌曲所传达的热血精神。同时，歌曲鲜明的节奏配合黄飞鸿领兵在海边操练的场景，将黄飞鸿宽广的胸襟与宏大的气魄呈现出来。

主题音乐作品除了出现在影片开头，还以背景音乐的形式出现在影片的很多场景中。尤其在黄飞鸿与人打斗的场景中，因为没有了人声部分，配乐上突出了唢呐高亢的音调，将黄飞鸿的英雄形象与精湛的武技展现出来。当然，黄飞鸿也有失落和困惑的时候，这时主题音乐减弱力度，以若有似无的方式呈现，与角色内心的情感很好地形成互应。

影片第二部《黄飞鸿之二：男儿当自强》的音乐由袁卓凡和杨奇昌编配，虽然依然采用《男儿当自强》作为主题曲，但演唱者换为成龙，配器也有所变化，突出了电声音乐的表达，原曲中使用的民族乐器也换成了合成乐器。主题背景依然延续了第一部的表达方式，唢呐主奏，因此，黄飞鸿的角色魅力依然非常突出，同时，很多随着剧情发展新赋予角色的情感也被融入作品中。

第二节　革命电影音乐

20世纪30年代，随着中国电影艺术的发展，电影音乐的创作越来越受到重视，这是中国电影发展渐趋成熟的重要表现。中国的革命电影音乐创作开始于20世纪30年代的上海，在左翼“新音乐运动”的影响下发展起来。这一时期，很多作曲家开始尝试为电影创作主题曲或者插曲，如聂耳、任光、贺绿汀等。他们以音乐的方式记录了我国近代战争期间的艰苦历程，记录了很多光辉的英雄形象，也记录了人民社会地位的重要变革。《铁蹄下的歌女》《渔光曲》《大路歌》《四季歌》《毕业歌》等在近代音乐发展过程中流传非常广泛的声乐作品，都被选做电影作品的主题曲或插曲。

新中国成立以后，随着中国电影艺术的发展，电影音乐的创作领域得到拓宽，很多专业的作曲家队伍与电影音乐演奏团体共同组建了创作队伍，为我国电影音乐的创作提供了非常便利的条件。在新中国成立之后拍摄的电影中，反映革命战争题材的作品占据了很大的比重，很多电影音乐作品也随着影片的上映被大家熟知，并广泛流传开来，获得了很高的传唱度。人们在演唱这些作品的同时，也记住了与歌曲相关的电影作品。

一、傅庚辰的革命电影音乐

傅庚辰是我国非常著名的军旅作曲家，从1961年进入八一电影制片厂开始，他创作了很多经典的电影音乐作品，这些音乐作品不仅深受群众喜爱，还具备很高的影响力。他首次为电影配乐是在1962年，为影片《英雄坦克手》创作主题曲《坦克手之歌》，这首歌是他的电影音乐中的经典代表作。

……

为了保卫祖国江山，

为了保卫世界和平，
冲向前！向前！
要把敌人消灭光！
冲向前！向前！
要把敌人消灭光！

该作品由两个部分构成。第一部分由两个对比鲜明的乐段构成，前一个乐段节奏雄壮，是男声齐唱乐段，结构较为齐整，齐唱的力度可以很好地表现坦克手坚毅的性格与势不可挡的气势；第二段音乐采用抒情的表达方式，是以二声部合唱方式呈现的。合唱第二部分是混声合唱，男声声部与女声声部以“卡农”的形式展开，在音响上带有此起彼伏的效果，歌曲中“消灭光”的“消”字是以大二度和弦表达，增强了音乐的紧张感，在演唱时也更有力度感。和弦所营造的紧张感可以让观众感受到战斗中战士拼杀的感觉，这种表现方式是这一类歌曲的魅力所在。

傅庚辰于1964年为电影《雷锋》编配音乐，为了更好地体现影片所传达的雷锋精神，以及对伟大共产主义战士形象的赞颂，傅庚辰还专门到“雷锋班”与战士一同学习、生活。并采访了很多雷锋身边的领导、战友，将自己采访过后的感受与在“雷锋班”的体验都详细地记录下来，帮助自己真正领会雷锋精神，在这一过程中，他也获得了音乐灵感。傅庚辰为该影片创作了主题曲《雷锋，我们的战友》，以及《为社会主义大厦多添一块砖》《唱着山歌过田来》等插曲。

《雷锋，我们的战友》作为影片的主题曲，在风格上具有质朴、庄重的特点。乐曲开始就采用了两个对称的乐句：

雷锋，我们的战友，
我们心爱的弟兄。
雷锋，我们的榜样，
我们青年的标兵。

这是高低音声部的二部合唱，音乐的表达非常自然亲切，情感的表达

非常亲切、热情。这两句之后，通过男女声对唱的方式过渡到后续的乐段。再之后是结构对称的两个乐句，最后以合唱结束这一部分的演唱。

除此之外，傅庚辰在该阶段还为电影《地道战》创作了主题曲和插曲，至今，这些歌曲还是电影音乐中的经典代表作。他创作的音乐作品中包含了独唱、齐唱与合唱作品，通过音乐表达出中国人民不畏艰险、勇于抗争的英雄气概。时至今日，其中的很多革命电影歌曲依然具有很高的传唱度。

二、巩志伟的革命电影音乐

在这一时期内，巩志伟为革命电影创作的音乐也具有一定的影响力，如他为电影《怒潮》创作的歌曲深刻地表达了影片的主题思想。影片主要以大革命时期为背景，表现了当时湖南地区的农民起义。领导起义的罗大成受到错误路线的贬斥被迫离开，群众不舍罗大成，在这场戏中，还安排了歌曲《送别》。

该首歌曲歌词的创作运用了比兴的手法，每一段都以“送君送到……”开始；在作品的表演形式上，巩志伟借鉴了湖南民间的渔鼓音乐，渔鼓老人和小孙女出场，随着罗大成等人一边走一边唱。

送君送到大路旁，君的恩情永不忘，
农友乡亲心里亮，隔山隔水永相望。
送君送到大树下，心里几多知心话，
出生入死闹革命，枪林弹雨把敌杀。
半间屋前川水流，革命的友谊才开头，
哪有利刀能劈水，哪有利剑能斩愁。
送君送到江水边，知心话儿说不完，
风里浪里你行船，我持梭镖望君还。

在演唱《送别》的过程中，导演仅用了首尾很短的时间对相关角色进行了交代，其他的镜头都运用了远景与中景的手法，有意让观众将注意力集中到旋律与歌词的情感表达上，使歌曲在情感上表达出一种浓浓的相思与淡淡的哀愁。这也是电影音乐在表达时非常重要的特点。

不同时期的歌曲作品在音调、内容、演唱方式，以及乐器使用等方面都存在区别。电影音乐在创作时会依据影片所表达的时代背景，选择能够反映那个时代元素的旋律或歌曲作为影片的主题曲或插曲，也可以运用同类音乐为电影制造时代背景。巩志伟在为电影《怒潮》创作音乐时就运用了这种手法，将那个时期独有的气氛真实地反映出来。如在乐曲《送别》中，作曲家在创作时有意识地借鉴了民歌的风格，但并没有受到束缚，而是吸取了其中的精华，依据影片内容表达进行了创造性发挥。

除《怒潮》外，巩志伟参与音乐创作的影片还有《海鹰》《狼牙山五壮士》《钢铁运输线》《赤峰号》等，为影片主题思想的传达加分不少。

三、高如星的革命电影音乐

电影《柳堡的故事》主要围绕一位解放军战士与农村姑娘之间的爱情展开，通过解放战争来表现战士的人格美与人情美，这些元素在影片题材方面起到了非常重要的开拓性。《九九艳阳天》是影片的主题曲，以明朗的旋律、质朴的歌词，传达了非常鲜明的革命精神。

九九（那个）艳阳天来哟，
十八岁的哥哥呀坐在河边，
东风呀吹得（那个）风车转哪，
蚕豆花儿香呀，麦苗儿鲜。
风车呀风车（那个）依呀呀地唱哪，
小哥哥为什么呀，不开言？

整首歌曲在影片中并没有得到完整地呈示，第一次是在新四军战士修房子的时候由李进副班长领唱，战士合唱完成；歌曲第二次出现是在二妹子晾衣服之时，二妹子与李进在这一阶段已经互生情愫，但他们并没有向对方表露自己的心声，这一部分的演唱更像是二妹子内心情感的隐秘倾诉；第三次出现这一主题曲时，李进与二妹子的身份也有了变化，李进成为基层指导员，二妹子也成为地方领导，这时主题曲的出现是对他们人情美与爱情的讴歌。电影音乐经常会用到这种分段呈示主题的方式，这是电影音乐与一般音乐作品在表现手法上的不同之处。《九九艳阳天》随着影片的上映，成为一首传唱广泛的经典歌曲。

此外，高如星还创作了《英雄虎胆》《野火春风斗古城》《在帕米尔高原上》等电影音乐作品，都具有很强的影响力。

四、雷振邦的革命电影音乐

这一时期有很多深受大家喜爱的军旅题材电影，其中的音乐作品受到了大家的喜爱，如《铁道游击队》《冰山上的来客》《红色娘子军》《红日》等，影片中的很多歌曲并非全由专业的军旅作曲家创作，但这些作品的情感表达非常真挚，旋律优美动人，从不同角度展现了人民军队战斗的光辉历程。

作曲家雷振邦为电影《冰山上的来客》创作了四首歌曲，包括主题曲《花儿为什么这样红》，插曲《怀念战友》《高原之歌》《什么时候才能看见你的笑脸》。每一首歌曲在电影中都有着非常重要的作用，主题曲《花儿为什么这样红》充分展现了电影的特色，歌曲的音乐语言与歌词的文学语言都吸收了新疆地区独具特色的元素。作品中以“花儿”象征阿米尔和古兰丹姆之间深厚的情感，之后以被践踏的花儿象征情感遭到破坏。雷振邦在创作时采用了和声小调，委婉而凄楚，带有典型的悲剧色彩的表达，也使得旋律与歌词的结合更为紧密，增添了作品的艺术魅力。

花儿为什么这样红？
为什么这样红？
哎……红得好像，红得好像燃烧的火，
它象征着纯洁的友谊和爱情。
……

主题贯穿手法是作曲家创作电影音乐的主题曲时最常运用的创作方式。电影《冰山上的来客》中，歌曲《花儿为什么这样红》先后出现三次，第一次出现是边防军战士阿米尔在参加当地一个老乡的婚礼时，发现新娘竟然是自己曾经的女友，让他回忆起自己的少年时期。在他回忆的整个过程中，《花儿为什么这样红》的音乐出现，这也是唯一一次完整的歌曲呈示。

《花儿为什么这样红》第二次出现是在边防军杨排长对阿米尔和古兰丹姆之间的经历有一定的了解时。他因古兰丹姆对阿米尔不寻常的情感流露，以及自己所见到的一些事情，对古兰丹姆持有怀疑的态度。有一次杨排长让阿米尔唱一首歌，阿米尔演唱了《花儿为什么这样红》，通过杨排长对古兰丹姆的试探，了解了在面对这首歌时阿米尔的反应，也进一步证实了先前的猜测。

主题曲第三次出现是古兰丹姆想要证实自己的身份，借助于都塔尔琴，并承认了自己其实是阿曼巴依老爷的小老婆。之后杨排长又通过一盆花试探她的反应，在阿米尔演唱《花儿为什么这样红》时，古兰丹姆情绪激动地随之哼唱，二人也终于团聚在一起。

歌曲《花儿为什么这样红》有着极高的艺术价值，先后三次介入影片，不仅非常自然地推动着影片故事情节及表现剧中角色命运的发展，在作品情感主旨的表达上也有着非常重要的作用。电影中音乐作品的创作与使用等方面都取得了较高的艺术成就，在我国电影音乐发展中是经典的代表作。

总体来看，在20世纪五六十年代的电影中，军事题材占据了电影市场的主流。很多军事题材的电影都以革命战争为主要内容，影片中的配乐非常注重作品内容与革命斗争之间紧密的关联性，以更好地反映不同时期的斗争与生活。这些音乐作品依据影片内容的时代背景、发生地等因素，选择带有时代和地域特点的民歌、戏曲等作品为创作素材，为影片营造了一种浓郁的地方色彩。可见作曲家在创作电影音乐作品时从歌曲的内容、形式到思想情感的表达等都根植于民族文化的土壤，突出了时代背景。在音乐创作特点与风格上，充分体现了作品丰富的音乐表现形式，并突出了音乐性在影片中的具体表达。

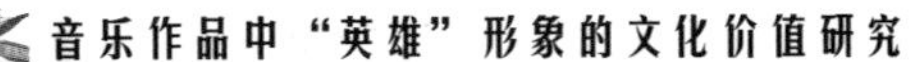

上述的军事题材电影中的音乐在表达上深入人心，在中国音乐艺术的发展中起到了非常重要的推动作用。那些脍炙人口的电影歌曲已经成为特殊历史阶段中人们内心深处独有的文化记忆。因此，中国的电影音乐除了具备时代性，还带有鲜明的民族性，在我国不同的历史阶段发挥了歌曲本身的特殊意义。

第三节　新时期电影音乐

相较于以往多以历史题材、战争题材创作的电影作品，新时期电影涉及的范围更为广泛。因此，新时期电影音乐的创作与发展朝着更加多元的方向展开，在主题的呈现与内容的表达方面更加丰富。

一、电影《大圣归来》中音乐形象的塑造

《大圣归来》是一部立意非常新的动画片，观看这部电影的观众多为儿童及陪伴儿童的家长，因此成年人也占据了很大的比重，而该影片传达的主题恰好需要拥有一定社会阅历的人才能有更深的体会与理解。影片是以我国四大名著之一的《西游记》为素材创作的，虽然《西游记》被多次改编，但孙悟空的形象已经闻名中外，孙悟空的形象也因为众多电影与电视剧作品而更加深入人心，戏剧形象的塑造上也更为丰满。但电影《大圣归来》却塑造了一个与传统孙悟空形象相反的角色，大家对这样一个角色非常陌生。电影中，很多角色都颠覆了大家对《西游记》的传统认知，如孙悟空失去了多变的法力，成了一个平庸的中年大叔，面对妖魔鬼怪变得唯唯诺诺；唐僧唠叨迂腐的形象也被颠覆，成为一个记得孙悟空过去辉煌的可爱男孩。一次偶然的机遇，二人相遇了，之后一起冒险、相互陪伴，最终“大圣”也觉醒了。

影片中的音乐随着情节的发展，时而激昂，时而舒缓，很好地烘托了影片的音乐氛围，让观众沉浸在影片的故事情节中。当“大圣”说出“有

一天，你要是够坚强、够勇敢，你就能驾驭他们”这句话时，插曲《勇敢的心》响起，伴随着激昂的音乐旋律，影片中的主角也重新踏上征程，直到影片结束。电影情节与音乐结合得非常完美，是电影中不可分割的重要组成部分。

在歌曲《勇敢的心》的主歌部分，采用了对称式的表达，这样的设计使得歌曲在旋律、节奏，以及歌词上都带有类似的表达，旋律在整体上营造出欲扬先抑的表达效果。在歌曲的副歌部分，出现了很多七度音程的跳进，旋律的发展与电影中“大圣”挣脱命运束缚的情绪紧密地联系在一起，符合影片情节与音乐情绪的统一性表达，更好地塑造了“大圣”这一英雄形象中勇敢的特点。

在整首歌曲中，“撒满星星”一句达到了最高音，与电影中呈现的画面相配合，一扫之前影片中的压抑感，营造出一种充满希望的情感基调。带有这类表达特点的音乐出现在影片中，对于观看影片的儿童有启蒙教育的意义，同时对观看电影的成年人的内心也会产生一定的冲击，将他们在现实生活的重压下，原本已经沉睡的斗志与梦想唤醒。

除此之外，电影《大圣归来》中的音乐在创作中还较多地融入了民族、流行等元素，密切配合着剧情的走向，极大地调动了观众的情绪，让观众对于影片中表达的主题、呈现的思想有更全面、更准确的理解。多元素的创新打破了传统动画片的受众局限，让更多的成年人怀着赤诚之心观赏这部影片。

艺术审美过程本身体现着主体的差异化，也有很多人对影片的主题曲持有一种批评的态度，认为歌曲从创作到演绎都没有很好地与影片融合在一起，在猴哥跟江流儿一行徒步前进的过程中，主题曲的出现非常突兀，音乐与影片的画面无法做好同步输出。但艺术的审美本身就带有强烈的主观性，对于电影音乐作品的解读也是见仁见智，每位观众与听众的感受会因为主题差异性而产生不同的审美体验。

二、电影《战狼2》中音乐形象的塑造

在近几年的电影中，《战狼2》为中国电影票房做出了非常突出的贡

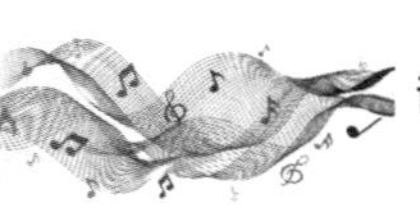

献，该片是吴京执导的动作军事电影。影片讲述了脱下军装的军人冷锋在机缘巧合下被卷入了一场非洲国家的叛乱，原本可以安全撤离，但冷锋无法放下军人的职责，回到战场展开救援的故事。整部电影在音乐使用上极具特色，主题音乐与场景音乐在影片中运用得非常合理，既可以很好地烘托影片的氛围，又能很好地表达影片中塑造的英雄形象。

《风去云不回》是该片的主题曲，易家扬作词，颜子作曲，整部电影中的其他音乐也是围绕着该主题曲进一步展开的，因为电影中的主题曲关系整部影片的音乐基调，可以让观众短期内了解电影的情感表达，而吴京亲自演唱主题曲，更能准确地表达歌曲中所传达的感情。在电影中的特定的场面使用不同的乐器与演奏形式表现音乐主题可以推动影片发展，也可以更好地呈现主题、烘托气氛，使观众在观看影片时能够明确知道情感路线的发展与走向，也能让观众产生更多的记忆点。

综上所述，不管是爱情、友情还是革命情感，或者主流观念、家国情怀，电影音乐都可以紧密结合影片的画面和情节将情感淋漓尽致地表达出来。例如，在《战狼2》中，冷锋在护送战友骨灰回乡的过程中，受到了很多反派角色的阻挠与威胁，在他因为打人一事而被处罚时，长官所说的话也将电影的发展推向了高潮：“即使脱了军装，职责还在，一样会被人尊重。”在同类题材的影片中经常能见到这种场景，但在《战狼2》的音乐创作与编写中，加入了带有庄严感的铜管类乐器，如大军鼓、低音提琴等，将场景音乐的氛围感拉满，同时将我国军人高尚的情操与伟大的形象呈现出来，既为之后情节的发展做好铺垫，也很好地烘托了电影的气氛。音乐形象与电影中冷锋的英雄形象融合在一起，增强了电影对观众的吸引力。

第六章

项羽的英雄形象在音乐创作中的塑造研究

从《史记》到《霸王别姬》，穿越了两千年的光景，西楚霸王项羽这一顶天立地的盖世英雄以无数艺术形式重新演绎。司马迁在《史记·项羽本纪》中将项羽定位成“失意英雄”，从这样模糊的轮廓中可以看到他的志气与豪情，也可以看到他的残暴与刚愎自用，最终的结局是“天将亡我”的“乌江自刎”。本章将从项羽这一人物在音乐作品中所呈现的形象为出发点进行剖析，将音乐作品的地域性特征进行描述，并最终以文本的形式将以项羽为题材的音乐作品中的文化特征予以展现，以期详细梳理音乐与文化、艺术与历史之间千丝万缕的联系。

“生当作人杰，死亦为鬼雄”，项羽的英雄形象在民间传说与戏曲舞台上广为流传。在中国戏曲漫长的发展历史中，项羽的舞台形象首次出现在唐代的歌曲戏《樊哙排君难》中，是以配角的人物形象出现的。此后，宋杂剧《诸宫调霸王》《霸王中和乐》等，均在一定程度上将项羽这一人物形象呈现在舞台之上，却无从考证。直至元代，我国戏曲进入一个发展高峰期时，此时出现的《霸王垓下别虞姬》等剧目才将项羽的舞台形象较为清晰地展现出来。到明代的《千金记》，才确定了项羽在戏剧舞台上的艺术形象。该剧以“起兵江东”“鸿门会宴”“别姬自刎”三段故事作为题材，将项羽的悲剧英雄形象淋漓尽致地呈现在舞台之上。清代长篇巨制《楚汉春秋》进一步丰富了项羽的戏剧舞台形象，将项羽与虞姬之间的万种柔情融入剧中，进一步彰显了项羽这一人物形象的悲剧色彩。在戏剧舞台上，项羽形象虽被不断更新与演绎，但均以《千金记》与《楚汉春秋》

为蓝本，在此基础上注入新的元素。

在近代京剧舞台上，项羽题材的作品层出不穷。项羽作为剧中人物初登京剧舞台是1918年的京剧连台本《楚汉争》，全戏共四本，由杨小楼先生与尚小云先生合演，两位大师的合作一时间风靡整个上海滩。该作品侧重于武打，运用宏大的背景来衬托项羽的拔山举鼎之势。随后，一代京剧宗师梅兰芳先生在改编的《霸王别姬》中将虞姬由配角发展为主角，意以虞姬的绝美与凄凉来衬托项羽的不羁。此外，在当代戏曲舞台上，项羽形象一直出现在各地方剧种中。

古筝曲《西楚霸王》由著名作曲家何占豪所作，作品取材于垓下之战历史故事。该作品展现了项羽霸气的形象，他在战乱之际仍不失英雄气魄。《史记·项羽本纪》将垓下之战描绘得极为精彩，也将项羽这一英雄豪杰描写得有血有肉。何占豪在刻画项羽叱咤风云的英雄形象的同时，还描绘了项羽与虞姬之间刻骨铭心的爱情，以此来衬托项羽具有丰富的情感、极为细腻的内心。何占豪运用抒情且优美的慢板将项羽与虞姬即将分别时的无奈进行刻画，并用进行曲节奏的快板呈现一幅四面楚歌、霸王最终乌江自刎的画卷。该作品运用古筝与钢琴相结合的方式进行演绎，钢琴深沉厚重的音色配合古筝精湛的演奏技法，将项羽“力拔山兮气盖世”的英雄形象与他面对无情命运的悲哀与无奈展现出来，同时，也将他在生死间对于虞姬的爱恋与不舍进行了细腻的表达。

琵琶曲《霸王卸甲》是琵琶曲中最为著名的大套武曲，同样取材于楚汉垓下之战，描述了项羽与刘邦在垓下殊死搏斗的场面。该作品着重描绘了西楚霸王项羽在战争中的心理活动，细腻地刻画出项羽这一悲剧英雄人物。该曲从同情与赞颂楚军的角度出发，表现出项羽的盖世英雄气魄及楚军的英勇悲壮。作品不仅描绘了激烈的战争场面，更对项羽进行了悲剧性的刻画。琵琶演奏技法使得音乐的旋律得以更好地表达，令音乐情绪格外丰满，同时也将项羽的不幸遭遇进行了刻画，在歌颂其坚强的力量与坚毅的性格时，给观众带来无比震撼之感，使观众对英雄肃然起敬之时，也不禁为英雄扼腕叹息。

在“别姬”一段中，乐曲在给观众呈现一种生离死别的场面时，也向观众揭示了项羽的侠骨柔情。在该作品中，项羽的形象随着悲剧的发展而越发饱满。在聆听该作品时，听众既可以领略到项羽雄壮豪迈的英雄气概，又会感受到催人泪下的情感。

琵琶曲《霸王卸甲》虽然没有过多地渲染残酷的战争场面，但是乐曲对于项羽内心世界的刻画与描写却感人至深，强化了乐曲的悲情色彩，运用多种变奏的演奏手法对人物的情绪进行描写，体现出以悲为美的特征，在悲情化的描述中将项羽这一人物形象做到了细致化处理。

第一节　以项羽为题材的音乐作品的特征分析

一、地域与文化特征

地域性特征最突出的表现便是人物的性格。项羽出生在楚国，自幼受到楚地与楚国文化的熏陶，形成了刚烈、排外的性格。刘邦出生在沛县，较宽松、自由的生活环境培养了他宽容且谦虚的性格。

“霸王别姬”是中国文学史上不容忽视的主题，以该故事为题材进行创作的艺术作品有很多。霸王别姬的故事是史官在历史烟云中留下的温情部分，成为文人墨客不断进行重新书写与改编的永恒话题。从史传到诗词，到戏剧，再到小说与电影，这一故事被反复地演绎并且完成了跨文体的改变。虞姬为爱殉情，其中的微小细节跟随不断变换的情节而变得扑朔迷离。

新淮剧《西楚霸王》在文本演绎上呈现了一种崭新的方式，将众所周知的项刘之争改编为项韩之争，并将楚霸王的另类英雄性格展现其中。通常，艺术家会运用三种较为常用的文本语言来描述项羽这一人物：项羽与虞姬之间的爱情文本、项羽与范增之间的矛盾冲突、项羽与韩信之间的复杂关联。在描述项羽与虞姬之间的爱情时，通常运用英雄爱美人的惯用语言，讲述了项羽为虞姬报亡国之恨，即当项羽被困垓下，依然想让虞姬突围逃生的故事，这样的文本描述既能彰显项羽的真性情，又能够赞扬项羽冲破世俗的羁绊，同时也暗示他的性格最终导致失败。

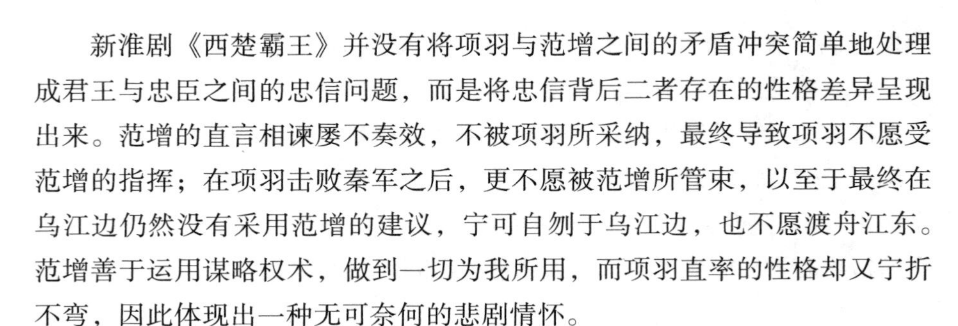

新淮剧《西楚霸王》并没有将项羽与范增之间的矛盾冲突简单地处理成君王与忠臣之间的忠信问题，而是将忠信背后二者存在的性格差异呈现出来。范增的直言相谏屡不奏效，不被项羽所采纳，最终导致项羽不愿受范增的指挥；在项羽击败秦军之后，更不愿被范增所管束，以至于最终在乌江边仍然没有采用范增的建议，宁可自刎于乌江边，也不愿渡舟江东。范增善于运用谋略权术，做到一切为我所用，而项羽直率的性格却又宁折不弯，因此体现出一种无可奈何的悲剧情怀。

新淮剧《西楚霸王》将项羽与韩信之间的人格文本同样运用特殊的方式进行演绎。韩信还在项羽的帐下为其效力时，多次想要得到重用却屡次失望，最终弃项投刘。但是当范增想要杀害韩信时，项羽却大度地放过他，展现了楚霸王的大气。该剧将项羽与韩信之间的刚柔进行对比刻画，突破了以往描写楚霸王的常规模式，实现了从人物性情上突显楚霸王的英雄气势。无论是何种文本形式，对于项羽的定位均是个性张扬、不计一时得失的性情中人，该剧崭新的文本演绎方式使人们重温了古典主义的英雄情怀。

话剧《霸王歌行》是著名导演王晓鹰的作品。该作品同样取材于项羽与虞姬之间缠绵悱恻的爱情故事。在该作品的舞台艺术表现中，除可以看到唯美的舞台设计外，还可以感受项羽与虞姬之间的感情，更能够感受到浓厚的中国传统文化。该作品的舞台上运用九条宣纸条屏，台面运用宣纸裱糊，整个舞台呈现出白色色调；背景运用的则是透明玻璃纸塑造而成的银灰色底幕；舞台前方摆放的是玻璃展柜，展柜中摆放的是各种古代器物，如剑、马头等。宣纸是我们的原始材料，笔墨在宣纸上能够产生各种各样微妙的变化，在气象万千中承载着中国文化特有的神韵，该作品的舞台设计正是巧妙地运用了宣纸的特色，将宣纸的凝聚力赋予作品中的人物。在演出中，当人物形象的内心情绪达到顶峰，需要进行强烈宣泄时，便会有红色或黑色的液体在白色的宣纸上缓缓流淌出来，创造出诗意的舞台意象，给予观众强烈的心灵冲击。

此外，在话剧《霸王歌行》的舞台表演中运用了具有诸多中国传统文化的元素，如古琴、古代器具等，使我们对于一些似曾相识的物品产生一种新鲜感，最重要的是赋予传统以时代感，展现出传统的力量。随着剧情的不断推进，舞台之上的白色条屏不断更换着颜色，在表现项羽悔恨之情时，条屏中的红色液体缓缓注入到玻璃容器中，容器中的水变得越来越红、越来越浓，此时的项羽将沾满红色液体的双手按到白色宣纸裱糊的地面上，像鲜血洒满舞台。

在描述虞姬的部分同样运用了具有中国传统文化特色的元素——京剧元素。虞姬在京剧“夜深沉”的旋律中舞剑，项羽同样跟随虞姬翩翩起舞，舞出了一曲爱情的长歌。当虞姬自刎时，舞台两侧的条屏瞬间变成红色，并伴有红色的花瓣纷纷落下，项羽怀抱虞姬立于花丛之中，此时舞台之上的条屏有的被颜色浸染，有的脱落，有的则残缺不全地在舞台半空中摇曳。当全剧结束时，舞台上的条屏全部消失，只剩底幕上出现的几行字，留下一地的苍凉。整个舞台设计给观众留下了丰富的想象空间，同时给予演员充分展现的空间，在这一充满诗意的空间中，充斥着传统文化的韵味。

以项羽形象为主题的音乐作品中，文化特征还体现在项羽形象在戏曲舞台上的更迭上。在中国传统文化的体现上，京剧《重瞳项羽》是令人耳目一新的作品。该剧以全新的视角诠释了一个铁血柔情的项羽形象，采用一种源于历史又高于历史的创作方式将项羽形象进行创新。该剧摒弃了传统京剧拖沓冗长的结构，将项羽辉煌的一生做简短紧凑的描述，同时舍弃了传统的武打部分，着重以演唱来展现项羽的内心世界。在“叹乌江”等段落中，项羽运用反二黄的曲调进行演唱，在低吟与回忆中，将项羽遭遇穷途末路的气氛进行渲染，如泣如诉，给观众带来一种悲情的感受。以往，反二黄不会出现在净角行当，此处的创新使观众更加了解项羽的人物特点。剧中的念白与唱词大多运用含有中国文化底蕴的元素进行设计，如虞姬的唱腔采用古老的昆曲曲牌，过场音乐选用经典的琵琶曲《十面埋伏》等。《重瞳项羽》的舞美设计大量运用了秦汉时期的文化素材，暗红色的基调烘托了项羽与虞姬之间的凄美爱情，将项羽的悲剧性进一步渲染，在符合现代审美观的基础上拓宽了表演的空间。

以项羽为题材的音乐作品运用各自不同的艺术表现方式将项羽的悲剧英雄形象呈现在舞台之上。项羽的一生在与刘邦的较量中虽以失败告终，却在后世人心中得以复活，获得了无数人的同情与爱戴。项羽之所以能够

在后人心中复活，不仅仅因为司马迁在《史记》中将项羽进行浓墨重彩的描写，更因其频频出现在诗词歌赋中，被后人所传颂。项羽的故事在具有浓厚文化底蕴的戏剧艺术中传播，在集形象性、艺术性与通俗性于一体的艺术表现形式中延续生命，同时，其形象也变得更为立体与丰富。

二、创作与演绎特征

以项羽为体裁创作的作品有许多，既有文学作品、音乐作品，又有影视作品。音乐与文学、历史有着密不可分的联系，厚重的历史往往要通过文学、音乐等艺术形式进行再度展现，而项羽这一英雄人物的悲壮经过不断演绎，最终成为具有深刻文化内涵与艺术价值的艺术形象。项羽堪称历史中的悲剧英雄，他战功累累，起初在巨鹿之战中击破秦军主力；灭秦以后称西楚霸王并实行分封制，奖赏灭秦功臣，并封六国贵族为王。在刘邦出兵进攻后，项羽与刘邦展开了楚汉之争，历时四年。在四年的战争中，项羽屡次大破刘军，但因为项羽始终没有牢固的后方支援，在战争中粮草殆尽。除此之外，项羽猜疑亚父范增，导致内部分裂最后被刘邦所灭。公元前202年，项羽在垓下之战中战败，被围剿于乌江，最终在乌江自刎。

舞剧《霸王别姬》由赵明编导，上海东方青春舞蹈团出演。该舞剧以历史为纵线，以爱情为横线，并贯穿“十面埋伏”“楚河汉界”“项庄舞剑”等多则世人所熟知的历史故事，着重描写了项羽与虞姬之间的生死之恋，将失意英雄与痴情美人之间的缠绵淋漓尽致地呈现在舞台之上。据司马迁《史记》记载，垓下之战时虞美人始终陪伴在项羽身边，并在项羽兵败之时，上演了生死离别的戏码。“大江东去浪淘尽”，项羽已然成为前世英雄，而虞姬则“拔剑一抹谢君恩”，只留下“芳魂凌乱随风飘”。舞剧《霸王别姬》讲述了项羽与虞姬之间凄美的爱情故事，将英雄与美人之间的爱恨情仇以舞蹈的形式展现在舞台中，呈现了一幕幕动人心魄的爱情悲剧。

京剧《霸王别姬》根据明代沈采的传奇剧本《千金记》改编，故事背景为韩信将项羽战败，因此刘邦封韩信为齐王，并赐韩信千金，因此剧本取名为“千金记”。京剧版本《霸王别姬》由著名京剧大师尚小云、杨小楼于1918年首演于北京，齐如山、吴震修在1921年将剧本进行修改并最终取名为“霸王别姬”。此剧后经京剧大师梅兰芳改革创新，形成了《霸王别姬》的经典版本。京剧《霸王别姬》渲染了项羽在垓下战败之时与虞姬的生死离别的悲情场面，展现了项羽宁死不过江东的魄力。

此外，同样以项羽为题材的音乐作品还有琵琶曲《十面埋伏》与《霸王卸甲》。两首作品的体裁同样出自垓下之争，大将军韩信在垓下设置十面埋伏，将项羽的军队层层包围，并最终击败项军。《霸王卸甲》描述项羽在被围攻后的种种心理活动。《十面埋伏》与《霸王卸甲》虽具有相同的题材，但描述的重点却不相同。《十面埋伏》描述的人物是刘邦，而《霸王卸甲》描述的对象则为项羽。

京剧《霸王别姬》的特色在于揭示了虞姬在自杀前细腻的心理活动，将以往被忽视的女性角色进行深刻剖析。虞姬见大势已去，为项羽轻歌曼舞，献酒浇愁。在项羽窥听楚歌之时，虞姬拔剑自刎，呈现出一种“音容犹在人不在，形影虽亡美未亡”的画面感。“劝君王饮酒听虞歌，解君忧闷舞婆娑。自古常言不欺我，富贵穷通一刹那，宽心饮酒宝帐坐，再听军情报如何”，该剧台词句句彰显了虞姬为霸王排忧解难的心情。

琵琶曲《十面埋伏》又被称为《淮阴平楚》，将汉军运用十面埋伏的阵法击溃楚军的震撼人心的战争场面呈现出来。该作品在创作上多运用虚实相生、环环相扣的创作技法渲染激烈的场景，在弹奏技法与曲体结构中均有着较强的戏剧性效果，再现了两军交锋的宏大气势。

乐曲的第一部分描绘的是战争前的准备场景，分别由“列营”“吹打”“点将”“排列”“走阵”五个段落构成，将汉军在战争前的演习训练状况进行详细描述，展现了汉军强大的战争阵容。

“列营”为引子部分，通过典型的音调模仿战争的号角声，渲染了战争即将展开的紧张气氛。

“吹打”与“点将”拥有连贯的音乐素材，但音型却有极大的不同。“点将”中的音乐元素更具紧张感；“排队”部分的曲调由高到低，与前一部分旋律形成鲜明的对比；“走阵”部分曲调由低到高，并伴随八分音符的插入，更具节奏感。

第二部分为激烈的战争场面，分别由“埋伏”“小战”“大战”三部分组成，将汉军与楚军之间的交战场面进行详细描写。其中“埋伏”部分在创作手法上极具特色，不同音型与音区的反复变化，勾画出了张弛有度、松紧相对的战场状况，在平静的表面下，实则有着较为紧张的元素在涌动，给人一种伏兵四起的阴森感。“小战”描写了两军之间的正面交锋，此处的旋律更加紧凑，在起伏有致中运用了煞弦的技法，将战场上的激烈场景进一步渲染。“大战”部分属于两军交战时最为激烈的部分，此时旋律中连续的十六分音符将战场上的紧张气氛渲染到了极致。

第三部分描述的是战争结束时的场景，其中包括“项王败阵”“乌江自刎”“众军奏凯”“诸将争功”“得胜回营”五段，在该部分中旋律较为低沉、婉转，有如泣如诉之感，与之前的旋律有较大的不同，深刻展现了一曲慷慨悲歌。

琵琶曲《十面埋伏》中演奏技法充满了无数可能性，发挥空间极大。叙述手法以故事铺叙的形式进行，增强了全曲的逻辑性与连贯性，凸显了音乐作品中表达情感的艺术特征。琵琶曲《十面埋伏》运用写实手法将作品内容进行演绎，该作品的演奏技法可以看作琵琶演奏技法的百科全书，作品的演绎技法与戏曲中的演绎技法有异曲同工之妙，乐曲中出现频率较高的左右手技法充分展现了音乐的张力。在意境表现上，《十面埋伏》在第二部分以具有层次感的音乐发展为主线，将战争中的不同状况进行描述，值得一提的是旋律中运用的箫声，使旋律的基调发生了转变，更彰显战士的力量。

从《十面埋伏》的整体布局可以看出，其在创作手法上运用了大量新颖的技巧，将楚汉之争中垓下之战的场面进行了准确的再现，展现了两军交战时的种种激烈场面。例如，在“列营”部分，以高度概括的手法将战场中的号角声做典型化处理；在高音区，运用四度跳音来展现号角高亢明亮的音色特点，在乐曲的开始处将战争的紧张气氛做有力的烘托。

琵琶曲《霸王卸甲》又被称为“卸甲”，在《南北派十三套大曲琵琶新谱》中，被称为“郁轮袍”。全曲描述了项羽在垓下之争战败后一蹶不振并最终自刎的悲壮事迹，堪称一首英雄的挽歌。乐曲共分为三大部分，第一部分描述的是战争前的准备，“营鼓”部分为全曲的引子，开始时旋律处在低音部分，低沉的战鼓声贯穿“升帐”到“出阵”整个过程。到

“排阵”部分时，音乐开始变得紧张，“出阵”部分对曲调的压缩加剧了音乐的紧张感，预示着战争一触即发。乐曲的第二部分描写的是战争的过程，由“接战”“垓下酣战”两部分组成。该部分侧重于表现项军即将战败的悲惨场景，从音乐高潮部分的旋律走向即可看出，在曲调中已暗示了项军战败的悲惨结局。

第三部分着重刻画项羽战败后的场面，以及楚军还乡的悲壮场景。该部分以“楚歌”与“别姬”为主线进行描述，在演奏上运用长轮的手法将项羽肝肠寸断的心情进行刻画，与之前的旋律形成对比。在“别姬”部分以富有歌唱性的音乐与“楚歌”进行呼应，并运用推音的演奏技法将项羽在四面楚歌中的凄惨结局进行刻画，将项羽这一悲剧英雄呈现在世人面前。在“追兵”部分，运用多种不同的演奏技法，展现具有强烈对比的节奏音型，使乐曲再次呈现富有紧张感的高潮乐段。在乐曲的最后部分则分为“鼓角甲声”与“众军归里”，这两部分更多描述的是楚军战败后的结局，委婉却不哀伤的结局，揭示了大局已定，大势已去。

舞剧《霸王别姬》是一部充满新意的作品，在作品中完成了对人性对理想的一种展现。无论是舞台文本抑或是艺术形象均有着极大的精神价值，可以与观众产生情感上的直接交流，将“红颜一生只为情”的忠贞传递到观众心中。

电影《霸王别姬》是著名导演陈凯歌的作品。根据香港作家李碧华的同名小说进行改编。描述了旧社会中的梨园情意，揭示了人物之间角色错位的情感纠葛。电影中始终贯穿“人生如戏，戏如人生”的主旨，运用戏中戏的创作手法将项羽与虞姬之间的生死别离进行展现，影片中主人公程蝶衣与段小楼正是虞姬与项羽的化身。

在历史上，虞姬自刎而死，死在她爱的人怀中，而在影片中，程蝶衣带着一种哀怨而死，死在不能爱的人面前，躺在一生为之周旋的舞台中。历史中虞姬是一道转瞬即逝的彩虹，最终飘落在楚霸王项羽面前，而舞台中的霸王与虞姬，实则为梨园兄弟，剪不断理还乱的情感纠葛在影片中不断拉扯，展现了一首动人的慷慨悲歌。电影《霸王别姬》是对历史经典的艺术演绎。

整体来看，琵琶曲《霸王卸甲》的演绎特征与琵琶曲《十面埋伏》有

着相似之处。在序部“营鼓”部分，断断续续的号角声及模糊的鼓声仿佛暗示着垓下之争将会以悲剧结尾。在意境表达方面，全曲基本贯穿同一个主题，即项王败北。“升帐”部分速度与节奏均较平稳，旋律走向同样趋于平稳。在调式调性的运用上，多采用宫调式与羽调式，主题旋律顿挫悲壮，展现了项羽的英雄气概。在“别姬”部分运用了轮指的演奏技法，旋律曲调缠绵悲切，“鼓角甲声”加剧了悲情性。在写实性与叙事性较强的琵琶舞曲中，《霸王卸甲》展现了人物细腻的内心情感，同时彰显了项羽的英雄本色。

以项羽为题材的音乐作品中均体现出一种历史文化，做到了追求文化中的音乐。《霸王别姬》《霸王卸甲》《十面埋伏》中的文化内涵值得深入探究。楚河汉界在时间中被人淡忘，但英雄与美人的爱情悲剧却时常被人提起。历时四年的楚汉之争，楚霸王最终兵败垓下，却使《霸王别姬》的凄美爱情故事在文化艺术领域散发着无比灿烂的光辉。经过多种艺术形式的演绎，这则历史故事成为亘古不变的佳话，无论以何种艺术形式呈现，带给世人的均是心灵的震撼。

以项羽为题材的音乐作品无数，无论何种作品均再现了历史，刻画了楚霸王的英雄形象及与虞姬之间的爱情悲剧。从琵琶曲《十面埋伏》与《霸王卸甲》的创作特色中可捕捉到该类音乐作品的演绎特征。此两首作品既展现了深厚的文化背景，又展现了鲜明的时代特征，都运用琵琶这一具有丰富表现力的民族乐器展现了楚汉之争刀影相接的激烈场景。虽是出自同一题材，但两首作品所表现的内容却各有侧重，再次展现了音乐作品的不同演绎特征，以及不同演绎特征所展现的不同内容。在众多以项羽为题材的音乐作品中能够发现，无论何种艺术形式，均能体现对文化传统与艺术传统的传承。在尊重与继承传统的基础上进行重新演绎，运用新的创作手法演绎传统，使音乐作品既不失传统又富有时代特色。

三、以项羽为题材的作品的创作演绎分析

音乐作品相较于文学作品而言，摆脱了很多限制，在表达上更自由，人们可以通过音乐抒发自己的情感，通过对历史上以项羽为题材创作的音

乐作品进行分析，发现其风格主要经历了以下发展阶段。

首先，悲剧式的表达。项羽在《史记》中的形象是悲剧英雄式的，这不仅体现在他的人生经历上，也体现在他留给后人的感悟方面。项羽在历史上是勇敢和力量的化身，但在对战刘邦时，没有很好地依靠团队，当然，这与项羽孤傲的性格有关，而这正是造成其悲剧结局的重要因素。虽然项羽是那个时代的英雄，但并不代表他获得了最终胜利。因此，古往今来很多音乐作品多采用悲凉、哀怨的曲调刻画这一悲剧英雄。

其次，婉约式的情感写照。婉约体现在项羽与虞姬的爱情上，虞姬以自己的生命为代价，想要激励项羽，但却换来了项羽的乌江自刎，他的“不肯过江东”不仅仅因为“无颜”，也是因为“虞姬虞姬奈若何”的感叹，这一点在电影《霸王别姬》中也有体现。

四、歌剧《楚霸王》的音乐表现

歌剧《楚霸王》是作曲家金湘于2009年创作的一部作品。金湘采用了创新手法，以多样化的音乐手段塑造了项羽的人物形象。该歌剧作为第十一届上海国际艺术节的收官作品，于2009年11月18日、19日由上海歌剧院交响乐队与合唱队共同完成。

歌剧依据历史上著名的楚汉之争创作，在此之前，很多艺术家也以此为素材创作了很多艺术作品，因此，该剧的创作团队在创作时不断寻求创新与突破，并根据原有的历史故事在剧情创作方面花费了大量的时间和精力，将创作的重点放在了项羽这一角色内心的情感、精神与心理冲突上，以体现这一英雄形象的悲剧性。

1. 戏剧性表达

歌剧作品是音乐与戏剧的高度融合，因此，戏剧性表达是歌剧作品呈现的关键因素。与以往歌剧作品的表达方式不同，《楚霸王》在表达上更趋向于多元化，剧作家并未将作品的落脚点放在人物所面临的外部冲突上，而是用很大的篇幅刻画了项羽的内心世界，通过对项羽内心世界的刻画，呈现歌剧的内部冲突。

歌剧中的外部冲突主要集中在前两幕，从内容上讲，主要是对歌剧中主要人物与情节的介绍。项羽大胜刘邦之后，两军再次对垒，项羽以刘邦父亲与妻子的性命相逼，想让刘邦投降，但刘邦非常狡猾，提及两人曾结拜为兄弟，那自己的父亲也是项羽的父亲，如果真的将其父亲杀害，那也要分一杯羹。虞姬见此情景劝说项羽，而刘邦的妻子则假意撒泼骂刘邦，一时让项羽没了主意。虽然当时范增一直在项羽身边极力劝说，不要中了刘邦的奸计，让项羽不要心软，但项羽生性孤傲，没有听范增的劝诫，转而听了虞姬的话。刘邦提出要以鸿沟为界，之后放人，并利用反间计逼走了对项羽忠心不贰的范增，使整部作品的戏剧冲突达到了高潮。在这一幕中出场的角色性格各异，每个人都有自己的想法。金湘在塑造人物时采用了咏叹调、宣叙调、重唱、合唱等，结合交响乐队的表达，更好地呈现了作品的戏剧性。

在歌剧第三幕“垓下之战”中，金湘将重点放在了“四面楚歌”与“挥泪别姬”上，并没有对战争的过程做过多的演绎，而注重对项羽内心世界的刻画与描写；在第四幕“乌江自刎”中，更是只呈现了项羽自己，而将歌剧中其他因素都放在了合唱队与交响乐队之中。这两幕将项羽的形象用抒情化的方式呈现出来，但又不仅仅是抒情，角色内心所蕴含的激烈的情感冲突也在这两幕中由外部冲突转换成内部冲突。金湘在处理这一部分时采用了戏剧性的停顿，将戏剧性放在了对角色内心的刻画上，虽然剧情相对简单，但其中蕴含了巨大的戏剧能量，这就为歌剧中项羽这一音乐形象的塑造提供了充分的空间。例如，歌剧中“四面楚歌”的部分，项羽在劝将士时，他的内心其实是充满矛盾的，既有对胜利的决心，也有对跟随他征战多年的将士的愧疚。

“霸王别姬”在很多艺术作品中都出现过，歌剧《楚霸王》在这一情节的创作上采用了大写意的方式，将原本生离死别的场面赋予了浪漫主义色彩，非常唯美。第四幕“乌江自刎”是歌剧的重点，从篇幅上也能够看出来——金湘运用了一整幕来刻画。为了更好地呈现项羽的内心世界，金湘在表达上对乌江进行了拟人化处理，用交响乐队与合唱队合作完成，其中还穿插了对项羽的呼唤音调，这里的音调运用也有双重含义，其一是父老乡亲对项羽的期盼，其二是冥冥之中神灵对他的召唤。因此，观众在观看时，舞台上虽然只有项羽一人，但其实是三个角色在呈现，只是对其他角色进行了非常隐晦的表达。在不同矛盾的冲击下，项羽最终没能战胜自己的内心，并演唱“天欲亡我我何为？天欲亡我我何度？”这体现了项羽内心宿命论观点。感觉此时自己无颜再面对父老乡亲，只有选择自刎，结束自己的生命。第四幕是对项羽整个情感历程的回顾，其内容的表达是对项羽这一角色的升华。

综上所述，歌剧《楚霸王》在戏剧性的表达上带有不均衡性，前半部分主要塑造的是外部冲突，后半部分则由外部冲突转变为内部冲突，这种表达方式极具创新性，但其具体效果的呈现还需要经过观众的检验。

2. 戏剧性功能的呈现

歌剧《楚霸王》的音乐大气、深沉，又带有凄美之感，结合角色的戏剧表达，很容易让观众产生情感共鸣。而且，音乐在歌剧中承担着主导功能，可以推动故事情节的进一步发展。在歌剧中，音乐在作品结构中所起的作用是非常鲜明的。歌剧中不同角色形象的塑造都是在戏剧冲突中展开的，角色内心复杂的情感也都是通过音乐呈现的，尤其是在歌剧第三幕和第四幕并没有在剧情上多做发展，而是深入角色的内心，在这一部分，音乐的作用能更好地凸显出来。

金湘在创作中借鉴了瓦格纳乐句的创作手法，运用了主导动机贯穿的方式，例如，在歌剧的序曲部分，就出现了两个重叠的动机，为整部作品的音乐发展埋下了伏笔，加上连续的跳进，体现了音乐的内在张力。随着音乐的进一步发展，动机也出现在项羽的个性主题中，长号的演奏带有非常稳健的质感，也很好地表现出项羽的豪迈。这一动机在歌剧的发展中一直伴随着项羽的音乐形象变化，有时也会出现在合唱队与交响乐队之中。

交响与合唱是该歌剧表达的一大亮点，对作品戏剧性的表达有重要的作用，有时是风俗性的描述，有时是情绪的表达。金湘依据不同的需求采用了不同的方式，既有男声合唱、女声合唱，也有混声合唱，有时也会采用更丰富的“交唱”，即在合唱的基础上加入独唱、重唱等。例如，歌剧中的“楚歌”部分，开始是女声二重唱，之后逐渐加入女声独唱，这首“喊饭歌”极具楚地色彩；之后男声加入，还加入了项羽的宣叙调，而原

来的“楚歌”变为背景，让观众有身临其境之感。金湘通过对音乐多声功能的运用，很好地突出了戏剧的音乐效果。例如，在歌剧的第四幕中出现的混声合唱《乌江》，主题动机在不同的声部出现，项羽的主题也有变形，乐队部分不断地与合唱相呼应。到项羽演唱时，乐队采用了京剧中常用的紧打慢唱的方式展开，非常形象地描绘了当时的场景，突出了非常鲜明的悲剧气氛。

在歌剧中，音乐的表达是连续的，有时咏叹调与宣叙调不容易分开，推动着剧情不断地往前发展，金湘对很多唱段进行了处理，例如，在旋律的发展中，吸收了我国传统戏曲的演唱特点，运用了吟唱、颤音等，既增强了唱段的表现力，又丰富了音乐的民族性表达。此外，乐队在整部歌剧的发展中，在某些方面的作用甚至超过了人声，因为整部作品的戏剧布局与音乐都是依靠乐队完成的，包括音乐氛围的烘托、角色形象的塑造等。这对歌剧作品的表达有非常重要的作用。

整部歌剧向观众展现了楚霸王项羽从战胜刘邦时的骄傲，到兵败时的悔恨，最后结束自己的生命等不同阶段的内心变化，以音乐的方式对这一英雄进行了多角度的刻画。歌剧上演之后引起了很多关于歌剧创作与表演方面的讨论，直到现在也是音乐界一直谈论的重点。

第二节　以项羽为题材的创编风格演变与文化叙事研究

音乐与文学、历史有着千丝万缕的联系。项羽这一英雄形象历经文学、音乐等艺术形式的加工与升华，在精彩演绎中承载着独特的文化内涵。项羽形象在经过小说、传奇等文本形式的改编及京剧、电影、歌舞剧等音乐舞台形象的演绎后，相关的历史片段被真实地还原，其中所蕴含的历史价值与文化价值呼之欲出。通过研究音乐作品中塑造的项羽形象，分析音乐的不同创编手法所产生的特殊音乐风格，可对以项羽为题材的音乐作品所具备的文化叙事功能有更准确的理解。

一、以项羽为题材的音乐作品及不同的创编手法

项羽的悲剧英雄形象在多种艺术形式中得到不同程度的呈现，并被赋予多种内涵，仅项羽与虞姬之间的悲剧爱情便被演绎成许多不同形式的作品。曾经的楚汉之争，在不断起落的时局中已然结束，但英雄与美人的爱情故事却依然流传，成为亘古不变的传世佳话，并一度成为许多艺术形式的演绎对象。例如，明代传奇《千金记》，京剧、电影、舞剧等形式的“霸王别姬”，琵琶曲《十面埋伏》《霸王卸甲》等。每一部作品在演绎经典时，均从不同的侧面将项羽的英雄形象进行展现，将经典的历史时刻进行不同程度还原。其中京剧《霸王别姬》便是众多艺术形式中较为出彩的。其根据明代传奇《千金记》改编而成，后经过京剧大师梅兰芳的革新，成为震撼人心的经典版本。该剧作着重描述霸王与虞姬之间的生死别离，从侧面渲染了项羽兵败垓下但又不肯过江东的场面，以刻画虞姬在自杀前的心理活动作为渲染手段，从女性的角度将项羽大势已去、“力拔山兮奈若何”的无奈与感伤呈现出来。随歌而舞的虞姬拔剑自刎，成就了最具离别之情的动人画面。

电影《霸王别姬》根据同名小说改编，通过对旧社会中梨园血泪的描述展示了人在角色错位中所展现的丰富的多面性，并最终引发一种“人生如戏”的喟叹。电影出自著名导演陈凯歌之手，采用戏中戏的创作手法将项羽与虞姬之间的爱恨情愁置于影片之中，舞台之上的程蝶衣与段小楼便是虞姬与项羽的缩影，当最终程蝶衣死在她旋转一生的舞台之上时，留在人世的是满地苍凉，不禁让人联想起千百年之前，虞姬像是一道华美的彩虹，最终香消玉殒，片片碎裂在霸王的面前，轻轻唱响了一曲人生悲歌。

舞剧《霸王别姬》将项羽与虞姬之间的爱情故事增添了更凄美的色彩，以舞蹈的形式将这个主题内容进行重新演绎。在该剧中，将历史与爱情贯穿在故事中，将项羽“只当英雄不做皇帝”与虞姬“红颜一生只为情”的情怀着重描述，详细展现失意英雄与痴情美人之间的爱恨情仇，充满新意地阐述人性与理想，在精神的传播过程中直击人的心灵。

琵琶古曲《十面埋伏》与《霸王卸甲》是运用民族乐器将这一历史经典片段进行演绎的典型代表。琵琶在众多的民族乐器中，因具有较为丰富的艺术表现力而占有重要的地位。作为优秀的代表作品，《十面埋伏》与《霸王卸甲》将这一历史故事中涉及的战争场面淋漓尽致地呈现在听众面前，将琵琶独具的演奏技法运用到主题思想的展现中。《十面埋伏》可看作一首赞歌，将垓下之战的宏大场面进行还原，无论是在情节与场景的模仿与渲染中，抑或音乐本体结构的特征来看，均展现出具有较强戏剧性的一面。从战争的准备阶段起，再到战争的过程，最终到战争的结束，均体现了人物的英雄气概，为项羽的最终败阵增添了些许惋惜。

琵琶曲《霸王卸甲》可看作一首英雄的挽歌。如果说《十面埋伏》更多讲述的是汉军的威武雄壮，以及决战胜利过后的一种凯旋之势，那么《霸王卸甲》则更多描述的是项羽失利后的一蹶不振，以及别姬自刎后的感伤。该曲在创作手法上进行了创新，将战争之前的准备及激烈的战争场面进行了非常细致的描述，运用琵琶具有的丰富的表现技法将战争中的许多场面进行真实的描摹，运用强烈的节奏对比，以及富有歌唱性的音乐与滑音技法等深刻地表现出在激烈的战争中项羽所进行的一系列心理活动，使项羽这一人物形象更加立体化。

从创编技法的特征来看，《十面埋伏》更多的是以描写楚汉之争作为一大特定的历史背景，选取了其中最具代表性的垓下之战作为描述对象，并从汉军的进攻角度将战场上的激烈场景详细刻画，从侧面将项羽的悲剧形象进行描绘；《霸王卸甲》则运用写实与叙事的创作手法侧重表达了作品中内在的情意，虽然同是对垓下之战进行描述，却在一定程度上展示了项羽令人敬仰的英雄气概。可见，不同的创编手法与表达技巧能够对项羽进行更加深入地刻画，并最终对其产生一种更为全面直观的了解。

二、有关项羽音乐作品的风格

有关项羽的诸多音乐作品都具有较强的悲剧色彩。项羽的悲剧英雄形象决定了项羽音乐形象的悲情性，以及作品中所带有的悲情色彩。此外，项羽的英雄形象，以及对虞姬的爱情又使得音乐作品中展现一种细腻婉约的风格，这是历史故事与历史人物中所带有的特定的情感色彩决定的。音乐作品在对整个历史经典进行重新演绎时，会将人物的性格特征，以及历史故事中涉及的诸多情感元素进行融合，使作品风格与人物的性格色彩协调一致。

有关项羽音乐作品中的风格是多样的。例如，《十面埋伏》与《霸王卸甲》这两部作品虽然描述的是同一历史片段，但在表现手法与艺术个性化表达却有着较大的不同。《十面埋伏》更多讲述的是刘邦运用十面埋伏的阵法战胜项羽，而《霸王卸甲》则从项羽的角度出发进行描绘，将项羽的悲剧形象进行深入刻画。在创作技法上两部作品均做了新的尝试。《十面埋伏》中运用一种典型的音调和概括性的手法将战场上出现的战鼓声与号角声等进行简练的表达，并运用一种层次感较强的旋律，以及富有变化的节奏音型将多变的情绪进行刻画。

《霸王卸甲》中将琵琶这一民族乐器不同音区的特色进行呈现，低音区展现出的缓慢朦胧，预示着战争会有悲剧性的结局；主题旋律线较为平稳，宫调式与羽调式的交替转换使得主题旋律更加强劲有力；在“别姬”之时运用悲切婉转的曲调，以及自上而下的旋律线条将感人肺腑的深情展现，运用琵琶轮指的演奏技法将内在的含蓄之情呈现出来。这些创作技法上均能够给作品带来迥异的风格特色。

项羽形象除在戏曲与民族乐器中有较好的展现外，在流行音乐中亦有较出色的刻画。作为一种现代艺术形式，流行音乐对于项羽形象的描绘既是对传统文化的承载又是对英雄的一种感怀。随着流行音乐的不断发展，越来越多的中国传统文化元素出现在流行音乐旋律中，既增添了流行音乐的古色气质，又体现了中国传统文化的韵味。

一首《霸王别姬》唤起了人们对于项羽这一盖世英雄的记忆。一首《千秋月别西楚将》，音乐中既有说唱，又有男生反串演唱，最为精彩的便是将中国传统的说书艺术掺杂其中。《当爱已成往事》《四面楚歌》等歌曲同样运用不同的手法演绎了项羽的另一种人生。

摇滚乐中的项羽形象同样绽放着光彩。《大风歌》中运用埙这一中国古老的乐器，将人们送入带有苍凉感的古代，其间若隐若现的琵琶声给人一种不安之感，在平淡不经意的描述中讲述着千古的无奈与叹息。《项羽》

这首摇滚乐作品与《大风歌》有着异曲同工之妙，同样运用中国古老的乐器战鼓与编钟将听者送至遥远的古代。无论是中国戏曲、中国民族乐器，抑或流行音乐，项羽这一音乐形象或多或少地体现出一种具有时代性的价值判断，成为中国传统文化中一个可以定性的现象，最终使项羽这一人物在中国人的记忆中成为代表一段历史的英雄。

三、有关项羽音乐作品的文化叙事功能

项羽音乐形象的塑造应该追溯到《垓下歌》，这首传世经典之作将项羽的形象真实地表现出来，字里行间都体现出项羽力拔山兮气盖世的英雄气魄，和对其时不我待的命运的扼腕叹息。音乐虽然是自由的，不受任何事物的牵绊，但中国传统音乐因为缺少曲谱而无法将项羽的音乐形象进行原样留存，文学作品却可以做到将项羽形象进行重现。例如，司马迁在《史记》中将项羽列为本纪人物，并通过巨鹿之战、鸿门宴、垓下之战、乌江自刎等情节对项羽这一悲剧英雄形象进行了细致的描绘，使其为后人详细了解，并成为后来多种艺术形式得以借鉴的蓝本。

随着中国文学体裁叙事能力的进一步提升，项羽这一人物形象愈发饱满。无论是唐诗宋词，还是明清传奇均有项羽的影子。在不同的历史阶段，文人墨客对待项羽有不同的看法，很难做出客观的评价，使项羽一度成为一种个体符号，甚至成为一种话语权的争夺手段。这种文学叙事形式持续了很长一段时间，经历了从本我到自我的一种转变，这是项羽的悲剧所在，亦是文学叙事的悲剧所在。

文学积淀使得项羽音乐形象更为立体化，也更具真实性。项羽这一悲剧英雄形象在不同的音乐艺术作品中呈现出多种不同的状态，而这些不同的状态则将项羽所具有的多重性格以多角度体现出来。

在中国传统文化尊崇儒家思想，仁义礼智信的观念深入人心。从儒家思想的角度出发，项羽这一舍生取义的英雄形象自然而然地成为令世人仰慕的对象。从价值层面上来看，项羽的正面英雄形象带有丰富的文化内涵，其悲剧形象亦体现出一定的人生价值。项羽可看作力量的化身，因为极富力量所以最终成为盖世英雄，虽然最后没有完成霸业，但依然成为后

人崇拜的对象。在项羽的多重人格中，最为明显的便是其悲剧性，在中国传统文化中，项羽的悲剧故事被不断续写，最终在无数有关其形象的演绎中衍化成一个符号。人们用文学、电影、音乐等艺术形式来表达对融成败、激情、名利于一身的项羽的赞美、哀叹或惋惜。

在大多数文学家与艺术家的眼中，项羽是极具悲剧性的英雄，骁勇一世却战败而自刎，他的痛苦可谓锥心刺骨。有关虞姬的描述，在《史记》中是一带而过的，致使其形象非常单薄苍白，但是经过文学与艺术的重现演绎，虞姬获得了崭新的生命，其形象所展现出的艺术魅力，使其深入人心，推动着人们去还原这段历史，并在重新认识与审视历史的过程中享受历史。文学与艺术均需要历史，更需要文化。中华传统文化有着悠久的历史，能够使人物或一段历史成为传奇，永远留存在人们心中成为经典。项羽形象的展现多出现在有着深厚中华优秀传统文化底蕴的艺术形式中，如诗词歌赋、戏剧艺术等，使得观赏者能够在欣赏艺术的同时，重温历史的经典时刻，在感受项羽形象的同时，感受到中华优秀传统文化的魅力。

第三节　项羽形象的创编手法与风格衍变

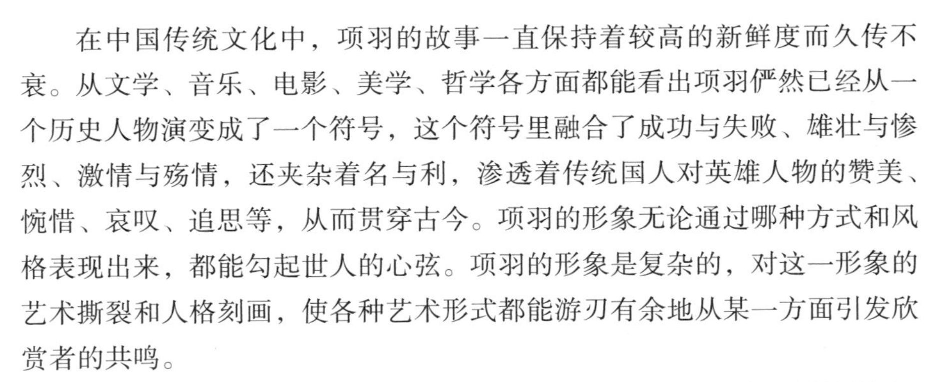

在中国传统文化中，项羽的故事一直保持着较高的新鲜度而久传不衰。从文学、音乐、电影、美学、哲学各方面都能看出项羽俨然已经从一个历史人物演变成了一个符号，这个符号里融合了成功与失败、雄壮与惨烈、激情与殇情，还夹杂着名与利，渗透着传统国人对英雄人物的赞美、惋惜、哀叹、追思等，从而贯穿古今。项羽的形象无论通过哪种方式和风格表现出来，都能勾起世人的心弦。项羽的形象是复杂的，对这一形象的艺术撕裂和人格刻画，使各种艺术形式都能游刃有余地从某一方面引发欣赏者的共鸣。

项羽音乐的形象随着历史的延续和时代的变化而呈现出不同的样式，这在民歌、器乐、曲艺、戏曲中都有较为丰富的体现。现在，伴随着流行音乐中的中国风的兴起，项羽这一音乐形象再次备受瞩目。从不同形式的创编手法来观察各种音乐体裁中项羽形象的存在模式，也是大众了解这一类主题作品的重要途径。音乐艺术作为人类最为原始的叙事手段之一，它在对项羽这一人物形象的再塑过程中始终紧跟着时代的步伐。

一、项羽音乐形象的文学铺垫

在中国古代，受印刷技术和受教育程度的限制，文学在载事传世的功能上总比不上音乐来得自由和便捷。有关项羽的音乐塑造恐怕首先要追溯至项羽自己编写的那首《垓下歌》：“力拔山兮气盖世，时不利兮骓不逝。骓不逝兮可奈何，虞兮虞兮奈若何。”虽然我们不能考证项羽是否懂得五音六律，或他是通过一种什么方式把这首歌“演唱”出来的。但这首名传千古的歌曲已经把项羽的本我形象表达出来，力拔山兮的英雄气概，时不待我、成王败寇的英雄式叹息，还有英雄难过美人关的自我调侃，一个栩栩如生的项羽形象已经跃然纸上。

音乐固然自由，但中国传统乐谱无定法又让音乐在载体上比不了文学那么容易原样保留，因此，古人创作的关于项羽的音乐大都遗憾地失传了。司马迁在《史记》中把项羽列为本纪人物，并“长篇累牍”地通过巨鹿之战、鸿门宴、垓下之战、乌江自刎等情节对其进行了入木三分的刻画，可谓浓墨重彩。《史记》虽然是一本史学巨著，但太史公的文学笔力绝非常人所比，以至于后世各种文学、艺术作品在对项羽形象的塑造上大致借鉴了《史记》，只不过通过更加自由的方式展现出来。

汉魏以后，随着中国文学体裁的愈加丰富和叙事能力的提升，对项羽的人物刻画愈加饱满和清晰，在唐诗、宋词、元曲中都能找到项羽的影子，项羽已经在世人的心目中成为一个典型形象而广为流传。也就是说，对项羽的文学刻画自汉魏以后久盛不衰，而且横跨历史的各个时间段。

二、项羽音乐形象的创编手法

在中国传统文化中没有哪种艺术形式能像戏曲那样精确而全面地把文学和音乐融合在一起，戏曲是中国传统文化的一次革命，是“士”文化与草根文化的一次碰撞，也使项羽的文学形象得以向音乐形象转化，使文学带来的猜想转化为舞台上的栩栩如生。从此，项羽不再只是一个文学意象，它通过编创者的艺术创造和表演者的唱念做打真实地出现在世人眼前。

项羽形象首次以音乐的方式在舞台上呈现出来还得追溯至唐代的参军戏。参军戏虽然只是戏曲的雏形，但它的歌舞戏属性说明“唱”在其中占有相当的分量，项羽的音乐形象第一次在戏曲中找到归宿。在唐代参军戏《樊哙排君难》中，“项羽”这一角色虽然只是个配角，但至少已经突破了文学叙事的界限进入戏曲中。但由于剧本的遗失，我们无法考证原作品中项羽的音乐形象是如何塑造的。

到了近代，国人离戏曲越来越近，各剧种的兴起和唱腔的成熟使戏曲发展到一个黄金时代，听戏、看戏、学戏成了社会的时尚，也带动了这一行业的发展。“项羽”形象在近代戏曲的一次典型涌现是在1918年上海上演的《楚汉争》，京剧著名武生杨小楼和四大名旦之一的尚小云在剧中分饰项羽和虞姬，该剧一上演便引起了很大的轰动。1922年《楚汉争》被改编成《霸王别姬》，由梅兰芳和杨小楼合作，梅氏所演虞美人非常惊艳，华丽的唱腔表达从女性的角度反衬了楚霸王的孤傲清高和不可一世。梅氏唱腔独有的表达特点，在一波三折的故事发展中将虞姬的娇媚冷艳刻画得淋漓尽致，在塑造虞姬这个人物形象的同时，衬托出项羽英雄悲剧的儿女情长。

很多人认为《霸王别姬》成就了梅兰芳的艺术表演，也成就了项羽音乐形象在近现代社会的审美趣味。霸王戏自“别姬”之后再难有超越，直到2011年济南京剧院推出《重瞳项羽》，固有的霸王形象才在不同的创编手法影响下带给人的另类审美意象。《重瞳项羽》改变了过去霸王戏的拖沓冗长，在快速的舞台节奏和唱腔轮换中拉近了与观众的距离，在塑造项羽失意形象时虞姬刻意选用了清雅别致的昆曲唱腔，在过门中编剧还巧意引用了流行音乐的元素，这些在艺术创编上的另类手法却使项羽的形象焕然一新。如果说这是传统与现代的又一次结合，倒不如说霸王戏中关于项羽音乐形象的历次塑造都经历了时代的更迭和沉淀才愈加清晰。

三、民族器乐中的项羽形象

在民族器乐中，琵琶有幸成为项羽音乐形象的代言人。琵琶曲《十面埋伏》和《霸王卸甲》同样是描写垓下之战的战争场景，但刻画人物的侧重点却不同。前者主要站在刘邦这一胜利者的角度展开叙述，整个乐曲的结构布局中仅有“项王败阵”和“乌江自刎”两个段落对战败后的项羽进行了心理刻画。“项王败阵”曲调低沉，“嘈嘈切切错杂弹”，时断时续的音乐将项羽心有不甘但又不能不正视现实的复杂心理展露无遗。“乌江自刎”的旋律更是凄切悲壮，美人自弑、无颜江东，从雄视天下到形影一人，或许只有死才能成就霸王的声名，才能不辜负天下人所望。像《十面埋伏》这样转意塑造项羽形象的音乐不多，但为了衬托得天下者的胜利姿态，却尽善尽美、恰到好处地塑造了项羽形象的另一面。《霸王卸甲》（以李廷松传谱为例）共分十六段三大部分，第一部分是战前准备，第二和第三部分分别描写战争场面和战争结束，每一段层层递进，感情表达恰到好处。此曲虽然与《十面埋伏》一样，都具有宏大的音响和肃杀的战争气氛，但则更偏重描写霸王的英雄气概，儿女情长则是瞬间带过。

1999年，作曲家何占豪以现代的编创手法重新呈现了项羽的艺术形象。何占豪对《西楚霸王》进行编创时站位更高、视域更为广阔，没有掺杂丝毫个人情感在里面，而是站在历史的角度客观公正地评价了项羽不以成败论英雄的一生，赋予了楚霸王以现代音乐意义的造型模式。

四、流行音乐中的项羽形象

流行音乐对项羽形象的刻画既是对传统文化的继承，也表现出今人对英雄的感怀。随着现代流行音乐中国风尚的出现，中国传统文化中的个别元素被放大，这既增加了流行音乐的古典风格，也彰显了传统文化的兼收并蓄。流行音乐的不同体裁对项羽形象的再现主要出现在流行歌曲、摇滚音乐中。

流行歌曲的创作中开始融入项羽的形象。1996年，中国内地歌手屠洪刚的一首《霸王别姬》技惊四座，唤起了人们对英雄的记忆。2008年，有音乐鬼才之称的EDIQ演唱了一首《千秋月别西楚将》，音乐中贯穿rap说唱，还穿插了男声反串演唱和中国传统的说书艺术，项羽的本色形象被“撕”得无处可觅。除了这些音乐之外，张学友的《霸王别姬》、郑少秋的《四面楚歌》、张国荣的《当爱已成往事》等歌曲，都用不同的手法演绎了项羽的另面人生。但多数音乐作品并没有从正面去刻画项羽的英雄形象，而仅仅是将其作为一个文化元素进行创作。

摇滚乐中，也有很多作品对项羽这一形象进行了塑造。2008年6月，唐朝乐队专辑《浪漫骑士》发行，其中歌曲《大风歌》正是以项羽形象进行的音乐创作。乐曲开头苍凉的埙声把人瞬间送到遥远的古代，间或出现的琵琶音令人惴惴不安，舒缓中带有顿挫的节奏，伴随着一声声撕裂的呐喊共同编织了这首歌曲的曲风，看似平淡不经意的述说，实际渗透着千古的无奈和声声叹息，代言者的声音中同样传递出哀其不幸的惋惜。其后，五行乐队的一首《项羽》出品，与《大风歌》编创手法类似的是，这首歌曲的开始用战鼓和编钟拉近了欣赏者与历史的距离，中式乐器、项羽主题都为这首摇滚歌曲增添了不少中国元素。

中国戏曲、民族器乐及流行音乐中出现的以项羽为主题的音乐形象，在历代传承中都被编创者给予了充分重视并赋予了时代性的价值评判，成为中国传统文化中的一个符号，使项羽形象成为国人审美意识中挥之不去的历史印迹。

五、项羽音乐形象的风格衍变

项羽的音乐形象是随着中国音乐形态的衍变而逐渐成熟和清晰的。音乐的非语义性特征使叙事变得困难，因此，在文学大行其道塑造项羽形象之时，中国音乐的叙事载体功能正处于孕育阶段，待其成熟，便具有了刻画项羽形象的功能。总览历史，项羽音乐的风格衍变主要通过以下方面展现。

项羽形象首先是悲剧的，那么项羽的人生价值在哪里？项羽的人生价值恰恰不在于“复楚未能先覆楚，帝秦何必又亡秦”的人生本身，而在于他的人生历程和英雄印象留给国人的感悟。很显然，项羽是力量的化身，在冷兵器时代人们对于力量和英雄的赞美是一件理所应当的事情，因为有力量才有天下。项羽与刘邦不同，刘邦的成功是依靠群体的智慧，而项羽则依靠的是个人力量，而刚愎自用、孤高自赏恰恰成就了他的英雄悲剧性。英雄“死了”，肉体的彻底毁灭却使他成为后人精神的支柱。在项羽的多重人格中，悲剧是首先的，因为他的力量虽然让他成为英雄，但却没有帮助他完成最后的霸业。在古往今来的各种体裁的音乐中，无论是戏曲、器乐，又或是流行音乐，它们在表达项羽英雄气概的同时多数以悲剧结尾，或哀怨或叹息，这在前面论及的各种音乐作品中可以得到证实。因而，悲剧式的音乐风格成为项羽印象在历史上的定型，直到现在。

项羽纵有一颗英雄的心，但他对虞姬的爱情至少在文学中是真实的。吴三桂“冲冠一怒为红颜”，但虞姬却为了激励项羽不惜牺牲自我。“乌江自刎”成就了项羽的一世英名，但他的自杀仅仅是因为“无颜过江东”？“虞兮虞兮奈若何”的感叹还是因为累于情伤而触发的殉道？总之主流的悲剧性音乐风格背后总隐伏着一种婉约式的感伤，《十面埋伏》中的“乌江自刎”，《霸王卸甲》中的“别姬”，直到《霸王别姬》中的梅氏把这种婉约式的忧伤表达得淋漓尽致。在中国流行音乐，如屠洪刚的《霸王别姬》里，乐曲中间那一段婉约式的唱腔亦是悲壮后的一声叹息，而李清照的“至今思项羽，不肯过江东”正是这一情感的真实写照。

在传统文化价值中，中国人恪守着儒家的仁义礼智信，而项羽因为杀身成仁、舍生取义而成为传统价值观的参照，一直是世人仰慕的对象。近三十年来中国社会巨大转型，中国文化悄然发生变化。在音乐文化中，中西合璧式的中国风音乐的崛起，这在前面论及的《大风歌》《项羽》等歌曲中都有所展现。虽然这两首歌曲用摇滚音乐的形式表达，但依旧保持着对项羽形象的正面刻画，扬弃了摇滚乐本身所带有的怀疑一切、打倒一切的意识。

第四节　《垓下歌》中项羽的音乐形象研究

一、《垓下歌》创作背景研究

《垓下歌》的作者项羽，名籍，字羽，生于公元前232年，卒于公元前202年，下相（今江苏宿迁西南）人。他不仅是秦末义军重要的军事领袖，而且颇有文采，他的作品在文学史上具有非常重要的地位。以项羽为首的抗秦队伍通过巨鹿一战成功摧毁了秦军主力，使秦王朝走向灭亡。之后多年，他与刘邦展开了争夺天下的战争。但由于坑杀20万秦国降卒，攻占咸阳后又烧杀抢掠，项羽的很多行径早已让他失去民心。公元前202年，项羽在垓下（今安徽固镇东北，沱河南岸）被刘邦的军队重重包围。几经周折，军队损兵折将，粮草吃尽，已经到了山穷水尽的地步。在一个黑夜里，项羽忽然听到从四面传来一阵阵楚国的歌声，他大吃一惊，以为楚地已被刘邦占领，觉得自己大势已去，在帐中一边饮酒消愁，一边看着他宠爱的美人虞姬和征战多年的战马，忍不住唱出了这首慷慨悲凉的《垓下歌》。随后，项羽怀着满腔激愤，率领将士进行突围，但最终因自己的队伍兵力单薄，败给敌军，之后在乌江挥刀自刎。在自刎前项羽再次吟唱了这首《垓下歌》，将其临死前内心的无奈与壮志未酬表达得淋漓尽致。

二、《垓下歌》作品分析

《垓下歌》共28个字："力拔山兮气盖世，时不利兮骓不逝。骓不逝兮可奈何，虞兮虞兮奈若何。"

首先，对"力拔山兮气盖世"进行分析。在这一句中，我们可以看到一个高大威猛的英雄形象，著者认为这是项羽在诉说自己。其中"气盖世""力拔山"，通过虚实结合的艺术手法，把他曾经叱咤风云的气概生动地显现出来。而且这一句有气壮山河、波澜壮阔的意象，可以让人们更多地了解这一角色。项羽作为反抗秦军的重要领袖，这句词足以和项羽的英雄形象相匹配。《史记·项羽本纪》中记载，项羽“力能扛鼎，才气过人”。而此时此刻，面对着四面楚歌的惨败结局，面对虞姬，回顾自己的一生，项羽感慨万千。一方面，这是项羽在自己生命将要终结时，对自己曾经的光辉岁月的回顾；另一方面，也有对兴亡盛衰的感慨和机不再来的懊悔。

其次，对“时不利兮骓不逝”进行分析。这一句写出了项羽的感慨，意为：“或许这一切都是天意吧，天时、地利、人和都不在我这边，战事接连不顺，甚至连我的千里马也跑不动了，很多的因素导致了如今的结果，一时间，好像自己被世界所抛弃。”这句诗展现了项羽英雄末路、苍凉无助的情绪，让读者更深入地了解项羽当时的心境，感受一代英雄需要多大的勇气才能面对自己的失败。

再次，对第三句“骓不逝兮可奈何”进行分析。这一句是项羽在前两句的基础上展开的深入探讨，话语间的无可奈何的意味更明显。他的失败不完全是军事上的失败，更多的是政治谋略上的失败。他坦率、天真的性格，以及不工于心计的处事方法给奸诈的对手提供了许多机会。项羽性格中带有一种孤傲，在军队作战指挥方面要弱于刘邦，这是导致战败的非常重要的原因。在将要终结自己生命的时候，项羽明白了其中的道理。此时，他希望有机会卷土重来，甚至希望有再一次实现破釜沉舟式的转机。但是，他内心也早已给出了答案，这种机会不会再有了，他注定败在了自己本可以战胜的对手之下。从“可奈何”这个短语中能够深刻地体会到这种悲剧心理与失望心态。

最后，对第四句“虞兮虞兮奈若何”进行分析。这一句透露出项羽曾经叱咤风云，令敌军闻风丧胆，但此时他不仅在战斗中无计可施，甚至连自己的爱人虞姬也保护不了，作为一个具有英雄气概的男人，可想而知他当时的内心是何等的无助与无奈。他有自己的理想与抱负，但为时已晚，没有退路可言，内心悲苦不已。

三、电影《王的盛宴》主题曲《垓下歌》研究

由陆川执导，刘烨、吴彦祖、张震、秦岚、沙溢、聂远等明星联袂出演的历史大片《王的盛宴》，再现了刘邦、项羽、韩信三位历史人物波澜

壮阔的一生，同时“鸿门宴”“成也萧何，败也萧何”“霸王别姬”“项庄舞剑意在沛公”等典故也得到了全新演绎，让我们更深入地了解了项羽的历史背景，了解了在“英雄”文化背后，人物本身所带有的时代信息。

在影片的宣传推广时，由著名歌手吉杰创作的主题歌曲《垓下歌》提前进入人们的视野。在创作该歌曲时，吉杰一改平时的音乐风格，深入挖掘了西楚霸王项羽败亡前吟唱的诗句，以动感的音乐节奏和多层次的对比，从历史角度出发，在尊重电影风格的基础上进行了全新创作。这首歌用流行、摇滚的风格抒发了项羽在汉军的重重包围之中那种充斥怨愤和无可奈何的心情。歌曲一经发行，便深受观众的喜欢。从这首作品可以看出，西楚霸王项羽虽然在战争中失败了，但是他的英雄气概和种种事迹并未随着历史的前进而消失，特别是在他临死前吟唱的《垓下歌》，更成为一首千古绝唱深深地影响着后人。通过对《垓下歌》的赏析，让更多的人了解了英雄项羽的内心情感。

第五节　项羽的音乐符号学意义及审美文化诠释

古往今来，无论是正史官志、稗官野史，抑或民间文学、俗乐俚曲中，项羽孤高自傲与目空一切、多勇少谋与刚愎自用、力拔山兮与至情至性的形象都在整合与撕裂中被消费着，由此形成的鲜明的符号渗透至文学艺术领域的各个层面，成为传统文化场域中的斑斓一景。无论是歌曲、器乐还是戏剧，“项羽”之所以产生意义而演变为一种符号存在，正是由于大众审美消费需求与文化输出间的供需平衡。“项羽文化”在中国文化中有其时代性与社会性，成功与失败相伴，粗犷与柔情并举，在项羽身上分裂出的众生相被符号化而广义延伸。其中，以项羽为原型进行的音乐创作是“项羽文化符号”的重要组成部分，当“项羽音乐”对“项羽文化符号”的构筑起到积极作用时，作为一种符号存在的“项羽音乐”便有了意义，这种意义渗透到不同的音乐形式、音乐体裁中世代相传，给予审美以极大张力。

一、“项羽音乐符号”的形成与发展

项羽音乐符号的形成并非一蹴而就的，既要归功于史学、文学的厚积，又要归功于音乐艺术本身的不断升华。从现有的音乐史料来看，最早对项羽进行音乐形象刻画的，恐怕就是那首耳熟能详的《垓下歌》了。虽然这首歌曲气贯长虹又充满英雄末路、侠骨柔情之感，但是谱无定法的传统音乐早已使其湮没在历史中，而只能做“故人已乘黄鹤去，此地空余黄鹤楼”之叹。况且这首歌曲还只是项羽本人的自怜、自憾，故难以形成艺术上的“项羽文化符号”，更不用说大范围传播了。真正对项羽形象进行有血有肉、入木三分描写的当属司马迁，他以专门记载帝王事迹的本纪记录了项羽的生平，不但抬升了项羽的身份地位，且用史学与文学并重的叙述手法把项羽的形象完美地展现出来，既立体、鲜明又让人毋庸置疑。此后，班固的《后汉书》、司马光的《资治通鉴》再次从不同的侧面对项羽其人其事及性格进行了“补遗”，使其形象变得更加饱满。因此，史学的记载应是“项羽文化符号”形成的源头，它为“项羽文化”的传播奠定了坚实的基础。但光有史学的记录显然离文化符号的形成还有一段距离，史学家“阳春白雪”般的叙事方式总会产生一种拒人千里的隔阂感，从而使民俗文化的兴盛变得“有机可乘”。

“六朝以后，项羽终于有了民间的第一次露脸。虽然这些灵异的故事出现在史书中，但是却明显地吸收了民间的传说，代表的是民间的感情。”①至唐宋时期，宽松的政治环境和空前发展的社会经济催发了诗词文化的高度繁荣，文人诗作的大行其道也对“项羽文化符号”的形成起到了推波助澜的作用。据统计结果显示，直接对项羽进行描写的诗“唐代29首，五代6首，宋代50首……”②可见其形象不仅没有被埋没，反而呈现出繁荣之势，已经体现出强烈的符号化意义。官方和文人的共同参与催发了“项羽文化符号”的生成，而传统音乐文化自身生态的更新和不断成熟

---

① 任荣．项羽在戏曲中的形象演变［J］．剧作家，2011（2）：94-100．

② 杨宁宁．论历代咏项羽诗及其道德评价［J］．学术论坛，2010（11）：95-100．

也使其不甘落后地参与其中，呈现出“你方唱罢我登场”的局面。如果说在唐代参军戏《樊哙排君难》中的“项羽”还只是一个配角，那么在宋杂剧《霸王中和乐》《霸王剑器》《诸宫调霸王》中“霸王”已然改头换面成了主角。明清两代的《千金记》《楚汉春秋》，近代的京剧《霸王别姬》都对项羽进行了浓妆重彩的全方位刻画，使人们对项羽的认识不再局限于文字的“虚无缥缈”中，而变成了眼前“活生生”的人物。戏剧如此，传统器乐作品中有关项羽的作品也不在少数，琵琶大曲《十面埋伏》《霸王卸甲》就是其中的代表作，铮铮不绝于耳的音符洞穿古今成就了项羽的千古绝唱。

古今更替，时光轮转。但历史的风云变幻和社会更迭并没有放弃项羽，传统文化的厚积使“项羽文化”在现代社会中得以继续延展。民歌、戏曲、器乐等传统音乐文化虽然出现了凋敝之势，但“项羽文化”仍然被津津乐道，并渗透至现代音乐创作的角角落落，这首先体现在流行音乐中。

歌曲《霸王别姬》《千秋月别西楚将》《四面楚歌》《当爱已成往事》，摇滚乐《项羽》《大风歌》等将厚重的历史植入现代流行音乐，将项羽形象剥离、撕裂，或豪放，或悲壮，或婉约，或柔情地通过声音释放出来，用崭新的音乐形式以及更加灵活的编配手法向现代受众再次展现了项羽这一传统文化符号，其中不变的还是项羽丰富多彩的分裂性格、多面人生，以及背后潜藏的审美价值。除了新型音乐体裁的植入，“项羽文化符号”在传统音乐形式中也得到保留和创造性释放。1999年创作的古筝、钢琴协奏曲《西楚霸王》，2011年推出的新戏《重瞳项羽》都是在传统器乐、戏曲体裁基础上融入现代音乐元素进行的“项羽音乐”的再造。如此种种，传统的、现代的，以及传统与现代相融合的音乐形式为“项羽音乐矩阵”的再生提供了丰富的动力，也使“项羽音乐符号”释放出强烈的现代特色。

项羽在史学、文学、艺术中的记录、重塑使其形象从模糊变得透明和立体，形成一个融壮美、悲美、凄美于一身的，美的集合体，以符号化延伸至各个时代的各种文化形式中，使芸芸众生或能够从中获得纯粹的娱乐，或从中找寻到自我人生的写照从而产生共鸣，这便使项羽具有了文化的、美学的文本意义。

二、“项羽音乐符号”的审美诠释

审美是一种复杂的行为，也是一个复杂的过程，它包括社会的、文化的、经济的、哲学的各种因素。“项羽音乐符号”正是在复杂的背景和环境下生成，并在不断传播中积淀下来获得广泛的群体认知，最终形成一种音乐意识在传统音乐的口耳相传中，被赋予了不同的文本意义和消费模式。

“项羽音乐符号”是“项羽文化符号”在音乐领域的积极延伸和能动辐射，也反映出社会群体在审美心理上的渴求。传统史学、文学囿于印刷技术和文本叙事的单一性极易使大众产生审美疲劳，而“言之不足，故长言之；长言之不足，故嗟叹之；嗟叹之不足，故不知手之舞之，足之蹈之也”音乐艺术产生之后，它的发生、发展则有力地填补了这一缺憾，从而也使基于“项羽音乐”的群体审美意识的产生变成了可能。这种可能存在两个层面的含义：一是群体审美意识为什么会选择音乐中的“项羽”，二是社会群体能否从“项羽音乐”中获得审美满足。

纵览中国音乐发展史，所谓中华正统的五音六律在很大程度上反映的是基于政治需要的礼乐治国，音乐变成礼法的附庸在很大程度上违背了音乐艺术发生、发展的规律，成为音乐发展的桎梏。在隋唐以前，或许能从音乐史中发现诸如民歌、器乐、说唱、戏剧等音乐形式，但也能看出这些艺术形式的单薄，加之长时间的重农抑商政策，这些处于萌芽状态的音乐形式在缺乏资金支持的情况下很难获得快速成长。即便如此，音乐艺术作为新生事物还是牢牢地抓住了受众群体的心理。清新自然的民歌、说唱相间的曲艺、唱念做打的戏曲，以及五花八门的乐器在音乐世界的不断整合中，充满人文关怀地对受众群体产生了巨大的视觉、听觉冲击。原始音乐从娱神的神坛上走下，迈向娱人，是音乐功能的一大转变，满足大众娱乐心理上的形式创新又是一大进步，从单纯的娱乐到成为具有教化功能的文化载体，才真正使音乐化茧成蝶。由此可见，“项羽音乐”要获得群体审美意识的认可，既要有多变的形式，又要具备娱乐和教化两重功能。

自《垓下歌》到唐代参军戏，我们很难看到项羽形象被更多的音乐形式加以诠释，应该说这种现象是不正常的。即使文学中的项羽形象在《史记》

之前未有完整的官方记录，但楚汉争霸影响之巨大早已使项羽其人其事深入人心，至少对项羽抱有革命热情和同情的楚国人不可能不在他们的民间音乐里展现他们的所感、所想，这不能不使我们产生怀疑。然而，从传统音乐发展的形态来看，民间音乐的口传心授难以被记录下来而使其在音乐史上处于集体“失语”的尴尬境地，《诗经》如此，《楚辞》亦如此，从这个意义上来讲，唐代以前项羽的音乐形象未能在音乐史中找到蛛丝马迹又显得正常不过。再者，在唐宋戏剧形式中“项羽音乐”的出现也不可能是突如其来的，必定有着承继性的民间音乐基础做铺垫，因此，可以大胆地猜测，音乐中的项羽早被多元化地渗透到不同的民间音乐体裁形式中去了，在群体的意识深处得到了认可，又在不同的音乐作品中得到了具体的呈现。

大众选择音乐一方面是因为音乐最原始、最基本的功能就是娱乐，通过这种娱乐可以获得精神上的满足；另一方面是因为大众可以从中获得一定的文化信息以填补自我的心灵空缺。“项羽音乐”之所以能被大众接受，正是因为它既能提供娱乐又能带来教化。单从有关项羽的戏剧来看，项羽总是以正面形象示人，古往今来人们对英雄的崇拜、赞美、感叹、惋惜不绝于耳，而项羽恰好是这样一位英雄，他在戏剧舞台上的英雄气概满足了大众对英雄的渴见心理，他的秉性耿直与刘邦的诡谲狡诈产生的巨大反差容易产生戏剧性感染力，而能满足大众对感官刺激的需要，他与虞姬凄美的爱情又成为爱情中的范本而被津津乐道。在这些分裂的艺术形象中渗透出来的诸如志存高远、胸怀坦荡、正义凛然等，又会对大众产生教化作用，甚至他的失败也能成为引以为戒的典范。

群体审美意识对音乐的项羽和项羽音乐的选择绝非偶然，毕竟项羽只有一个，在他身上体现的审美场域已足够大到能够满足大众的审美期待，歌曲、器乐、曲艺、戏剧的多样形式又进一步强化了大众对“项羽音乐”的期待，使群体审美意识愈加恒定，也使得“项羽音乐符号”更具意义和传播性。

三、“项羽音乐符号”审美的文本选择

在中国传统音乐中，宫廷音乐的正统、文人音乐的大道至简都不可能

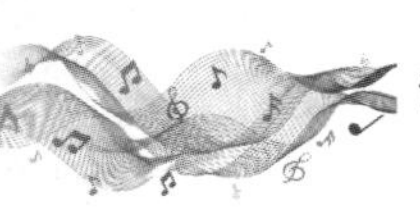

对项羽的音乐形象进行完整的或者说栩栩如生的刻画，而民间音乐的草根性、包容性和绵长性彻底地把项羽形象展露无遗。“项羽音乐符号”在传播中不仅“有条件”地选择了传统民间音乐，而且在现代音乐语境下“必然”地选择了流行音乐。

如前所述，在传统民间音乐形式中，能够较为清晰地看到项羽艺术形象的是戏剧，这绝不是偶然的。众所周知，宋代是中国戏曲大发展的一个时代，休养生息的政策和繁荣发展的城市经济加上音乐艺术的长期积累，最终使戏曲登上历史舞台。民间艺人、落第文人涌向城市，“书会”“社会”的出现更繁荣了戏曲市场，人口数量的剧增和人们对文化消费的膨胀心理更推动了戏曲文化的勃兴。“项羽音乐”选择了戏曲作为其符号性传播和获得群体性审美认知的渠道是“应其时”，这是其一。其二，项羽复杂的人物形象更容易在冲突剧烈的戏曲中被充分地展现。从宋杂剧的三部分结构到元曲的一本四折，再到后来的多幕剧，从几个角色的单一行当到多行当、多角色的登场，项羽的人物性格在矛盾冲突和长篇的文本叙事中被更加鲜明地解读。因此，“项羽音乐符号”对戏曲的选择又是“应其势”，是戏曲的时势造就了“项羽音乐符号”的持续发酵。

对戏曲音乐的选择如此，对现代流行音乐的选择亦是如此。现代社会的快速转型使结构自由、形式简单、曲风新颖的流行音乐迅速占领了市场并迎合了泛娱乐化的大众审美需求。流行音乐对项羽形象的塑造更多地在于婉约的感叹，或是“至今思项羽，不肯过江东”的惋惜，或是对其爱情的思慕。

总之，“项羽音乐符号”与项羽大众审美意识的形成相生相伴，无论时代怎么变迁，音乐形式如何变化，它都能释放独特魅力，争取自我存在价值，刷新自我存在的意义。

四、“项羽音乐”的符号学意义

“项羽音乐”是中国传统音乐的重要组成部分，它兼容并蓄吸收各种音乐形式为己所用，并赢得群体性审美意识的认可，证明了自身存在的价值和意义。“项羽音乐”的符号学意义主要体现在它对“项羽文化符号”

的积极构建，对现代音乐的中国风格制造上。

1. 对“项羽文化符号”的积极构建

“项羽文化符号”并非单指有关项羽的史学、文学，而是指“与项羽有关的各种历史文献典籍、文物、遗址、文学作品、艺术作品、祠堂庙宇等建筑、仪式、风俗……”[①]只有这些非物质文化遗产合力，才能佐证“项羽文化符号”的存在。事实证明，这些不同类属的非物质文化遗产不仅存在，而且广泛分布于安徽、河北、河南、陕西、江苏等地。从现存的音乐来看，传统京剧《霸王别姬》，新编历史剧《重瞳项羽》，传统琵琶曲《十面埋伏》《霸王卸甲》，以及流行音乐是目前“项羽音乐”的生存态势，虽然在数量上屈指可数，但相对于那些凝固的建筑和文学典籍，“项羽音乐”依然保持着鲜活的生机。这些不同的音乐形式在历史上对“项羽文化”的符号构建起到了积极作用。既然“项羽文化符号”的形成为中国传统文化有价值的构建起到了作用，那么“项羽音乐符号”自然也对传统大文化的积细流以成河增添了养分，而且它对“项羽文化”的传播明显要优于其他介质。

2. 对民间音乐话语权的开拓

在古代，中国传统的民间音乐如同封建大众一样始终被人为地压制而游离于社会的底层。之所以出现这种情形，是因为民间音乐一直是大众疾苦的传声筒，统治阶级为粉饰太平可以歌舞升平，但民间声音一旦出现与太平盛世不和谐的声音，那一定使统治者惶恐不安、颜面尽失。因此，“采诗夜颂”的真正目的不在体察民生疾苦，真正体察的是百姓是否有谋逆之心以便镇压。但封建社会的家国统治并没有将民间音乐完全抹杀，民间音乐兼容并蓄的特性不仅使其成长茁壮而且使其衍生出更加多变的形式。项羽是贵族，出身高贵且以英明神武自居，司马迁在《史记》本纪中的描述足以说明这一切。但在司马迁之后，正史就对项羽少有正面的描述，甚至班固的《后汉书》及司马光的《资治通鉴》对项羽进行了“妖魔

① 杨宁宁．项羽文化的理论建构与内涵阐释［J］．渭南师范学院学报，2013（7）：11-19．

化”的处理和再造。好在清者自清，群众的眼睛是雪亮的，他们把真实的项羽在他们创造的音乐中还原，使项羽形象得以完整地存世、传世，同时借项羽高贵的出身和非凡的事迹传递出声音，使民间音乐在与宫廷音乐的话语权争夺中占有了一定优势，宫廷俗乐对民间音乐的不断借鉴吸收恰好证明了这一点。

3. 对现代音乐的中国风格制造

所谓中国音乐风格制造就是将中国传统的、民族的既有元素糅合到音乐创作中去，从中可以窥见中华文化的端庄肃穆、古色古香。中国元素是目前中国音乐研究文本中的常见词汇，在不同体裁音乐的创作中，作曲家普遍愿意将乐种丰富的民族音乐渗透到作品中，以更好体现中国传统音乐的柔韧性和可塑性。在这些可用元素中，“项羽音乐”不仅可以拿来即用，更可以将其中的元素进行分裂、重组，既不影响音乐形式的自由发挥，又能展现“项羽音乐”洞穿历史的厚重。张国荣演唱的《当爱已成往事》是电影《霸王别姬》的主题曲，歌曲开头直接借用了京剧《霸王别姬》的一段念白开场；屠洪刚演唱的《霸王别姬》则借用了京剧的腔韵将项羽的英雄豪气展露无疑；此外，唐朝乐队的《大风歌》等都以不同的方式诠释了“项羽音乐”的内涵。随着音乐创作的多元化发展，项羽这一文化符号也被赋予了很多的意义，人们在不同体裁的音乐作品中，继续探索着这一文化的多元表达。

“项羽音乐”在中国两千多年的发展与传播中产生了稳定的符号意义，历史的继承性和时代的选择性使“项羽音乐符号”获得了广泛的审美认知，而群体审美意识的生成又为“项羽文化符号”的构建形成了有力的支撑，并为传统民间音乐话语权的争取和中国化音乐风格的制造产生了积极、有益的影响。在音乐文化的后续发展中，项羽文化也会继续丰富，进一步完善，从而让更多的人了解这一文化符号的内涵。

第七章

“英雄”形象塑造在音乐创作中的传承价值

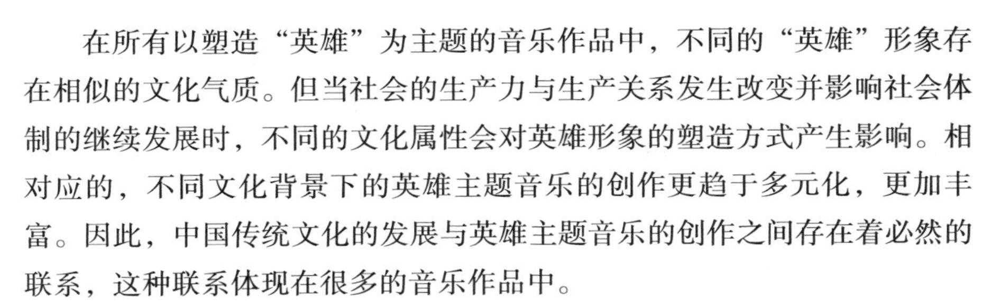

第一节 “英雄”形象所具备的文化属性

在所有以塑造“英雄”为主题的音乐作品中，不同的“英雄”形象存在相似的文化气质。但当社会的生产力与生产关系发生改变并影响社会体制的继续发展时，不同的文化属性会对英雄形象的塑造方式产生影响。相对应的，不同文化背景下的英雄主题音乐的创作更趋于多元化，更加丰富。因此，中国传统文化的发展与英雄主题音乐的创作之间存在着必然的联系，这种联系体现在很多的音乐作品中。

在中国传统文化中，中国英雄形象与英雄精神是符合出世观的。自古以来，在中国几千年的封建社会中逐步发展起来的经世哲学对中国人的发展产生了深远的影响，如儒家文化“修身、齐家、治国、平天下”的处世理念已经将人的发展与国家、民族的命运紧密结合在一起，为之后英雄主义的出现奠定了基础，使得在战争四起的年代里，不断有英雄诞生。之后是声音表达的情绪与戏剧形象的结合，振聋发聩的《大风歌》就是非常经典的代表。汉高祖建国初期，有感于立世不易，将自己的心声表达出来，于是创作了著名的《大风歌》：“大风起兮云飞扬，威加海内兮归故乡，安得猛士兮守四方！”这首歌在表达上带有非常鲜明的楚辞式的悲怀，也将汉高祖大无畏的英雄精神彰显得淋漓尽致。后人也将汉高祖视为英雄，因为他将自己的命运与整个民族的命运紧密地联系在一起，实现了儒家对于个体人生追求的最高规范，这与广大群众满怀期待的心理较为一致。因此，《大风歌》的音声形态融合大众的审美后世代传颂，在传唱的过程中激励着世代的英雄。可见，英雄主题的音乐作品成为传播英雄文化非常重要的传播工具。

中国传统的道德准则在英雄主题的音乐作品中有所体现，尤其是“忠孝仁义”的特质在英雄文化的发展中不断被赋予了更多的含义。“忠”是人对于信仰、真理、国家、职责，以及与之相关事务的大公无私的品质，要求尽心竭力，始终如一完成自己分内的义务；“孝”自古以来便是中华民族的优秀传统美德，与“忠”共同构成了个体价值实现的道德范式，为了更好地实现这一范式，英雄主义者通常以舍生取义来要求自己，最终成为忠孝的道德标杆。当人们在仰望英雄时，出于英雄心理的考察，往往会将道德的意义扩大。但当英雄以殉道者的身份出现，“仁义”与“忠孝”又被放到了同等参考体系之中，二者之间也存在差别，前者更加倚重于忠孝之本，后者则涵盖了传统文化对英雄所有的诉求。因此，项羽与汉高祖同为历史上的英雄人物，但项羽在叙事文本上的可塑性要更强。因此，可以看到项羽作为英雄被拆解成了很多不同的艺术形象，从而在文学与艺术领域获得进一步的发展，在传统的道德范式中被不断放大，因此，在我们了解的音乐作品中，以项羽为素材创作的英雄主题作品在表达上要比以刘邦为素材创作的作品要更为丰富、立体，进而衍生出一种新的文化特质，即我国传统文化中英雄文化与悲剧情怀之间的特殊默契。

中华民族的发展经历了封建王朝的历代更迭，杀伐之声此起彼伏，整个民族的发展史可以说是一部用英雄的血肉筑成的史诗，在此背景下创作出来的文学作品与艺术作品往往带有非常浓厚的悲剧性色彩，如《诗经》《楚辞》等。在很多文学、艺术作品中，英雄题材多以悲剧呈现，项羽“乌江自刎”诠释了英雄的悲壮美，虽然他最终失败了，但虽败犹荣；岳飞精忠报国展现了英雄的一往无前。虽然这些作品中每一位英雄最终的离去方式不同，但故事所带有的悲剧性色彩却有着很大的相似性。英雄的悲剧在历史的演进中不断重复上演，在传统文化中逐渐沉淀下来。如果说，英雄的道德范式在传统文化的发展与积累过程中早就注定了悲剧性的结局，英雄的悲剧性其实是对传统文化中悲剧因素的生动解读，二者是共存的。

正是因为传统文化和英雄形象的塑造之间存在紧密联系，中国音乐作品对于英雄形象的塑造才具备了创作与发展的动力，但英雄题材的作品在不同历史阶段的传播存在着不同的表现，这一方面是因为音乐的传播载体不断丰富，另一方面是因为音乐传播对象也在不断变化，而二者之间又存在一定的关联性。

就音乐作品的形态而言，中国传统音乐作品从民歌与器乐创作逐渐出现了很多不同的体裁，之后的戏曲与曲艺都是在原有的基础上产生的，虽然戏曲与曲艺的发源能追溯到很远，但这两种音乐体裁在形式与内容等各方面的差异是从汉唐以后才逐渐显露出来的。这是不可否认的，音乐形态的丰富刺激了艺术形式的进一步传播，英雄文化在这一过程中也被糅进了不同的艺术体裁中，这也极大地满足了人们对英雄文化的艺术审美诉求。

音乐的体裁在汉唐以后得到了极大丰富与发展，其原因是多方面的。首先，在汉唐以前，我国远古时期的音乐文化尚处于萌芽期，社会生产力的发展不足加上社会秩序相对混乱，很难为音乐文化的发展提供各方面的支撑与保障，因此，英雄文化的发展包括音乐作品的创作被限定在了非常有限的空间中。其次，当时文化的传播途径非常有限。经过魏晋时期的民族融合、发展，文化上得到统一，相对稳定的社会秩序加上经济的回温为之后音乐的发展奠定了基础，加上政治政策的正确引导，唐代的经济取得了极大的发展，为文化发展奠定经济基础。统治者所实行的开明政策及兼收并蓄的文化方针，使唐朝的音乐文化得到了前所未有的发展，该时期也涌现了很多的音乐体裁，对当时文艺的发展起到了强有力的刺激作用。唐代歌舞戏、参军戏、歌舞大曲等艺术形式的出现与输出为之后宋代戏曲音乐的发展做好了铺垫。在这种背景下，英雄文化也在文艺作品中获得了更大的创作空间，能够以更加充分和多元的方式表达出来。原先牵强、模糊的对传统文化的解读也变得更加明朗，音乐作为传统文化与英雄文化的载体，也在传承中凸显了它的张力。

从传播对象分析，先秦时期，我国的文化尚处于百家争鸣阶段，不管是儒家提倡的“乐与政通”理念，还是道家推崇的“大音希声”，抑或墨

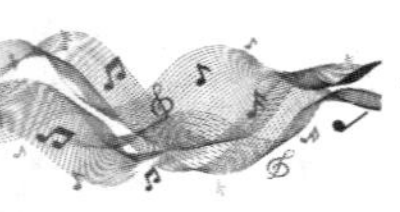

家的“非乐”，都在很大程度上阻碍了世俗音乐的发展，相反，宫廷音乐与祭祀音乐却得到了很大的发展。

在雅乐盛行的文化背景下，英雄文化的主要载体之一就是神话故事，而神话中的“英雄”往往会缺少娱乐性的表达，如“葛天氏之乐”、《六代乐舞》等，这些作品的呈现往往有特定的时间与地点，虽然得到了广泛的传播，但很多作品中塑造的“英雄”形象非常单一。这种单一性与传播的稳定性阻碍了传播载体的进一步发展，此时作品所带有的社会功能性也削弱了英雄音乐的群众基础，使其仅仅成为意识形态领域的文化记忆。德国著名学者扬·阿斯曼曾提出，文化记忆在严格意义上属于集体概念，指所有的社会行为在经验与知识的指导下，通过不断实践获得知识与能力的过程。虽然不同领域的英雄都存在于文化记忆的范畴内，但在音乐作品的传播过程中，音乐作品中“英雄”形象的塑造则更注重于作品所具有的文化功能属性，如降福、庇佑等，而作品对世俗英雄形象的塑造则更偏重于作品的娱乐性，或者在娱乐性的基础上也带有一定的教育功能。因此，当礼乐制度逐渐崩坏而被世俗音乐取代时，世俗文化中的英雄开始更大比重地占据了大众的心理地位。尤其是在汉唐以后，随着世俗音乐的不断发展，音乐体裁的不断丰富，世俗文化中的英雄开始在更广泛的受众群体中传播，很多英雄形象也更明确地展现出来。由此可见，英雄从神话到世俗的转变，其实际上是神祇音乐到世俗音乐的转变，而传播对象也在这一过程中发生了革命性的变化。随着经济的不断发展，不同的音乐体裁涌现，音乐载体与传播对象共同促进了英雄主题音乐作品的创作与传播。

英雄文化在传统文化中属于一个恒定参数，因此在传播过程中受到了瞩目，因为“英雄”这一词语本身就包含了很多传统文化的元素，英雄身上体现出来的精神与力量对受封建制度压迫的弱势群体有强大的感召力，也为很多人内心所向往的美好增加了一些幻想的空间。英雄通过多元化的舞台展示新的戏剧形象，给人的内心以强烈的冲击。在任何一个历史阶段，人们的内心都会存在对伟人的崇敬之情，这是无法被完全消除的。也正因为这样，很多艺术家在创作中才能将英雄的形象不断地彰显，将其作为传统文化的重要元素进一步传播。但在文化传播过程中，大众对于文化存在不同程度的选择倾向，英雄主题的音乐作品对传统文化的传播同样有这一特点，因此，我们需要在继承的同时进行筛选。

英雄题材的音乐作品往往会突出英雄人物忠孝仁义的品质，这是最稳固的表达方式，也是普通大众的审美体验中最容易产生情感共鸣的关键。因此，作品以传达忠孝仁义为核心的文本不断被创作出来，成为英雄作品中至关重要的元素。很多元明时期的戏剧作品都是围绕着“忠”字展开的，如《宋大将岳飞精忠》《双忠记》《精忠旗》《清忠谱》等，这一类作品所塑造的英雄形象大都是铁骨铮铮、威严肃立的，这些作品既弘扬了传统文化又充当了当时封建制度之下的“发声者”，很多剧作家都借此批判前朝统治的昏庸与腐败，以更好地达到稳固统治的效果。这些作品除娱乐功能外还有教育功能，能够对受众的思想与行为起到一定的教育作用。在这些作品中，传统、娱乐、教育被有机整合在一起，传统文化与英雄文化也紧密地联系在了一起。但毕竟传统文化与音乐文化之间存在差异性，尤其是受到世俗音乐的冲击，传统文化所传达的价值观念也受到了影响，但这依然无法撼动传统文化的地位，同时为英雄主题音乐的创作与发展起到一定的推动作用。

宋代以后，世俗音乐得到发展，城市经济的繁荣为世俗音乐的发展提供了充足的空间。由民间艺人组成的行会、书会等组织通过不同的形式将当时的文人群体与艺术创作紧密地联系在一起，形成了一个非常稳固的“商演”团体，以争取商业利益的最大化，这是组织内部人员的共同目标。在大家的共同努力下，英雄主题音乐作品的创作也被赋予了更丰富的艺术内涵，传统文化语境下的英雄形象被再次加工，衍生了一些非英雄文化。在19世纪后半叶的文学创作中，作品的主角多为普通人，没有了传统作品中对于英雄形象的戏剧化呈现手段；到20世纪，这一现象表现得更为突出。相较于西方艺术创作中非英雄形象的呈现，中国传统文学中的英雄异化出现的时间更早，在宋代的文艺作品中，很多英雄形象的塑造就开始带有边缘化、异质化特征。这些作品的主要特征就是英雄性的边缘化，如项羽在中国传统的价值观念中的形象是勇猛果敢、刚直不阿，但在宋代之后的英雄音乐中，项羽的性格则有些乖张甚至刚愎自用，他的有勇无谋也被放大，这种性格与之前人们印象中非常神圣的英雄形象有很大出入，但也丰富了人物的立体化呈现，使这一角色带有更多的人性化特点，更容易

拉近观众与英雄人物之间的距离，产生情感的共鸣。此外，作品中楚霸王与虞姬之间的情感纠葛也不再仅仅充当故事的点缀，而成为着重刻画的部分。于是，一个拥有爱恨情仇的小人物被放到观众眼前，被大众审视，但永远触碰不到，这种梦幻感油然而生。

第二节　“英雄”形象在音乐作品中的文化价值

在我国传统文化中，英雄文化占据着非常重要的位置，这是因为我国文化在历代的发展中始终没有离开对英雄精神的赞颂，如古代的诗歌中就有很多关于英雄主题的作品，因此，这一题材在文化传承中体现了它的价值。从音乐创作的角度分析，一首音乐作品通过歌词与曲调的配合完成乐曲主题的呈现，并彰显作品的艺术价值是最为重要的。音乐作品中的英雄形象，需要我们对相关的品质与思想有准确的认知与把握。著者通过对英雄形象塑造在文化价值方面的了解，发现很多学者都将研究视角放在文学领域，更多地从文化与精神层面分析英雄形象的塑造，从音乐创作的角度进行研究的价值。因此，可以将文化传承与音乐创作更好地融合在一起，在传承文化发展的同时与时代精神相对接，让大众更清晰地了解文化精神的发展。

在英雄主题的音乐作品中，要对英雄形象有准确的把握与理解，需要全面地理解作品中的英雄形象在集体中起到的积极作用。很多作曲家创作英雄主题作品的最终目的并不是简单地记录这些英雄的感人事迹，而是以一种艺术化的处理手段扩大作品对观众的影响力，教育、影响更多的人。因此，在塑造这些“英雄”形象时，需要对英雄的事迹做取舍，通过现象把握相关事迹本身所体现的精神本质，之后在作品中进一步传播。因此，在作品创作之前，作曲家需要思考作品想要通过对英雄形象的塑造表达一种什么样的思想，他的本质是什么。

在大众的认知中，音乐作品中很少只赞颂某一个人，因为所有的功绩都需要依靠集体的努力。例如，如果没有共产党对军队进行的阶级思想教育，没有革命战争，也就没有黄继光、邱少云等英雄，他们是群众中先进人物的代表，也是高贵品质与先进思想的化身，但最重要的，他们都是集体中的一员。音乐创作就是运用作品将英雄的事迹通过大众最容易理解的方式进行赞扬，进而将群众的思想情感表达出来，其中也包含了当前阶段人们的先进思想。为了进一步确保作品的质量，作曲家要在确保事迹真实性的基础上做典型化处理，或者将英雄事迹进行提炼与概括，确保音乐作品中的英雄故事更为典型。艺术家在以真实故事为素材进行创作时需要充分考虑故事的典型性，准确把握表达的重点，突出体现优秀人物品质的事迹，这样才能使作品的教育意义更鲜明地表达出来。如果什么都想要呈现，就会导致作品包罗万象，从而造成作品所刻画的重点既不清晰也缺乏深刻性。

作品中的英雄人物要具备一定的典型性，选取的事迹同样要具备一定的典型性，在创作的过程中不仅要有充沛的情感表达，还要有高度的凝练性，将作品的主题思想以艺术化的手法表达出来。因此，对英雄形象的塑造不能仅停留在概念层面，还需要通过具体的情节刻画出来。在英雄主题音乐作品的创作中，多是对真实事迹的描绘，而且是对主要的英雄事迹的描绘，因为每一位英雄一生都经历了很多事，但这些事件无法全部呈现在作品中，因此，作曲家在创作时需要准确把握创作的切入点，然后选择一个最具代表性的事迹进行颂扬，才有助于英雄角色的塑造。

音乐创作的真实性也是非常重要的创作准则，虽然创作需要进行艺术化的加工与处理，但那是针对作曲家的创作手法来说的，在事迹的呈现上要遵循真实性原则。因为，作品所呈现的英雄形象本身带有很强的榜样性质，而且多数英雄人物都是人们熟悉的，如果缺乏真实性，那作品的教育意义就会被大大消减，只有经过群众检验的作品才是优秀的英雄主题作品。

对于音乐作品中英雄形象的塑造有一个非常重要的前提，就是对英雄主义的准确理解，只有充分理解了英雄主义，才能在创作中正确把握情感表达的方向。不管是曾经为历史的发展做出贡献的英雄，还是为我国革命事业和社会主义现代化建设做出贡献的英雄，都应该通过正面的表达对他们的事迹进行赞颂。但也有很多作曲家在创作英雄主题的作品时会运用伤感的曲调，这是依据作品的主题进行了相应的处理，我们不应该因为故事中的悲情色彩而忽略英雄人物的形象塑造，以上才是音乐作品在创作中表达的关键。

在如今的音乐创作中，对于英雄精神的颂扬是非常有必要的，这与当下时代发展的主题极为契合，虽然现在是和平年代，但为国家发展做出贡献的人依然不在少数，如驻守边防的战士，他们一直为了祖国的安宁坚守岗位；抗击新型冠状病毒感染疫情中的医生、护士、志愿者等，都是英雄精神的体现。在祖国的各个领域中都有英雄的存在，他们在为社会的发展贡献自己的力量，也正是因为有这些人的存在，我们的生活才能安定有序。

基于对英雄形象的正确理解，在创作中恰当赞颂英雄精神，作品才能更好激起观众的情感共鸣，最大限度地发挥作品的教育意义。因为传承英雄精神也是社会主义思想建设的重要内容，以最容易被大众接受的音乐作品为载体，可以更顺利地推进思想建设工作，不仅有利于传统文化的传承，对艺术的传播与发展也有积极意义。正是因为时代发展中一直有英雄主题文化，英雄才在人们心中占据了越来越重要的地位，而这也正是创作中英雄形象的塑造的价值所在。

第三节　英雄文化内涵及在音乐创作中的体现

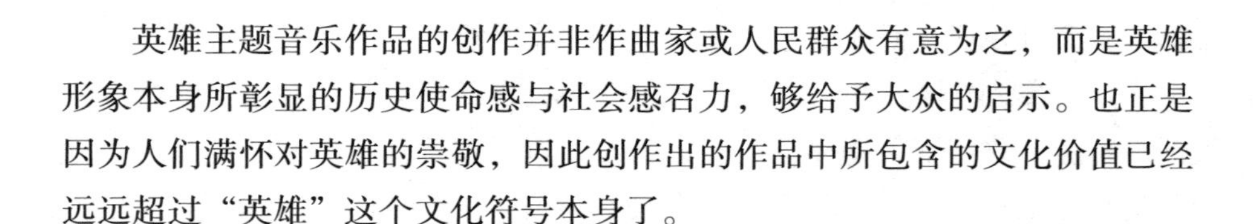

英雄主题音乐作品的创作并非作曲家或人民群众有意为之，而是英雄形象本身所彰显的历史使命感与社会感召力，够给予大众的启示。也正是因为人们满怀对英雄的崇敬，因此创作出的作品中所包含的文化价值已经远远超过"英雄"这个文化符号本身了。

一、英雄题材音乐创作是对历史的慎终追远和对生命价值的反思

从文化传承的角度，音乐作品承载了英雄主题的文化内涵，它是英雄文化的一种非常重要的载体，相较于文学与绘画作品，音乐作品的记录方式更为生动。很多以英雄为主题创作的音乐作品记录了英雄的事迹，将英

雄的形象、精神等以音乐的形式表达出来，让更多的人通过作品了解英雄的精神与形象，铭记他们对社会所做的贡献，从而更好地将这种精神传承下去。虽然每个时期的音乐创作对于英雄形象的塑造稍有不同，但大众对于英雄群体化的选择就足以说明其精神核心的表达在不同时期具有相同的效果。因此，作曲家在创作中选择英雄主题是对历史的慎终追远，他们通过作品警示世人，而这正是英雄题材作品的重要意义。

从另一视角分析，英雄也为艺术创作提供了丰富的素材与独特的视角，且在具体的创作实践中不会因为其他因素产生客观转移。当人们在争取自由、民主的道路上历经艰难险阻时，英雄以其具有的强大的精神感召力为人们的反压迫斗争带来了积极的影响。在大众的认知中，英雄是正义的化身，他们也因此有了很多的追随者，这与传统礼教思想的影响下所形成的礼制体系相符，也让更多的人关注英雄主题艺术和音乐作品的创作。在西方世界中，英雄代表着自由，所有的英雄都在追求自由，骑士精神也是在自由之光的感召下，将英雄的精神进一步发扬。虽然，中西方的文化体系对于英雄的解读不同，但英雄所代表的精神仍存在相通性。

在以英雄为主题的音乐创作中，创作者会以主观性的表达对英雄角色进行呈现，其中也蕴含了“以我观物”的哲学思想，因此，音乐作品中英雄的形象具有多元化的特点，因为这些形象中倾注了创作者的社会观、历史观、价值观等。在这之后又出现了“以物观我”的人文观照，引发了大家对于英雄价值的反思，人们开始重新审视自己的人生，然后向着更高层次迈进。

二、英雄题材音乐创作是在生命个体审美观照基础上的精神感召

很多作曲家选择英雄题材进行创作是基于当前社会文化消费观念，体现了对群众的人文关怀，这是创作此类作品非常重要的动机。在社会群体中人需要审美，人的情感也是在对自我、他人，以及世间万物的审美过程中释放的，这样生命的品质才能获得提升，才能获得更好的情感体验。因为，人的内心只有在满足的状态下才能有进一步的升华，而这也关系社会的和谐。而音乐具有审美价值，它能够从心理需求层面给人们以心灵的慰

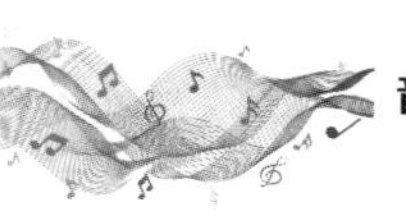

藉。作曲家的创作直接关系大众的音乐审美体验，好的音乐作品能够使人产生愉悦、平静的感受，引发观众情感的共鸣，这是作曲家赋予作品最强生命力的具体体现。

英雄主题音乐作品对于英雄形象的刻画，相较于其他音乐题材作品简单，因为很多以英雄形象的塑造为主题的音乐作品都有完整的文学脚本支撑，尤其是在当前文化消费迅猛发展的情况下，人们的文化消费心理难以获得满足感，加上历史典故与神话传说等素材的参与，观众对舞台表演的心理期待，以及获得的舞台视觉冲击会形成一种对冲，而风格多元、体裁丰富的音乐作品对于英雄形象的呈现与再创造方面又再次给人们的感官带来冲击，带给了观众新的审美体验。在这样的形势下，音乐作品中的人文关怀也得以体现，这正是音乐创作的价值所在。因此，以英雄为主题创作的音乐作品是基于大众的审美需求出现的，而大众也可以从作品中感受英雄精神的具体表达，在感受英雄形象塑造的同时获得更多的审美体验，在英雄精神的感召下获得前进的勇气和动力。

的确，很多音乐作品在塑造英雄形象时会凸显角色中的悲壮色彩，让欣赏者从悲剧式表达中寻求情感的审美体验。中国历史上很多的戏曲作品中对于英雄的塑造都少不了悲壮凄怆的表达，西方的音乐作品中也会对英雄悲剧性的命运进行重点刻画。例如，贝多芬的《命运交响曲》就是以沉重、缓慢的行进速度推动音乐向前发展，在近似“哀鸣”音乐声中向观众预告了英雄生命的终结，但这也使英雄精神得到了升华。虽然不同作品通过不同的声音效果营造音乐氛围，但作品带有的冲击力较为一致，观众从作品中也会感受到一种“明知不可为而为之”的抗争精神，这种精神被浓缩到音乐作品中逐渐沉淀下来的时候，其实就已经与单纯的审美和内心的满足相脱离了，进而转化为一种精神力量，之后进一步升华为社会精神。

三、英雄题材音乐创作的内涵发展

随着经济的全球化发展及科技的纵深推进，英雄形象所呈现的文化内核被越来越多的边缘文化解构与质疑，随着泛娱乐音乐文化的发展，英雄文化的发展空间受到了挤压，英雄题材作品的创作受到了很多的负面影响，新创作的优秀作品也越来越少。在20世纪80年代以后，流行歌曲中出现了很多英雄元素，如《霸王别姬》及摇滚乐作品《大风歌》《项羽》等。这些音乐作品对项羽等英雄形象进行再创造，对当时人们的审美产生了一系列的影响。西方音乐亦是如此，19世纪末到20世纪初，西方先锋派音乐家依然保持着对英雄的赞颂。例如，索福克勒斯创作的《俄狄浦斯王》，以及勋伯格创作的《摩西与亚伦》等歌剧作品，运用了新古典主义的音乐手法重新塑造英雄形象，希望通过更多元化的方式引发人们对英雄的追思。

不管运用何种方式创作的音乐作品，都带有商业化的特点，使得英雄题材音乐作品的创作进入瓶颈期，从宏观上面临着集体“失语”的局面，很多的作曲家放弃以传统音乐作为载体，但新的音乐载体又缺乏一定的受众基础，从而使英雄精神的作品与呈现舞台很难融合。观众的审美体验也开始出现两极分化，老一代不断从记忆深处挖掘对英雄音乐的印象，新生代又在“失语”的环境下不断挣扎，这是英雄音乐在发展与传承中所面临的主要危机。英雄精神力量是新时期音乐创作的重要任务。只有冲破原本的认知瓶颈，不断更新文化创作理念，才能进一步开启新的局面。文化的传承与发展需要与时俱进，只有突破原有的束缚，才能找寻到新的机遇。因此，在传统文化与当代文化的碰撞中，英雄文化在传播中与当代数字化媒体结合，是当前传统文化发展的新契机，虽然在后续的发展中依然坚难，但这也是英雄题材音乐作品重新焕发生机的重要路径。

第四节 英雄题材音乐创作对文化传承的价值研究

一、音乐创作中的作品题材选择

英雄人物与英雄事迹不论在哪一时代都是人们争相谈论、口口相传的话题。并且，随着时代的变迁，英雄已经融入我国的传统文化之中，成为中华民族文化的重要组成部分，是文化自信的重要体现。当然，不同的时代需要不同的英雄进行引领，如在战争年代，有着像关羽、岳飞等力敌万军的将军，提起他们，将士往往会受到激励而浴血奋战；而在和平的年代里，又有着如焦裕禄等平凡英雄时刻提醒着人们敢于拼搏、乐于奉献。在实现中国梦的当下，人们的生活水平在不断地提升，精神需求也在日益增长，音乐则成为传播优秀文化的重要手段。对于英雄形象的塑造，音乐有其独特的优势。在音乐创作中，塑造英雄人物的形象需要极为严谨的思维与态度，需要建立在真实性的基础上，选择合适的题材进行创作，这样才能使音乐及英雄人物的事迹得到更广泛、更有深度的传播。

1. 英雄形象塑造的概念及在音乐创作中的重要意义

“英雄”一词最早出现在我国东汉时期，当时，人们认为可称为英雄的人必须具有超乎常人之处，如武勇超于常人的人，或者具有高尚品格的人，抑或无私奉献、不畏艰险、令人敬佩的人。这一评价英雄的标准也一直沿用下来。众所周知，中华民族有着五千年悠久的历史，在这五千年中，我们见证了无数的英雄人物诞生，他们为中华民族的发展做出了不可磨灭的贡献。正所谓“时代铸就英雄”，每个时代对英雄人物也有着不同的需求，正是这些符合时代需求的英雄出现，才改变了中国的历史，使中华民族每每在危险关头都能够转危为安，让中华民族以更加昂扬的姿态屹立于世界民族之林。而人们通过亲眼所见或者口口相传的方式对英雄人物进行描述，则是最初的对英雄形象进行塑造的方式。随着艺术形式的不断发展，诗歌和音乐成为人们对英雄人物进行赞颂的主要方式。早期人们通过诗歌的形式对英雄人物进行赞颂，其创作方式多为口口相传。但随着音乐的教化性不断被开发，音乐创作对英雄人物的歌颂也更加严谨，形式也从歌曲扩展到了各种体裁。今天，关于英雄人物的音乐作品已数不胜数，而以英雄为主题的音乐创作更具有非凡的意义。

从上文的分析可以看出，音乐具有非同凡响的教化功能，它能够鼓励人们奋勇前行，也能规范日常生活中的各种行为，音乐治疗专业的出现便很好地证明了这一点。用音乐歌颂英雄人物是音乐教化功能的重要组成部分，它不仅能够引导人们树立正确的人生观、价值观，同时也能为人们日常行为、处事提供重要参考，在遇到人生困境时，英雄人物能鼓励人们克服困难。

当然，以英雄形象为主题的音乐在当今时代更具有着广泛的意义。中国梦是每个中国人心中的梦想，在实现中国梦的伟大道路上，不可否认英雄人物对社会发展做出的伟大贡献。音乐除了起到比文字更好的记载作用以外，还是“四个自信”中文化自信的重要体现。所以，在创作以英雄为主题的音乐作品时，选择题材时需要相当谨慎，虽然要考虑作品的传播性，但也不能为了传播而忽略作品的真实性。

2. 英雄形象塑造与音乐创作题材选择的关系分析

在以英雄形象塑造为核心的音乐作品中，影响作品与题材之间关系的关键因素包括歌词、旋律、结构等，不同元素的综合呈现，才能更好地塑造作品中的英雄形象。

歌词是音乐情感最直观的表现手段，这也是其他元素所不具备的功能。人们在欣赏音乐时，不需要过多的思考就可以通过歌词来了解音乐想要表达的内容。所以，在音乐创作中，对于英雄形象的塑造也需要先从歌词着手。首先，在题材的选择方面，一定要结合英雄人物杰出的事迹进行歌词的创编，在歌曲的引子及结尾部分则可以加入英雄故事的叙述，以及对英雄的赞美，这种创作手法是当今以英雄人物为主题的歌曲中歌词的主要创作方法。值得注意的是，有些音乐创作者根据自身的创作习惯，偏向于先进行谱曲后进行填词，这虽然是主流的创作手法，但在以歌颂英雄人物为主的歌曲创作中，著者并不建议使用这种先谱曲后填词的方法。因为这样创作往往在填词的过程中需要照顾到旋律的进行，塑造英雄形象的真实性往往大打折扣。与此同时，不对英雄人物进行了解而进行谱曲，也会造成对于英雄人物的理解不够深刻，从而导致乐曲的内涵不够深刻。

所以，创作以英雄为主题的歌曲时，在英雄形象的塑造方面，著者建议一定要重视歌词的赞颂性。在创作歌曲之前先要对英雄人物的事迹进行全方位、深刻的了解，先作词，再谱曲，这样歌词才能够更加直观地展现英雄人物的光辉事迹，从而使人们在欣赏音乐时也能够更加直观、更加真实地了解英雄人物。在旋律的创作阶段，对于英雄形象的塑造则需要分为

两部分进行论述：一为歌曲类作品；二为其他乐器类作品。这两类作品有着不同的题材选择方法。

在歌曲类作品的创作中，主要围绕歌词进行谱曲，使歌词与旋律之间产生良好的互动。而歌词与旋律的互动并不完全是通过歌词的韵律和旋律进行的，完全根据韵律进行创作很容易造成旋律的忽高忽低，从而影响歌曲的整体视听效果。所以，巧妙地运用装饰音及经过音可以很好地解决音程之间过于空泛的问题，同时能够增加歌曲的连贯性与故事性，这样便能更好地呈现歌曲诉说性、故事性的特点。

在乐器、乐曲类作品的创作时，没有歌词进行辅助，对于英雄形象的塑造则更加困难。如果没有将故事的线条梳理清楚，创作出来的作品往往会使听者不知所云，甚至无法将音乐作品与所要塑造的英雄人物相关联。所以，创作此类作品时，著者建议选择所要塑造的英雄人物的单个或者几个知名的事迹进行描述。在创作中，可以巧妙地选择加入英雄所处时代具有标志性的音乐，这样能够直观地把听众带入英雄所处的时代，从而加深对作品的理解。与此同时，气氛的营造也是重要的，是除了编曲以外最重要的环节。在独奏乐曲中，需要注意故事与故事之间的衔接，尽量将整个乐曲串联起来。而在合奏或是歌曲类乐曲中，则需要运用配器及和声来烘托乐曲的氛围，同样的旋律可以用不同的和声来编配，视听的效果也会变得丰富，这样便可以使英雄的形象更加真实且伟大。

曲式结构是支撑乐曲的整体支架，就好比骨骼支撑着人体一样。合理的结构能够使乐思表达得更加全面，使音乐更加立体，反之则会让人听起来有一种泛泛的感觉，引起不了更多的共鸣。目前，歌曲类作品的创作往往会采用简单小型曲式，如二部曲式及三部曲式。值得注意的是歌曲再现的问题，很多创作者在进行英雄形象塑造时往往觉得意犹未尽，总想通过重复的方式再进行一遍叙述，并在乐曲的结尾处大做文章，酣畅淋漓地结尾。这种创作方法虽然不存在任何问题，但显然已经不适合当代人的审美取向。一味地对英雄人物进行赞颂反而会造成听者的审美疲劳，创作者更需要的是在歌曲的框架中加入更多内容让音乐的内涵得以扩充，如对比内容的加入或是不完美的终止都能够引起听者的更多共鸣，加深听者对音乐的思考或者对英雄人物的怀念等。所以，音乐的结构对英雄人物故事的描写非常重要，创作者需要根据英雄人物的事迹及他们在人们心目中的地位制定合理的结构，盲目地选择或是根据自身的创作习惯制定往往导致乐曲的情感表达不够全面，从而无法走入人们的内心。

3. 当今时代音乐创作中英雄形象塑造需要注意的问题

从上文的分析可以看出，创作以歌颂英雄为主题的歌曲时，在英雄形象塑造方面需要考虑作品的时代性。首先，中华民族是一个英雄辈出的民族，在不同的时代都有着不同的英雄人物，如在战争年代有着像《红岩》中的江姐、《林海雪原》的杨子荣等，这些音乐、影视作品都生动、真实地还原了英雄人物的光荣事迹，也鼓励了当时的一代人为了革命、为了发展而努力拼搏。而在科技、经济高速发展的现代，除了要缅怀这些英雄人物之外，创作者还需要找准历史的方位，着眼于当下。今天已经处在中国特色社会主义新时代的历史方位上，新时代会诞生无数新英雄。他们身上必然更鲜明、更集中地彰显新时代的精神特征。新时代的新英雄更多的是从中华民族伟大复兴的壮丽实践中涌现的改革英雄、创业英雄、科技英雄、创新英雄。他们的精神标志不再是革命年代的慷慨赴死和舍生取义，而是参与全面建设社会主义现代化国家。所以，在音乐创作中塑造新时代的英雄人物则要比怀念过去更加有意义，人们会从这些新英雄的身上看到更多的共同点，从而引导自己的工作与生活。当然，选择当下并不等于抛弃过去，而是让更多类型的英雄形象得以展现，形成百花齐放的局面。

在找准历史方位的同时，创作音乐作品还需要有明确的价值取向。作品中选择的英雄也应该是思想先进、事迹伟大的真实人物。这是因为音乐具有教化心灵的作用，不够纯洁的事物不应该出现在音乐之中。纵观其他艺术形式对英雄人物的塑造，如抗日剧、英雄小说等，这些作品中的英雄人物及他们的事迹都是为了增加观赏效果而虚构出来的，不是真实的，对人们的日常生活只能起到娱乐的作用，而对净化心灵则没有多少的帮助。创作者应该坚持创作的本意，坚持以“为人民服务”为新时代中国文艺创作及其英雄塑造的正确方向。不要为了哗众取宠而悖逆创作的本意，破坏所塑造英雄人物的真实性，要让所创作的音乐可以感动更多人，让人们听到自己创作的音乐时可以引发更多的思考，从而为他们的幸福生活提供帮助，这大概也正是每个有责任心的音乐创作者的最终目的。

美学尺度是创作以英雄人物为主题的作品时需要考虑的另一个问题，除了要考虑人们的审美需求以外，还要考虑作品的推广。所以，美学尺度的定位也使得很多创作者难以取舍。在此，著者建议可以适当地使用夸张的手法，但不能过分。纵观西方一些关于英雄人物的音乐作品，往往场面非常宏大，音乐也极为辉煌，这都是由价值观决定的，西方音乐作品中的英雄人物往往是神话中的人物，很少有近现代的英雄人物，这在很大程度上是政治制度决定的。中国的英雄人物则不同，他们很多都源于生活。所以，只要故事真实，思想善良且富有正义感，就能被大多数人所接受。对于夸张的程度，则需要建立在真实的基础上，如现代歌剧作品《松毛岭之恋》，再如民族交响作品《木兰辞》等，在尺度的拿捏方面都做得非常到位，既有宏伟壮大的场面，也有丰富的内涵，这些作品都值得创作者参考并借鉴。

音乐题材的选择需要考虑众多因素，用两个词概括便是“严谨”与“真实”。音乐是严肃、严谨的，而英雄人物也是不能够随意捏造的，要具有真实性。因此，音乐创作者应该恪守这一原则，只要找准英雄所处的历史方位，牢固坚持以人民为中心的创作方向，就一定能在音乐作品的创作中塑造出一大批彰显新时代精神的丰富多彩的当代中国英雄形象。

二、以英雄形象塑造为核心的音乐创作的文化传承价值研究

英雄文化在中国的传统文化中占据着非常重要的位置，因为在数千年的传承与发展中，我国文化始终保留着对英雄人物或事迹的颂扬。在很多古典诗歌、人物传记，以及历史记载中都可以找到与英雄相关的内容。从音乐创作的角度分析，一部音乐作品通过音乐与文学的融合来表达主题，呈现内容并创造艺术价值是非常重要的，因此，需要从音乐创作方面着手，了解英雄文化在我国文化传承中的价值体现。

1. 音乐作品对于英雄主题的把握

音乐作品对于英雄形象的塑造与理解，需要作者准确把握作品的主

题，在作品中全面体现出英雄在群众，以及集体中所起到的积极作用。因为英雄主题音乐作品的创作，其最终目的并不只是记录英雄的先进事迹，而是通过艺术性的处理，使作品可以教育和影响更多的人，让英雄可以具备更广泛的影响力。因此，在音乐创作中对英雄形象进行塑造时，需要针对作品的表达对英雄的具体事迹进行适当的取舍，通过先进事迹挖掘其精神的本质，并通过音乐作品进行传播。

在进行作品创作之前，同样需要思考我们想要表达的英雄的本质到底是什么？在大众的普遍认知当中，英雄是存在于艰苦的革命年代之中，其实这是片面的，英雄主义精神在当今社会也是必不可少的，在社会主义现代化建设的新时期，乐于为我国建设事业贡献自己一切力量，并致力于为人类幸福事业做出贡献的，都是当代的英雄。我们颂扬的也正是这种先进的思想及可贵的品质。我们接触到的多数的“英雄”人物都具备了很好的群众基础，因为每一位英雄都离不开群众，英雄是在集体中发挥了模范带头作用并将自己潜力最大限度贡献出来的人，但是他取得的成绩同样属于集体，因此，英雄的诞生与集体是血脉相连的。

例如，我们熟知的英雄人物邱少云，为了不暴露目标，即使全身被火焚烧着，他也以惊人的毅力忍受痛苦，始终没有挪动一下，因此也使得埋伏的队伍没有暴露。虽然邱少云并没有在战争中直接攻击敌军，但是在邱少云的思想理念之中，他将集体主义思想放在了远超自己生命的高度之上，他知道，只有依靠整个部队，战斗才有可能取得胜利。这也证明了英雄并非如我们认知的，必须是“伟大的作用”，而是处在一个集体之中，发挥了集体要求他发挥的那一部分作用。

当这样的“英雄”形象呈现在音乐作品中时，不应仅仅呈现其个人的事迹，因为伟绩自然离不开群众的共同努力。假使没有人民革命战争，也没有党对于军队进行的积极教育，也就不会产生邱少云、黄继光等民族英雄，他们是先进思想与高贵品质的化身，也是群众中具有代表性的先进人物，但同时，他们也是集体中的一员。音乐创作就是以歌曲的形式，运用群众最容易掌握的方式对英雄的事迹进行颂扬，并将群众的思想情感表达出来，也表现出人们现阶段较为先进的思想因素。

2. "英雄"形象在音乐作品中的真实性

我们在进行音乐作品的创作时，需要确保作品的质量，这就要求我们在描写真实人物事迹的基础上要使其更为典型化，或者将真实的人物事迹进行概括和提炼，在音乐作品中以更加典型的方式呈现出来。我们在根据真实的人物故事进行创作时需要考虑事件的典型性，对可以集中表现人物优秀品质的事迹进行描写，这样才能使创作的音乐作品具有更为深刻的教育意义。什么都想记录，是达不到深刻、清晰的效果的。

在英雄人物的选择上要典型，事迹也应该具有典型性。在音乐的创作过程中不仅需要高度的凝练性和饱满的情绪表达，还需要通过艺术化的表现手法来呈现音乐作品的主题思想。因此，在音乐作品中塑造的英雄形象，不能仅仅停留在概念层面，还需要结合具体的情节进行描绘。每位英雄的经历都很丰富，但是创作者在创作时无法将所有经历完全呈现在作品中，如果不加取舍，将导致音乐作品无法给听众留下深刻印象，从而无法达到较高的艺术效果。因此，音乐作品的创作需要有一个准确的切入点，然后把握住一件具有代表性的事迹来对英雄人物进行颂扬。

真实性同样是音乐创作的基本要求，虽然音乐作品的创作需要进行艺术加工，但那是针对创作手法而言的，所记录的内容与事迹要具有真实性。因为英雄形象本来就具有一定的榜样作用，而且歌曲中的英雄人物大多都被人们所熟知，如果作品缺乏真实性，其教育意义就大大减弱了。

3. 英雄歌曲具有的群众基础

已有的歌颂"英雄"形象的音乐作品，只有很少一部分得到了群众的传唱。这些音乐作品除了具备一定的教育意义之外，还符合群众性，这样才会有较好的群众基础。音乐作品要有群众基础，就要在作品的音乐语言运用，以及表现形式的选择上有一定的考虑。

音乐语言并非仅仅指作品的歌词，其艺术内涵与价值也并不仅局限于它与生活语言之间的关系。艺术作品的创作是为了表现现实生活，并非为了表现语言。但是，从另一角度来看，如果在作品的创作过程中运用的音乐语言并不能被听众所接受、理解，那听众就会对这一音乐作品产生排斥心理，自然达不到教育群众的目的。

对于艺术创作者来说，要善于从现实生活中汲取群众喜闻乐见的语言表达方式。因为时代在不断发展，群众的语言也不断地得到丰富。要想更多地了解群众的语言表达方式，就需要了解群众的生活与情感。作家老舍曾说过：“从生活中找语言，语言就有了根；从字面上找语言，语言便成了点缀。”如果不了解语言的“根”，那在创作中就无法将语言与作品的主题内容表达相契合，也无法通过新的内容创作出更为丰富的音乐语言。比如，创作者想要在一个作品中歌颂我国的边防战士，就需要了解他们的日常生活，这样才可以理解他们简单的语言中所包含的丰富的情感，才能更好地在作品的创作中挖掘更多的创作素材。

此外，创作者还需要了解民间音乐的表达形式，因为民间艺术来源于群众，反映了丰富的群众语言艺术，但这并不是说在创作中就要以此为模板了，而是通过了解民间音乐，感受群众生活中特有的表达方式及风格，并了解作品中音乐语言是如何具体运用的，从而确保新作品，既有创新又不会脱离群众想要表达的情感。如此创作的作品在音乐语言的运用上才可能最大限度地贴近群众，才可以更好地发挥音乐作品的教育意义。

在音乐作品表现形式方面，最重要的一点就是完整，为了可以让更多的听众更好地掌握作品的演唱，通常来说结构需要短小，这就导致作品在保持内容表达的完整性及集中性方面存在一定的难度，如果作品的内容上表达不集中、不完整，同样无法获得听众的倾睐。有些创作者在创作时并未关注作品的结构，只是将自己想要表达的作品创作完成，但他们没有想到的是，如果结构散乱，光有曲调与歌词是构不成一首完整的音乐作品的，对于作品的主题表达就更无从谈起了。

如果一首音乐作品的歌词较为完整，乐句和乐段之间的划分也比较明确，但是无法留给听众深刻的印象，那么这样的创作也无法获得群众基础。因此，我们在作品的创作中要突出鲜明的作品主题，并使作品的主题表达合乎作品的整体结构，而并非追求形式上的完整呈现。很多人觉得作品短小就是具有群众性的体现，看到篇幅较长的音乐作品就反对，这也是片面的。具备群众性需要在结构短小的基础上，音乐语言简洁、朴素，情感表达到位，这样才可以在形式符合要求的前提下，使作品的形式与内容更好地统一起来。

我们不能将作品的群众性简单地理解为通俗单调，要在作品通俗化的基础上更多地寻求作品的多样性与创造性。这样才能通过作品本身吸引更多的听众，只有作品具有一定的群众基础，才能更好地使我国的传统文化得以传承。这不仅是音乐创作的艺术价值所在，也是弘扬我国传统民族文化的必要工作。

4. 对于传统文化中英雄主义的理解与传承

在音乐作品中塑造“英雄”形象，最重要的就是对英雄主义的理解，只有对英雄主义有充分的理解，才能准确地把握音乐作品的情感。不管是对于已经为我国革命事业献身的英雄，还是对正在为我国现代化建设奋斗的英雄，都应该通过乐观主义情感进行颂扬，通过充满激情的情绪来歌颂。但是也有很多描写英雄形象的音乐作品会不同程度地出现伤感的曲调，这就需要根据作品的主题表达做出不同的处理，不要因为故事带有悲情色彩，就忽略了对主人公英雄形象的刻画，因为这才是作品表达的重点所在。

在今天，通过音乐作品对英雄形象进行塑造是十分有必要的，弘扬英雄主义符合当今时代发展的主题。虽然现在没有革命战争时期壮烈的英雄事迹，但是驻守在我国边防、海防的战士，以及为了社会安定一直坚守在岗位上的普通劳动者，都是英雄精神的代表。除了战士，各行各业也有英雄，他们为当今社会的发展默默地贡献着自己的力量。正是因为这些英雄的存在，我们才有现在的安定生活。

理解了英雄形象，才能更好地对英雄精神进行颂扬，用大量优质作品去感染更多的人，使作品的教育意义得到最大限度的发挥。因为英雄精神是需要传承的，也是我国社会主义思想建设的重要内容，而音乐作品是大众最容易接受的艺术形式。因此，利用音乐作品更好地进行英雄形象的塑造，不仅可以帮助我们更好地进行艺术的传播，对于我国优秀传统文化的传承也有一定的积极意义。这正是音乐作品中以“英雄”形象的塑造进行创作的价值所在。

综上所述，音乐作品可以帮助我们更全面地了解我国传统文化中英雄主义精神，对这种精神的弘扬也有一定的帮助。好的音乐创作不仅是符合时代文化发展的，与今后文化的发展方向也应该是契合的。只有这样的艺术创作才能更好地帮助我们继续传承与发扬我国优秀的艺术文化。

三、英雄题材音乐创作中的历史传统与文化蕴含

英雄题材在音乐创作中有着非常悠久的历史，它从我国传统的审美视角出发，承载着中华民族的优秀文化，与此同时，又在创作中延续着这一历史传统。因此，作曲家应非常注重作品的群体性表达，这样创造的作品与形象才能具备更鲜明的历史影响力与文化感召力，并渗透到人们生活的各个方面。因此，从创作的角度分析，英雄题材音乐创作可从历史的角度揭示当前的英雄文化传承，并将这种精神在创作中深化。

1. 历史传统中的英雄题材音乐创作

题材是音乐创作的内容择取，它来源于生活又在创作中被艺术化地抽象、加工和升华，在不同的音乐作品中可以窥见不同题材之于音乐风格形成产生的影响，不同风格音乐作品中蕴含的审美旨趣又对受众的审美体验产生不同作用。总体而言，音乐创作的题材选择就是立于自然形态中的“天、地、人”三位一体，借“景”抒情、借“物”咏怀的寓情于景、情景合一，是“感于物而动，故形于声”的先觉而后发，是创作者身感体悟后的“周边”叙事。不同于人与自然景致的对话，英雄题材的音乐创作是人与人之间的通感，确切地说是普通人与非普通人的对话。它总以仰望的视角对这种非普通的英雄群体进行符号化的还原乃至分裂、剥离，许之以宏高伟岸式的悲壮美抑或涓涓细流式的隽永美，不断唤醒着那些普通人的心灵悸动，进而相因成习地形成一种惯性思维和创作实践，成为音乐创作中的文化母体。但是，在音乐学科诸领域，对英雄音乐形象的分析俨然多于对英雄题材音乐创作的深度思考，因此，需要对英雄题材音乐创作进行回顾与梳理，这样才能从总体上把握音乐作品中英雄形象的文化底蕴和内涵。

英雄大致是这样的人：“一是才能勇武过人的人；二是具有英雄品质的人；三是无私忘我、不畏艰险，为人民利益而英勇奋斗，令人钦佩的

人。”[①]英国人卡莱尔亦曾这样说过：“在任何时代，他们都不可能从活着的人的心目中完全清除掉对伟人的某种特殊的崇敬，真正的尊敬、忠诚和崇拜，不管这崇拜多么模糊不清和违反常情。只要人存在，英雄崇拜就永远存在。”[②]从精神层面的表现而言，英雄又通常被具化为超人英雄、诗人英雄、反英雄[③]。但无论哪种英雄，正是因为他们拥有异于常人的精神，才能产生催人奋进、化腐朽为神奇的力量，而成为社会标榜的楷模，也成为人们崇拜的对象，英雄精神沉淀在文化的优秀基因中给众生以潜移默化的影响力，从而推动着社会变革的向上、向好发展。自然的，当英雄从个人行为衍化为一种意识和精神的时候，便成为文学、艺术的宠儿，为其提供了鲜活的素材并注入活力，音乐创作亦不例外。

（1）中国历史中的英雄题材音乐创作。

以英雄为母体的音乐创作由来已久。先秦时期，宗教乐舞中的《葛天氏之乐》《伊耆氏之乐》，以及“六代乐舞”中的《大夏》《大武》都具有原始的英雄式崇拜印迹。原始部族用歌、舞、乐三元一体的方式表达对这些部落首领的讴歌和崇拜，一方面体现出权力、宗教、艺术的多位合一；另一方面也体现出创作选择的庄严性、必然性和程式性。这样的题材选择之于部族的生存和发展都是一种难以规避的命题。至秦汉时期，随着俗乐兴起，民间音乐创作中的“英雄”也开始不断涌现，西汉角抵戏《东海黄公》[④]便是一个典型案例。故事中的黄公力大无比、善施法术，具有降龙伏虎之能，这显然是一种建立在“力量”基础上的对民间“异人”的英雄式崇拜，与宗教样式的“英雄”相较显然更贴近生活，更具想象力和艺术性。

秦汉以后，在封建王权的世代更迭中伴随农民起义、抵御外侮的社会变革中，英雄的数量越来越多，音乐创作的题材选择也更为宽泛。这一时期的英雄题材大致可分为三种：一种是根据史实进行的还原和改编，如荆轲、项羽、关羽、岳飞等英雄形象皆属此类；二是在史实基础上凭借创作

① 陈至立．辞海：缩印版［M］．上海：上海辞书出版社，2022．

② 卡莱尔．英雄与英雄崇拜［M］．何欣，译．沈阳：辽宁教育出版社，1998．

③ 李烨．追寻崇高：剖析西方十九世纪音乐中的英雄描摹［D］．南京：南京师范大学，2012．

④ 费秉勋．《东海黄公》新释［J］．陕西戏剧，1981（1）：62-64．

者的主观想象和臆造进而演绎出来的“英雄”形象，如“志怪”“志异”“传奇”等文学作品中诸多现实中不存在的“英雄”人物；三是在个人英雄主义之外的集体性的英雄形象刻画，如根据《三国演义》《水浒传》进行创作的音乐作品就属于此类。由此可见，英雄式的音乐创作题材既有层次之分，又与文学的发展有着无法割舍的关系。

宋元时期是中国戏曲的形成和勃兴期，这种综合性艺术的强势发展影响了明清、近代。戏曲的繁荣发展及其表现形式的多面性，为英雄人物的音乐形象刻画提供了更为广阔的舞台。自宋杂剧之始，戏曲的文学创作和音乐表演便存在于两个分工协作的不同群体之中，“书会是专门为说话人、戏剧演员编写话本和脚本的行会组织，成员大部分是科举失意但有一定才学和社会知识的文士……，社会是专门从事表演艺术的职业艺人组成的行会组织”[①]。文人的大量参与明显提升了戏曲脚本的文学性，而“社会”中的民间艺人则在“勾栏”的争奇斗艳中拓宽了戏路，角色、行当分工更细，唱腔更多元而向着规范化方向发展，服装、道具等变得丰富多彩。可以说，“书会”“社会”的戏曲行会组织的形成推动了戏曲行业向着更加专业化和高层次的水平发展，在才子佳人的表现内容之外，戏曲作为中国新生且最具活力的艺术形式，为英雄题材的音乐创作开辟了更加广阔的空间。宋代南戏中的《关大王独赴单刀会》《冤报冤赵氏孤儿》等英雄题材作品被搬上舞台，在元明清时代又进行了创新性的继承，关汉卿的《单刀会》、纪君祥的《赵氏孤儿》便是如此。元杂剧《宋大将岳飞精忠》、明代的《精忠旗》也属同样案例，如此又衍生出《宝剑记》《双忠记》《清忠谱》等一系列英雄题材的戏曲。宋代之前的英雄题材音乐创作被置于民歌、说唱、曲艺等多种平台上，由于这些体裁形式的叙事空间有限，英雄形象分散且单一。而在戏曲产生之后，“书会”组织大大提高了戏曲脚本的文学性，提升了英雄形象刻画的艺术笔触，戏曲行当和声腔体系的生成也在肢体语言和音声表现上为戏曲演员的舞台创作提供了强有力的支撑，提升了英雄舞台表现的张力，英雄形象变得更加清晰、饱满，富有活力。

---

①孙继南，周柱铨.中国音乐通史简编［M］.济南：山东教育出版社，2010.

（2）西方历史中的英雄题材音乐创作。

西方历史中的英雄题材音乐创作最早可追溯至古希腊时期，从《荷马史诗》开始，英雄人物便被纳入戏剧的题材创作当中，阿伽门农、阿基琉斯、奥德修斯等英雄相继出现，为西方戏剧中的英雄主义形象树立了标杆。公元前5世纪，古希腊悲剧真正形成，埃斯库罗斯、索福克勒斯、欧里庇得斯三大悲剧巨匠笔下塑造了诸多有血有肉的戏剧英雄，埃斯库罗斯的《阿伽门农》《普罗米修斯》，索福克勒斯的《俄狄浦斯王》都是个中典范。古希腊的悲剧为西方戏剧创作打开了一扇大门，但遗憾的是，随着欧洲中世纪的到来，那些曾经令人激情澎湃的英雄形象在宗教神剧中大打折扣，《圣经》故事取代一切，成为彼时神剧创作的根本。11世纪左右，骑士文学悄然兴起，这种与宗教文学截然不同的世俗文学形式向人们展示了“英雄”的怜悯包容、谦卑有礼、注重荣誉和视死如归，英雄题材的音乐创作亦在这种文学洪流中得到延续。法国的《罗兰之歌》、西班牙的《熙德之歌》、奥地利的《尼伯龙根之歌》都是骑士文学与音乐结合的典范，这些“武功歌”由“行吟歌手”传唱，影响社会的各个阶层，并对西方文艺复兴及之后的音乐创作产生重要影响。

14世纪，文艺复兴的到来打破了宗教统治的坚冰，西方音乐创作重新迎来了春天，音乐体裁的创新和音乐创作思路的拓宽为英雄题材的音乐创作铺平了道路。巴洛克时期的戏剧改革家亨德尔一生创作了20多部戏剧，虽然题材选择大多不离宗教，但《扫罗》《参孙》等清唱剧对英雄形象的塑造却别出心裁，让人看到了古希腊悲剧的影子和时兴戏剧的新意，令人耳目一新。贝多芬的《英雄交响曲》开启了英雄的交响，贝多芬在这首作品中树立了坚韧、果敢和不屈不挠的英雄形象，类似的作品还有他的《〈艾格蒙特〉序曲》。受古典音乐创作“严谨”范式的影响，古典音乐中的英雄大多注重外在表现，他们乐观向上，渴望自由、民主，示人以刚、勇、强的人格魅力。而随着浪漫主义时期的到来，“英雄”被分裂为多种性格：肖邦的《英雄波兰舞曲》波澜壮阔、气势磅礴，其中的“英雄”亦是自信与力量的化身，展现出盛勇、光明的一面；舒曼在《〈曼弗雷德〉序曲》中描写的英雄具有反抗性的一面，但在强大黑暗势力面前表现出的摇摆性和怯弱心理却将他们的反抗一面消解殆尽，取而代之的是仅存的反抗情绪的一味宣泄，他们是语言的英雄，却沦为行动的矮子；柏辽兹在歌剧《哈罗尔德在意大利》中描写的英雄极富幻想却又逃避现实，他们幻想着英雄应该具有的品质和取得的丰功伟业，但又在现实面前患得患失，四处碰壁，体现人格的两面性和心理的矛盾性，具有“反英雄”的一面①。值得注意的是，舒曼和柏辽兹的这两部作品都出自英国诗人拜伦的长篇叙事诗，拜伦诗中的英雄虽然怯懦，但反抗性极强，他们从未失去实现理想的信念，虽败犹荣。但两位作曲家都对原作进行了改编，体现了浪漫主义音乐家对英雄刻画的又一不同侧面。

应该说，自古典主义以后，不同时期的作曲家对英雄的刻画均体现了多元性风格，罗西尼歌剧《威廉·泰尔》的坚忍卓绝，理查德·施特劳斯《堂吉诃德》的“疯癫”，《蒂尔的恶作剧》的“荒诞”，斯特拉文斯基《俄狄浦斯王》的“阴森”，斯克里亚宾第五交响曲《火之诗——普罗米修斯》的“神秘”等，这些不同作品、不同风格的音乐对英雄进行了外在及心理的多层描述，集中凸显英雄形象个性化的一面；也有的作曲家在一首作品中展现出英雄的多面性，如理查德·施特劳斯在交响诗《英雄生涯》中就将英雄置于“入世”“对立面”“爱情”“斗争”“隐世”的立体视野中，描述了英雄完整的一生，在“公”与“私”两方面体现英雄既可以高高在上，又可以贴近生活的不同侧面。

2. 中西英雄题材音乐创作的共性

中西音乐创作对英雄题材的选择因为历史的原因体现一定的个性特点，如生产力和生产关系制约下的社会制度变革影响作曲家的创作理念。基于社会观念和道德操守所制约的对“英雄”形象刻画的着眼点和侧重，不同文化体系影响作曲家及大众审美旨趣等，都对中西英雄题材的音乐创作产生了影响，从而产生了英雄风格音乐的中西差异。但总体而言，中西音乐在英雄题材的创作上共性大于个性，从而彰显英雄审美的跨越性和大众性。

---

① 赵一凡，张中载，李德恩. 西方文论关键词［M］. 北京：外语教学与研究出版社，2006.

（1）英雄题材音乐创作的群体性。

英雄题材音乐创作的群体性选择是历史传统中的主要特征之一，英雄题材音乐创作的群体性首先源于对英雄崇拜的群体性。自上古时代开始，群体对抗大自然的屡屡失败使他们对敢为人先的、具有自我牺牲精神的人产生敬畏和崇拜，英雄便成为他们的精神领袖。当音乐艺术毫无悬念地把每个生命个体心目中的英雄创造出来，再以声、音、乐加以展示，并礼教化、固态化后，英雄体裁音乐创作便成了集体智慧的结晶。中国的《葛天氏之乐》、西方的《普罗米修斯》皆是如此。

当音乐创作从集体中逐渐脱离转变为个体行为之后，包括宫廷乐工在内的专业音乐家对英雄题材的音乐作品的创作依然是群体性的，这种群体性来自前者的启悟和经验借鉴，更为重要的是每个音乐家心中都存在着一个若即若离的“英雄”形象，如西方浪漫主义时期舒曼、柏辽兹笔下的“拜伦式英雄”[①]。专业音乐创作对英雄选择的群体性与群体性的英雄创作有前后相沿的关联性，说明英雄的符号化功能早已深入人心，又体现出一定的差异性，甚至在某个时期里的音乐创作中集体性地折射出这一风格。例如，浪漫主义作曲家塑造的英雄整体上呈现“消极”“悲观”的一面，是埃格布雷希特浪漫主义音乐具有“两个世界的模式”[②]；从音乐创作的个体来看，每个音乐家创造的英雄形象各有不同，这种对英雄的个性化创造反而推动了“英雄”形象的多元化和立体化。在中国的英雄音乐创作中，舞台上的项羽不再是单纯的有勇无谋的武夫形象，他可能智勇双全，可能刚愎自用，也可能豪情与柔情并举，有的创造立足于颂扬，有的则尽讽刺之能事。无论如何，项羽的人性、个性都被多元地分离出来，他不再是那个简单的以悲壮闻名的失败者，他身上背负的悲美、壮美、柔美都可能引发受众个体的共鸣，一个栩栩如生的完整的项羽在不同风格的音乐创作中被片段化地“拼凑”出来。同样，在西方英雄音乐创作中，舒曼笔下的“曼弗雷德”以抒发自我的反抗情绪为主，整个音乐中充满着抱怨、不满；而柴科夫斯基笔下的“曼弗雷德”则是一个充满疑问和痛苦的形象，不愿向黑暗屈服，却最终以死亡的方式求得解脱。这正是音乐创作题材在

① 杨江柱，胡正学．西方浪漫主义文学史［M］．武汉：武汉出版社，1989．

② 埃格布雷希特．西方音乐［M］．刘经树，译．长沙：湖南文艺出版社，2006．

英雄命题方面的进步，它们把虚幻的英雄拉入现实中，使其具有了史诗性的意义。

（2）英雄题材音乐创作的层次性。

从层次上来看，愈是接近图腾时代的英雄题材，创作愈为严谨，因为英雄被神祇化和庙堂化，带有浓重的神秘色彩，由此生成的音乐大多是歌、舞、乐共生共存的“洋洋乎盈耳哉”。随着奴隶制向封建制的过渡，虚幻的“英雄”形象走下神坛，音乐创作开始大胆走向世俗化的道路，人们所见到的“英雄”形象不再受场所（如庙堂）的限制，而且娱乐性和审美性更加多元，音乐创作对英雄题材的选择从祀神转向娱人。不仅如此，在英雄匮乏而大众又急需获得精神救赎的时代里，由民间文学虚构的英雄人物也被纳入英雄音乐创作题材选择的视野，这类创作可不受封建礼教的束缚而更加随心所欲，甚至在不同音乐体裁中呈现出来的形象有巨大差异。这些层次鲜明的、时空由远及近的“英雄”式的音乐题材选择与创造是历史发展与时代审美需求的大势所趋。

无论是从文学还是音乐的角度来看，传统的英雄题材音乐创作先是脱离文学或游离文学边缘的自我创造，创作群体首先出现在掌握意识形态话语权的贵族阶级当中，尔后，民间艺人大刀阔斧的创新凿宽了这一题材的活力空间。随着文学叙事功能的不断强化，在传统文化的整合期，“英雄”人物形象的文学化笔触更为饱满和立体，而音乐创作对文学中“英雄”形象的刻画更为倚重。文学作品对“英雄”形像的多元化的刻画使音乐创作对“英雄”题材的选择更加驾轻就熟、信手拈来，这在文学、音乐结合紧密的戏剧艺术中表现得尤为明显，在增加了受众对“英雄”直观感受的同时，尽可能地把英雄主义精神宣扬了出去。

（3）英雄题材音乐创作的发展性。

在英雄题材音乐创作的群体性中已然呈现出了题材选择的传承性、稳定性和发展性。不同音乐家对“英雄”的个体化创作也因为音乐体裁的不断拓宽而赋予“英雄”形象以不同的内涵。

众所周知，中国传统音乐体裁是在历史变革中、在宫廷音乐与民间音乐的互促互进中逐步壮大的。从原始的古歌、古乐舞开始，到春秋、战国时期的《诗经》《楚辞》，再到秦汉时期传统的曲艺、戏曲、器乐，音乐有

了长足的发展。流行于汉代的角抵戏、歌舞戏虽然还是独角戏形式的戏剧雏形，但在民族融合、文化碰撞中，艺术形态的多元化和趋向繁荣已成为历史发展的必然。隋唐时期的歌舞大曲、参军戏，以及繁荣安定的社会局面，对推动音乐体裁的不断衍生打下了牢固的基础。到了宋元时期，传统音乐全面开花，集文学、音乐之大成的综合艺术——戏曲也登上历史舞台，英雄题材的音乐创作便尽可能地与各种体裁的音乐形式结合到一起，扩大了英雄题材的叙事内容和手段。

以项羽为例，从已有的文献资料中找到的最早的有关项羽的音乐便是那首闻名于世的《垓下歌》。该作品以诗歌形式呈现，气势恢弘中体现出英雄的柔情万种和心有不甘，虽然其中的音乐早已难觅踪迹，但却打开了项羽的英雄形象创作之门。在戏剧舞台上，“项羽”首次以配角的形象出现在唐昭宗时期的歌舞戏《樊哙排君难》中，宋杂剧中有《霸王中和乐》《霸王剑器》，元杂剧则有《霸王举鼎》《霸王别虞姬》的剧种，明代的《千金记》一直到近代的《霸王别姬》等对项羽的英雄形象进行了不同侧面的舞台艺术刻画，如此，“项羽”便出现在歌舞戏、杂剧、戏曲等不同的艺术体裁中。再如三国时期的关羽，宋代传奇《大业拾遗记》中记载，隋代的三国戏中便有了关羽的形象。宋代张耒《明道杂志》、元人陶宗仪所著《南村辍耕录》中也都记录了宋元时期的关羽戏曲，尤其在元杂剧《单刀会》《三战吕布》《千里走单骑》等剧目中，关羽的艺术形象愈加饱满、鲜明。明清及近代，“关公戏”更是散布于各大剧种及大鼓书、子弟书、牌子曲等多种曲艺形式中。

同样地，漫长的中世纪虽然给予西方音乐的理论生成奠定了基础，但也束缚了音乐体裁和题材的发展。自然地，祀神宗旨的音乐创作限制了作曲家的想象力，他们对英雄的描述仍然徜徉在对古希腊神话剧的缅想和追忆中。文艺复兴翻开了西方音乐创作崭新的一页，到了巴洛克时期，各类声乐与器乐体裁尤其是清唱剧、歌剧、管弦乐等大型音乐形式被创立，有力地拓展了音乐的叙事能力。英雄题材的音乐创作也不再限于神话的一面，“英雄”变得贴近生活，不只宏高伟岸，亦有多愁善感。古典和浪漫主义音乐是西方音乐发展的两个重要时期，也是最为繁荣的时期，这种繁荣不仅体现在优秀作曲家和优秀作品的层出不穷上，更重要的是这两个时期正是西方阶级斗争的白热化阶段，封建阶级与资产阶级此起彼伏的争权夺利为文学及音乐创作提供了多面的视角和题材，英雄自然也成为音乐家推崇的对象，他们可以更加自由地利用各种体裁去揭开英雄的本来面目，虽然他们的英雄不一定具有项羽、岳飞般的符号性，但英雄形象的鲜活、生动，同样为大众提供了审美乐趣。

显而易见，音乐体裁形式的不断丰富对英雄题材的音乐创作选择而言，是历史赋予的机遇，而创作者适时地把握住了音乐创作的步伐和节奏，调和着人们的审美“味蕾”，用不同的音乐体裁去展现英雄题材的多面性，体现出与时俱进的创作精神。此外，当英雄题材被纳入更多的音乐形式中，对英雄形象的刻画力度和审美创造维度也渐趋多元化，英雄形象也由“他我”的模糊状态向着“本我”形态进行发展，至少其被艺术化了的形象更加突出和贴近生活。

3. 英雄题材音乐创作的文化蕴含

英雄题材的音乐创作不止是人民大众抑或专业音乐家的刻意为之，更在于英雄本身所体现的社会感召力和历史使命感带给世人的启示和观照。反之，正是由此产生的大众对英雄的爱和追随，“我们就会在整个世界，在人类思想的领域中飞翔，我们的心灵会超越时空的界限，由此我们的生命也就变得神圣起来了。”①以此创作出的英雄题材音乐作品所包含的文化意蕴已大大超越了英雄的符号本身。

（1）英雄题材音乐创作是对历史的慎终追远和对生命价值的反思。

从文化传承层面而言，音乐创作也是一种文化载体，是对古人所说的“诗言志，歌咏言，声依咏，律和声”的内涵解读。它记录、传承历史的作用较之文学、绘画等文本更为生动。音乐创作英雄题材的选择首先是对英雄事迹的记录，把英雄的形象、骨肉、魂魄、精神等通过音乐的笔法刻画出来，展示于人并世代相传，让人们时刻铭记英雄之于社会变革的奉献，让英雄的精神传递下去，推动社会的进步。尽管每个时代对于英雄的音乐刻画不尽相同，但对英雄创作的群体化选择已经说明英雄主义精神在

① 林新华. 崇高的文化阐释［M］. 上海：复旦大学出版社，2009.

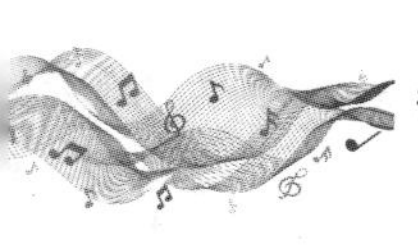

不同时代所产生的共同效用。由此，创作群体的这种对英雄题材的有机选择是对历史的慎终追远，他们以这种创作实践警示自我、启发世人，是音乐创作题材中的从善如流。

从另一面看，英雄的出现为音乐创作提供了独特的视角和源源不断的活力。英雄并不随着音乐题材选择的多寡而发生客观转移，英雄恰是在反对压迫和争取自由、民主的道路上炼成的具有极大精神感召力的人物符号。在中国，英雄是忠义的化身，所谓舍生取义、杀身成仁，封建礼教早为他们贴上了道德标签，使更多人成为他们的追随者，这与中国传统文化所极力宣扬的礼法体系配合得天衣无缝，从而被艺术创作、音乐创作群体所关注便在情理之中。

（2）英雄题材音乐创作是对生命个体审美观照基础上的精神感召。

基于文化消费观念的对受众的艺术审美体验和人文关怀也是音乐创作英雄题材选择的重要动机。人需要审美，生命个体在对自我、他我、自然万物的审美中释放情感，获得审美体验，提升生命品质。换言之，人的心理只有在获得满足的情形下才能升华精神，才能促成和体现整个社会的和谐统一，而音乐恰恰能够满足人的这种心理需要、审美消费。人们之所以能够从好的艺术作品中获得平静、伤情、愉悦之体感而激发共鸣，正是因为创作者赋予作品以灵魂再现的感召力。

与其他音乐题材不同，刻画英雄形象的音乐显得更为简单，因为大多数英雄题材的音乐创作都有现成的文学脚本作为依托，尤其在文化消费匮乏的时代，人们的音乐消费心理很容易得到满足，加之神话和民间文学力量的参与，已有的心理刺激与对舞台上的心理期待很容易产生对话场域上的重合，而体裁丰富、风格多元的音乐对英雄形象的解构和再造又使人们获得新的观感刺激和不同的审美体验。这样一来，音乐创作的人文关怀的初衷也得以体现，音乐创作实践本身也具有了意义。由此，英雄题材的音乐创作正是基于大众的审美消费需求所做出的选择，从而生成对生命个体的审美观照。人们可以从英雄题材的音乐中感受英雄的盖世无双、大义凛然，也可以领略他们的孤僻冷傲、狂狷自负和红粉之伤。更为重要的是，在审美体验之外，他们可以在英雄悲壮力量的感召下获得向前的动力。

的确，英雄的音乐大多示人以悲壮之美，让人从悲剧精神中深度体验美的真谛。例如，我国昆曲《千忠戮》中的《倾杯玉芙蓉》一曲高亢激越、悲壮凄怆，令人叹绝；贝多芬《英雄交响曲》第二乐章《葬礼进行曲》着重刻画了英雄的悲剧命运，乐曲开始由两个沉重的音符带动，以缓慢的进行曲速度推动音乐的层层展开，低沉的贝斯在隆隆的“轰鸣”声中预示了英雄的死亡，但英雄的精神却最终得到了升华。虽然这些作品在乐声创造的方式上不尽相同，但悲剧性的力量效果却惊人的一致。受众从中感受到的是一种“知其不可为而为之”的抗争与超越精神，当这种精神在群体意识中浓缩得更为精致，沉淀得更为深厚时，它便脱离了单纯的心理满足和审美迎合，幻化为一种更加顽强的精神力量，由小众精神升华为社会精神。

（3）英雄题材音乐创作的内涵发展。

在全球经济一体化和科技革命向纵深推进的时代当下，英雄本身所诠释的传统文化中心地位不断受到来自后现代边缘文化的质疑和解构，英雄音乐的传播空间在“泛娱乐”音乐文化的语境中亦受到严重挤压，英雄题材音乐创作在解构和重构的秩序洗礼中徘徊、游弋，患得患失，新生代优秀作品难得一见。在20世纪80年代以后崛起的流行音乐创作中出现了为数不少的“英雄”题材作品，如流行歌曲《霸王别姬》《当爱已成往事》，摇滚乐《项羽》《大风歌》，这些对项羽英雄形象的音乐再创造都对当下人的审美心理产生了连锁效应。西方音乐也不例外，19世纪末至20世纪初，在西方先锋派音乐中依旧保持着对英雄的讴歌，斯特拉文斯基《俄狄浦斯王》、勋伯格的《摩西与亚伦》等歌剧作品使用“新古典主义”音乐语言对英雄形象进行了重新勾勒，以期用更新的方式引发人们对英雄的追思。

但是，无论是流行音乐还是“新古典主义”音乐，它们身上浓重的工业和商品经济色彩，导致英雄题材音乐创作深陷泥潭。传统音乐载体的消失和新音乐载体的难以为继，以及英雄舞台的萎缩和英雄精神的难以融合，使受众对英雄音乐的审美体验开始走向两端：一边是老生代在记忆深处对传统英雄音乐的驻足和追忆，另一边则是新时代在“失英雄”语境中的困惑和挣扎，从而导致英雄音乐面临文化传承上的阻断危机。时代赋予英雄题材音乐创作的新命题。围绕这一命题的英雄题材音乐创作需要突破原有的认知瓶颈，沿着文化传承的思维更新创作理念，始能开启新的局

面。毕竟，文化传承是当下文化发展的需求，同时，也只有在文化传承中的不破不立和另辟蹊径才是英雄题材音乐创作的新机遇。在传统与现代的对话中，传统英雄形象与现代数字媒体相结合的创作与传播可为英雄文化的传承带来新的机遇，即便这里面还存在诸多的问题需要面对和解决，但的确是英雄题材音乐创作内涵发展不可规避且能获得新生的必由之路。

可见，英雄题材的音乐创作应把握时代脉搏，融入时代精神，积极寻找多元化的载体和更为丰富的音乐语言进行大胆尝试和探索，只有这样，才能使英雄精神不断开辟出新的阵地，让英雄形象在时代发展中重放异彩。

“理智和意志取得胜利永远不会违反自然和社会的必然性。它们的作用不过是刺激人们身心本来具有的那些无可怀疑的潜力，使之能够更好地迎合这些必然性而已。”[①]这反映了大众苍生仰视英雄的常态心理，恰恰也使音乐创作与英雄题材的结合具有一定的必然性，两者互为依托，在携手并进中簇拥发展。英雄题材为音乐创作注入了源源不断的发展动力，对同一英雄形象的不同形式、不同风格的刻画敦促创作者积极寻求新的艺术载体，对不同时代的英雄精神的传承和颂扬，以及新的音乐形式的开拓产生了推动作用。反之，音乐体裁的不断丰富和叙事能力的不断增强，也对英雄形象的立体、多元刻画觅得了更为广阔的空间。在当前全球经济一体化的大趋势下，音乐创作应紧跟时代发展的步伐，积极光大英雄主义的传统文化精神，为时代进步、社会发展做出贡献。

四、对中华优秀传统文化的继承与传播影响

英雄文化其实存在于社会各个领域之中，人们身边从不缺少英雄，因此，很多艺术家从现实生活中取材，塑造了很多英雄形象。但随着社会经济的不断发展，人们的生活方式也发生了相应的转变，在生活中面临越来越多的考验，人们的英雄意识逐渐淡薄。这对整个民族文化的传承与发展都产生了负面影响。因此，我们需要重新审视英雄文化的内涵，了解音乐

① 胡克．历史中的英雄［M］．上海：上海人民出版社，1986．

创作中的英雄形象，从我国传统文化价值的认同、文化信仰、民族凝聚力，以及文化继承与传播的途径等方面，分析它在我国优秀传统文化的继承与传播方面起到的积极影响，进一步了解以英雄形象塑造为核心的音乐创作对于我国传统文化的具体影响，这样才能更好地在当今社会中找到继承与传播英雄文化的新的途径与方向。

1. 增强对我国传统文化的价值认同

文化价值的认同是文化得以传播的基础，传播中国特色社会主义文化，需要增强社会对于传统文化价值的认同。而且，文化的传承实际上是一个动态的过程，这一过程对于传统文化的传播与理解也是至关重要的。文化最重要的作用就是为社会风气的营造树立好的导向，文艺工作者可以从我国传统文化的角度入手，在传统文化中选择使我们的价值观得到滋养的内容进行创。其实，我国自远古时代起就存在英雄崇拜，只是当时并未形成具体的文化，之后随着文化的不断发展，英雄主义文化开始慢慢形成，很多的文学作品对此都有体现，促使着我们对于这一意识形态保留着最初的好奇。在音乐作品中去塑造“英雄”形象，有助于人们对我国传统文化价值产生认同，从而很好地促进了传统文化的传播。

音乐作品的传播可以有效地增强人们对中华优秀传统文化的价值认同，因为音乐可以影响大众舆论，通过整体的氛围影响，使传统文化得到进一步传播。现在大多数人的生活被网络占据，人们接触的文化与网络舆论的大潮流息息相关，人们的价值观受到社会各界的影响。因此，当下人们所持有的价值观念各不相同，对传统文化的理解存在着差异。现在很多人对于我国优秀传统文化的理解不够深入，这不仅影响了我国传统文化的发展，而且无法树立人们的民族文化自信，最终影响人们对我国传统文化的价值认同。因此，通过人们喜闻乐见的音乐作品传播我国的传统文化是明智的。因为在音乐作品可以引起人们对于我国优秀传统文化的感悟与认知，从而从文化中获取自己所需要的积极的价值，进而促进社会的更好发展。

只有对我国优秀传统文化进行价值上的肯定，才能让听者感受到作品对于内心情感的感召，使人们在精神层面获益。音乐作品的传播较为迅速、广泛，因此这对于我国传统文化的传播也是积极的影响之一。

2. 坚定民族文化的共同信仰

信仰是民族文化的重要组成部分，也是传统文化的重要内核，因此，信仰对我国传统文化的发展起着至关重要的作用。坚定文化信仰，也是对我国传统文化的认同。很多人从小心中就有一个英雄梦，而且从小就崇拜具有英雄特质的人。不管是适合未成年人的动画片，还是适合成年人的电影，都有"英雄"形象的存在，这不仅是一种观念上的引导，也体现了民族文化信仰的共同所在。将音乐创作与传统文化中的"英雄"形象塑造相联系，可以更好地帮助人们深入了解传统文化，使民族文化的共同信仰更加深植人心。

传统文化可以对人们的信仰起到一定的导向作用，可以从根本上帮助人们在思想方面坚定正确方向，也可以帮助人们不受错误思想的阻碍。在音乐创作中，我们可以通过运用青年一代人容易接受的方式去组织音乐语言，通过对英雄这一主题的情感表达，显示我国传统文化中英雄所占据的重要位置。尤其是改革开放以来，随着我国综合国力的不断提升，我国的国际地位也随之提高，音乐作品通过情感的表达，可以坚定我们的信仰，而这份坚定来源于对民族文化的充分自信。不管是在儿童音乐作品中，还是在通俗、军旅，以及专业歌曲中，都出现了很多以颂扬英雄为主题的作品。这些作品不仅内容丰富，而且在英雄音乐主题的表达上尤为突出。通过作品中塑造的"英雄"形象，坚定了人们的民族文化信仰。

3. 凝聚民族情感与国家意志

如果说祖国是人民最坚实的后盾，那英雄就是民族中最闪亮的光辉。都说唯有在天下危难之际，才能造就英雄。因此，英雄对于凝聚民族情感与国家意志起到了非常重要的作用，这在音乐作品中的体现是十分具体的，如在我国的十四年抗日战争中，全国人民万众一心、众志成城，民族斗志被充分点燃，人们凝聚起了救亡图存、抵御外辱的共同意志，其中涌现了一大批抗日英烈。

英雄文化是一个国家的文化，也是民族在发展过程中对民族英雄的价值认同与情感认同。英雄文化可以同时激发爱国精神与英雄主义精神，是凝聚民族情感不可或缺的文化土壤，也是国家意志不可缺少的内部力量。没有英雄的民族与国家是没有希望的，而一个国家或民族如果缺少了英雄文化，也就诞生不了真正的英雄。

对民族文化最好的认同是人们对待传统文化作品的态度，音乐作品中对于“英雄”形象的把握也是需要与中华优秀传统文化结合的。不要想当然地对音乐作品进行创作，要在考虑音乐创作的基础上，再去挖掘传统文化的价值所在，是需要创作者好好思考的。

从另一角度也可以说，一个国家英雄文化的发展情况与这一国家的兴旺，以及人民的信仰有着重要联系。著者认为，要想使整个国家或民族的文化内涵有一定的提升，就要不断发展英雄文化。而且英雄文化在发展过程中并没有国界、种族、民族，以及大小、行业、贵贱之分，英雄为了我们的安定生活，不仅奉献了自己的青春，甚至还有可能付出自己的生命。因此，英雄是值得我们敬畏、崇尚及学习的。在很多的音乐作品中，都可以找到与英雄相关的内容，这也可以更好地让我们了解中华民族文化的信仰。

4. 拓宽了文化继承与传播的路径

社会在不断发展，文化也在随着时代的发展不断更新。各民族之间的文化相互交融，中华优秀传统文化也受到了来自韩国、日本、美国等国家的文化的冲击。这些外来文化在影响我们生活方式的同时，也通过不同的形式向我们传播其价值观念。虽然社会存在决定了社会意识，但社会意识对于社会存在同样具有反作用力，任何一种意识的出现都不是偶然的，而是为了更好地适应社会生活的发展。因此，音乐作品的创作对于中华优秀传统文化的继承与传播也有一定的积极影响。

通过对中西方文化对社会的影响的梳理，我们可以在一定程度上更深入地了解这一时代文化的发展现状。音乐文化属于时代文化，而且随着艺术文化的广泛传播，其在人们生活中起到的作用越来越突出。对于传统文化的继承与传播需要密切结合时代的发展，就目前的具体情况来说，我国的传统文化传承主要存在以下问题：具体的传统文化的继承与传播的方式过于单一，大多是通过学校教育进行的，虽然近年来也有很多电视节目的主题是弘扬中华优秀传统文化的，但因为节目的时长限制，以及播出的时间段等因素，导致节目播出后的效果并不显著。因此，通过音乐作品来拓展传统文化传播的路径是一个非常好的选择。在音乐作品中塑造“英雄”形象，可以促进传统文化的传承与发展，也能帮助我国的传统文化以更适合文化自身的传承方式进行发展。

5. 加深了艺术与文化的结合

如果想要很好地理解文化与艺术的结合，就需要对二者之间的关系有一定的了解。艺术是文化的具体呈现方式，但艺术本身无法完全代表文化，它只是文化传播的方式与手段。虽然二者在本质上存在着差别，但二者之间的联系是必然的。通过分析二者之间的联系，可以更好地了解艺术与文化之间的具体结合形式。在音乐的创作中传播传统文化，以大众喜闻乐见的方式宣传中华优秀传统文化，对于中华优秀传统文化的发展来说是至关重要的。

将传统文化中的“英雄”形象塑造融入音乐作品中，加深了文化与艺术的结合。中华优秀传统文化与艺术之间有着千丝万缕的联系，很多音乐作品都以英雄主义为主题进行创作，再通过艺术化的处理，使得作品的主题呈现更为鲜明、突出。艺术的创作本身就是多变的，在音乐作品的创作过程中，作曲家通过对节奏、旋律、和声、音响等多种音乐元素的综合运用，可以进行音乐形象的塑造，可以以声音传递情感，以情感的表达感动听众，给听众以创造性的震撼。

传统文化属于社会现象，是人们思想的具体产物，文化的产生与其所处的地域和社会背景有较多的联系，某一时期的音乐作品可以反映该时期内人们的生活方式及价值观念。英雄主义是每个时代都存在的话题，而每个时代的英雄人物也会因为时代发展的不同有着不同的价值体现。将艺术与英雄文化结合起来，不仅可以丰富艺术形式的文化内涵，也可以帮助英雄文化以一种更容易推广的形式进行传播，对于二者来说，是互相受益、共同促进的。因此，对于艺术与文化的融合，应该进行长远的规划。

研究“英雄”形象在音乐作品创作中的传承价值，可以更好地帮助人们了解作品对历史文化的传承与传播所起到的积极的影响。将传统文化的内涵融入音乐作品中，通过这样潜移默化的形式，可以更好地推动传统文化的传承与发展。通过对很多作品的分析可知，“英雄”题材的音乐作品之所以在当今社会发展中能够产生正面影响，是因为作品中塑造的“英雄”形象能够为人们树立榜样。因此，如何在今后的创作实践中，更好地将“英雄”的正义形象呈现出来，影响更多的人，也是创作者需要思考的重要问题。